IFCT0020

IOT (INTERNET DE LAS COSAS) Y SISTEMAS CIBERFÍSICOS EN LA INDUSTRIA 4.0

IFCT0020

IOT (INTERNET DE LAS COSAS) Y SISTEMAS CIBERFÍSICOS EN LA INDUSTRIA 4.0

Manel López i Seuba

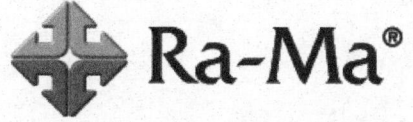

La ley prohíbe
fotocopiar este libro

IFCT0020 - IOT (INTERNET DE LAS COSAS) Y SISTEMAS CIBERFÍSICOS EN LA INDUSTRIA 4.0
© Manel López i Seuba
© De la edición: Ra-Ma 2025

Editado por:
RA-MA Editorial
Calle Jarama, 3A, Polígono Industrial Igarsa
28860 PARACUELLOS DE JARAMA, Madrid
Teléfono: 91 658 42 80
Fax: 91 662 81 39
Correo electrónico: *editorial@ra-ma.com*
Internet: *www.ra-ma.es* y *www.ra-ma.com*
ISBN: 979-13-8764-242-6
Depósito legal: M-5098-2025
Maquetación: Antonio García Tomé
Diseño de portada: Antonio García Tomé
Filmación e impresión: Safekat
Impreso en España en febrero de 2025

A mis Sónias,
por acompañarme en todos los viajes
(este incluido)

ÍNDICE

PRÓLOGO
LA REVOLUCIÓN TRANQUILA E INEVITABLE

Lavarse las manos, abrir la puerta de casa, encender la calefacción o bajar la persiana cuando entra más luz de la que queremos ya son cuestiones en las que la inteligencia artificial puede ser nuestro ayudante más fiel. Se acabó el silencio de las máquinas, todos los objetos hoy se comunican entre ellos. La tecnología actual permite que artilugios, procesos y personas protagonicen una nueva revolución cotidiana y permanente, tranquila e inevitable: es el *Internet de las Cosas* (*IoT*), uno de los pilares de la *Industria 4.0*.

La *industria 4.0* tiene un impacto que va en aumento en el contexto social y doméstico, en la tecnología y en los negocios; transformando el diseño, los sistemas de producción y los productos en sí mismos. Crea nuevos modelos de negocio, aumenta la productividad, promueve el crecimiento industrial, modifica el perfil de la fuerza laboral y redefine la dinámica de la competitividad global en empresas y regiones.

El concepto de *Industria 4.0* no solo es aplicable en las fábricas, sino también en toda la cadena de valor. Se basa en la interacción de personas, máquinas y sistemas y en la disponibilidad de información completa en tiempo real. Como el concepto es relativamente nuevo (2013), muy pocos modelos de negocios de las empresas están totalmente dedicados a este campo. Sin embargo, es más probable que algunas empresas que operan en sectores más innovadores centren su negocio principal en la Industria 4.0

En Cataluña, por ejemplo, existen actualmente 103 empresas que se dedican a *IoT* y 90 a la impresión 3D, según datos de final de 2018. Estas empresas facturan 215 millones de euros, directamente vinculados a esta actividad. Se trata mayoritariamente de proveedores de soluciones, desarrolladores de software, fabricantes de hardware e integradores (consultorías e ingenierías), que en conjunto son responsables de 1.695 puestos de trabajo. La mayoría de las empresas (un

92%) son pymes que están altamente internacionalizadas, ya que un 41,7% de ellas exportan, mientras que la mitad (un 52,4%) tienen menos de 10 años. Se trata de un sector formado tanto por *startups* como por empresas maduras que cuentan con una línea de negocio establecida.

Es vital tener en cuenta el *Internet de las Cosas* para las empresas, sobre todo en un contexto de transformación digital, ya que está estrechamente vinculado a otras tecnologías como la robótica colaborativa, el big data o la nube. De hecho, el 55% de las empresas considera que el *Internet de las Cosas* es un ámbito estratégico que les permitirá competir de manera más eficiente y, por consiguiente, con más posibilidades de ser un socio homologable a nivel global.

La combinación de una economía industrial y un poderoso sector de las TIC es clave para la Industria 4.0: hay que tener en cuenta que la industria, tomando Cataluña como ejemplo, representa el 21% del PIB catalán. Este porcentaje está por encima de la media europea y ya cumple los objetivos de la UE 2020. Además, también tiene un potente sector de las TIC. Con más de 15.000 empresas y casi 16.000 millones de euros de ingresos anuales, las TIC son un motor para su crecimiento, generando riqueza y empleos de calidad. El futuro es ayer, y estamos trabajando hoy en el mañana.

Actualmente, hay más compañías que integran estas tecnologías que las que las desarrollan. Las principales aplicaciones de las tecnologías *Industria 4.0* más desarrolladas incluyen diseño y personalización, creación de prototipos, fabricación y montaje, verificación, mantenimiento y comercialización. Los sectores que más han progresado en el proceso de digitalización son la industria del automóvil, las tecnologías médicas y la maquinaria y equipo. Los sectores de demanda con mayor potencial para aplicar la Industria 4.0 son los ya mencionados, así como las industrias de transporte, logística y distribución.

A escala internacional, la previsión es que la dimensión del mercado del *IoT* sea de 14,4 trillones de dólares en 2022. Dos años antes, en 2020, se calcula que entre 30.000 y 50.000 millones de dispositivos estarán conectados, es decir, entre 2 y 6 dispositivos para cada ser humano. Tal y como apuntan diversos estudios, el país que lidera el ranking de empresas relacionadas con el *IoT* es Estados Unidos, con San Francisco como el *hub* más destacado, mientras que Europa se encuentra en segunda posición.

Cualquier intento de poner luz en medio de tanta información y de tanta velocidad, es bienvenido. Esta obra de *Manel López i Seuba* lo consigue, y de manera amena, nos sitúa en el centro de esta vorágine para poder entender nuestro futuro inminente.

Àngels Chacón i Feixas
Consellera d'Empresa i Coneixement
Generalitat de Catalunya.

ACERCA DEL AUTOR

MANEL LÓPEZ I SEUBA

Nacido en 1968 en Igualada (Barcelona), fundó el centro de formación tecnológica y empresarial **Ceina** en 1988, del que continúa siendo director. Su vocación no ha cambiado desde entonces: divulgar e impartir formación en nuevas tecnologías, principalmente en el ámbito de las tecnologías de la información y la comunicación (TIC). Durante su vida profesional ha combinado la faceta docente con la de programador y analista informático, así como consultor tecnológico independiente para importantes compañías de alcance internacional.

En el ámbito de los sistemas, ha actuado como ingeniero e instructor autorizado de Microsoft dentro de los programas MCSE (Microsoft Certified Systems Engineer) y MCT (Microsoft Certified Trainer), y ha sido instructor autorizado de Cisco Systems, dentro del programa CCNA (Cisco Certified Networking Academy).

Participa activamente en mesas para el impulso del sector TIC y la industria 4.0, y es autor de diversos libros sobre productos tecnológicos para distintas editoriales y centros de formación, además de participar como ponente en conferencias especializadas de diversa temática tecnológica.

1

PRESENTACIÓN

1.1 ¿QUÉ PUEDES ENCONTRAR EN ESTE LIBRO?

Este libro se dirige a todas aquellas personas que sienten curiosidad por el conjunto de nuevos términos y tecnologías que nos asaltan, a diario, desde todo tipo de medios: prensa, radio, televisión, redes sociales, publicidad… y desean entender de qué se está hablando para comprender en qué forma les afecta como personas y cómo lo hace, también, a la sociedad en general.

También será útil a profesionales del sector de las tecnologías de la información y la comunicación (TIC) que deseen ampliar sus horizontes y vean una posibilidad de ello en la revolución que ya ha llegado, para quedarse.

El usuario que tenga este libro en sus manos podrá usarlo como manual de consulta, como guía de referencia o como material de formación.

▶ Al empresario, emprendedor o ejecutivo que participe o sea responsable de la toma de decisiones en la empresa, le dará una visión práctica y actual sobre la transformación digital y la digitalización de las organizaciones.

▶ Al usuario autodidacta, le ayudará a crear una pauta de aprendizaje gracias a la distribución de los capítulos, ya que se han estructurado para poder trabajarlos por separado o de forma evolutiva.

▶ Al estudiante, le permitirá complementar sus conocimientos y descubrir nuevas utilidades más allá de las estándar, además de solucionar dudas específicas acerca de temas concretos.

▶ Al profesor o al centro de formación, le ayudará a programar las clases y crear temarios cada vez que lo necesite, ya que los contenidos son lo suficientemente flexibles como para adaptarlos a cualquier tipo de curso y duración, además de ser el libro perfecto como complemento a ellos.

1.2 ¿CÓMO APROVECHARLO AL MÁXIMO?

He estructurado este libro para que pueda seguirse de principio a fin o puedan leerse partes separadas, de forma independiente. He intentado crear una guía de consulta pautada, dividida en distintos temas, que permita flexibilidad y que no obligue a seguir forzosamente un orden en el aprendizaje.

La mejor forma de aprovechar su contenido es seguir los distintos capítulos que lo forman.

Sus primeros capítulos dan un repaso a la historia, hitos imprescindibles y evolución de *Internet de las cosas*, así como una inmersión en los cambios producidos por las nuevas tecnologías en general, pero por Internet en particular, en todos los ámbitos de la vida del ser humano: hábitos, consumo, industria, salud, educación, ecología…

Unos contenidos imprescindibles para aquellas personas que deseen entender de qué forma va a cambiar nuestra vida y quieran estar preparadas (tanto a nivel personal como profesional) para lo que se avecina. Se prevé que la implementación de las tecnologías descritas en este libro se produzca desde las industrias en primer lugar, hasta los hogares en último. Por ello, si eres una persona involucrada en algún proyecto empresarial, sea del tipo que sea, conocer experiencias en este campo desde la óptica de otros sectores puede ayudarte a desarrollar una estrategia de transformación en tu ámbito profesional.

Los últimos capítulos ofrecen una visión sobre las tecnologías actuales existentes en el mercado. Desde sistemas de comunicación hasta plataformas *hardware* y *software*, pasando por cuestiones trascendentales como la energía y la seguridad.

Se trata, pues, de una obra de divulgación tecnológica, que no técnica, que intenta aportar un poco de luz a la vorágine informativa que supone este nuevo e importante reto tecnológico. Muchos lo comparan con el nacimiento de *Internet* y le auguran un papel protagonista en el cómo va a cambiar la forma en que la vida se vivirá en un futuro no muy lejano.

1.3 CONVENCIONES USADAS EN EL LIBRO

Este libro intenta caracterizarse por su pedagogía, facilidad de uso y comprensión. Entendiendo que algunos puntos de sus contenidos pueden tener cierto nivel técnico, me he esforzado en intentar huir de tecnicismos más allá de los necesarios, a fin de facilitar el aprendizaje de nuevos términos y conceptos.

Además, he incluido algunas características que pretenden clarificar y agilizar la lectura:

▶ Las imágenes mostradas pretenden ilustrar un concepto o mostrar un producto. Son propiedad de sus autores y no significan ningún tipo de preferencia o recomendación por parte del autor. Simplemente se han usado por la relevancia que pueden tener en contexto.

▶ Los nombres usados para hacer referencia a nombres en inglés, a ciertas tecnologías y a marcas registradas de productos se indican en cursiva. Por ejemplo, *Internet de las cosas*, *Cloud computing* o *Microsoft Azure Sphere*.

▶ Los nombres propios de personas, empresas o lugares se muestran en negrita. Por ejemplo, **Kevi Ashton**, **Cisco Systems** o **Barcelona**.

También encontrarás, en distintos puntos de la lectura, notas aclaratorias. Se trata de apartados que contienen informaciones o aclaraciones que desean destacarse debido a su importancia en ciertos procesos o conceptos. También muestra referencias históricas, curiosidades y efemérides.

2

INTRODUCCIÓN

Escribir sobre un tema sin antes explicar su historia puede parecer extraño, pero en el caso que nos ocupa tiene que ser así ya que, desde hace mucho tiempo, existe cierta confusión con los nombres y siglas usados para referirse a una misma cosa: *Internet de las cosas*.

Pero… ¿*Internet de las cosas* es una nueva tecnología? ¿Es un concepto?

Para responder a estas preguntas tendremos que continuar leyendo, ya que el tema ha generado mucha confusión e inacabables discusiones. Por suerte, en la actualidad, empieza ya a vislumbrarse un principio de acuerdo en el uso común de la terminología adecuada.

Realizando una simple búsqueda en Internet nos daremos cuenta de ello. Si buscamos *Internet de las cosas, Internet de todas las cosas, Internet de todo*, o sus versiones en inglés *Internet of things, Internet of everything* así como sus acrónimos en ambos idiomas *IoT, IoE, IdC, IdT*… veremos que todos los resultados se refieren a lo mismo.

Entonces, ¿qué es lo que ha pasado? ¿Por qué existen tantas denominaciones?

Antes de entrar en materia, establezcamos su género. ¿Deberíamos decir "*el Internet de las cosas*" o "*la Internet de las cosas*"?. De hecho, el propio sustantivo Internet es ambiguo porqué puede emplearse de forma indistinta en masculino o femenino, como se indica en el diccionario de la lengua española editado por la **Real Academia**.

Aunque se aceptan ambas formas, existen diversos argumentos usados por los defensores de una u otra para justificar su uso. Por ejemplo, aquellos que ven muy claro que Internet es una red y que el género de esta es el femenino se inclinan, obviamente, por hablar de "*la Internet*". Al contrario, los que piensan en Internet como un medio de comunicación o un sistema informático (ambos masculinos) defienden el uso de *"el Internet"*.

La alternativa a todo ello, opción a la que me he acogido para la escritura de este libro, es suprimir el uso del artículo para no crear confusiones de género en el lector. Por ejemplo: *"conectémonos a Internet"* o *"descarga que encontrarás en Internet"*.

Por último, y también en referencia a la escritura del término Internet, podemos decidir entre usar la mayúscula inicial o no, a nuestro gusto. Yo me inclino por usar la mayúscula inicial por entender que Internet, en sí, es un nombre propio cuando me refiero a la red de redes. Otro tema es hablar de internet como concepto (redes interconectadas), momento en que opto por el uso del nombre común, con minúscula al principio: internet.

Pero volvamos a las preguntas iniciales del capítulo: ¿Es Internet de las cosas un concepto o una tecnología? ¿Cuál es su denominación más correcta?

En cuanto a su nombre, el que en la actualidad está más aceptado y extendido es *Internet de las cosas*, con su acrónimo *IdC* en español o, mejor aún, sus versiones en inglés *Internet of things* y *IoT*.

Quizás otros expertos en el tema no estén de acuerdo, pero lo que se impone siempre es el lenguaje popular, y si no que se lo digan a la **RAE, Real Academia Española**, que en 2017 introdujo 62 palabras nuevas en el diccionario, algunas relacionadas con nuevas tecnologías. Además, cuando ya existe un congreso internacional sobre el asunto, y este se llama *IoT Solutions World Congress*, es que el término ha cuajado definitivamente.

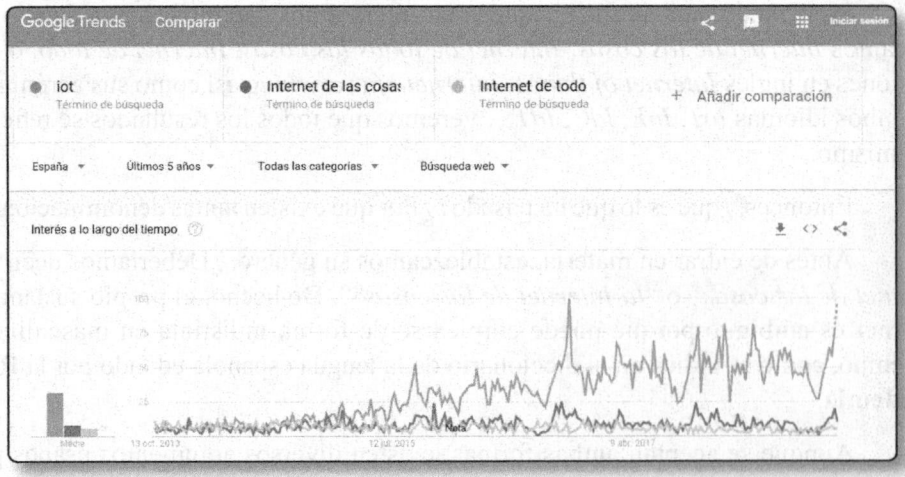

Figura 2.1. Comparativa de los términos IoT, Internet de las cosas e Internet de todo en Google Trends entre 2013 – 2018

Otra evidencia sobre la generalización del uso del término *IoT* la encontramos en la herramienta *Google Trends* (tendencias Google), donde vemos que el uso de *IoT* está muy por encima del uso de las otras dos denominaciones.

Así pues, en este libro hablaremos siempre de *IoT*, cuando usemos siglas, *Internet of things* o *Internet de las cosas* cuando escribamos el nombre completo. El uso de la versión en inglés o español es también decisión del propio usuario. Si bien es cierto que ambas están aceptadas, el uso de la versión en inglés está más extendido entre profesionales del sector de las tecnologías de la información que la versión española. Esta última se usa más en entornos académicos, de divulgación o por parte de la población en general.

Así pues, pensando en los fines divulgativos y educativos del presente libro, usaré el término español siempre, salvo en contadas excepciones, donde no sería sustituible debido a su relación con tecnologías específicas de ciertos fabricantes.

Recapitulando, pues, hablaré de *Internet de las cosas*, sin género y en español (salvo algún *Internet of things* inevitable), usando su acrónimo inglés *IoT*.

El origen de tantas otras denominaciones se debió al deseo de obtener la autoría o el reconocimiento del público de algunos fabricantes de tecnología. Si bien, y desde mi punto de vista, algunos tienen razón, la verdad es que usar ahora sus denominaciones suena raro y, por ello, se está abandonando tal práctica.

El ejemplo más claro, para mí, es el de *Cisco Systems* y su denominación *Internet de todo* (*Internet of everything* o *IoE*). Tal nombre fue acuñado por la multinacional por allá el año 2012, pronunciándose en una conferencia dada por uno de sus altos ejecutivos.

En su visión futurista, *Cisco* diferencia ambos términos con una clara explicación acerca de cada uno de ellos:

▼ *Internet de las cosas* (*IoT*) es la red de objetos físicos que se conectan a Internet usando diversas tecnologías y que tienen capacidades de conexión e interacción con el entorno, capacidades que les permiten tomar decisiones y comunicarse con el mundo.

▼ *Internet de todo* (*IoE*) se basa en *Internet de las cosas* (*IoT*) y, según *Cisco Systems*, *"consiste en reunir personas, procesos, datos y cosas para conseguir que las conexiones de red sean más pertinentes y valiosas que nunca, convirtiendo la información en acciones que creen nuevas capacidades, experiencias más ricas y oportunidades económicas sin precedentes para las empresas, las personas y los países".*

Entonces, *Internet de todo* abarcaría la conexión de personas, procesos, datos y cosas, mientras que *Internet de las cosas* se focalizaría, simplemente, en la conectividad entre objetos físicos y las propiedades de estos.

Figura 2.2. La visión Internet de todo, de Cisco Systems.

"*El todo es más que la suma de sus partes*" sería una frase de **Aristóteles** muy adecuada en este momento, en referencia a que cada una de las partes (objetos) que forman *IoT* tiene sus propiedades individuales que, al integrarse en un todo, este adquiere propiedades distintas a las de los objetos que lo integran.

El campo de la psicología también puede ayudarnos con alguno de sus ejemplos: cometeríamos un error diciendo que una familia es la suma de las personalidades de los miembros que la integran. Cada una de las personalidades individuales, al formarla, tienen conductas que no tenían por separado. No es que las pierdan, pero funcionan de forma distinta por el bien del conjunto.

Internet de las cosas seria a *Internet de todo* como el *Sputnik* fue al sistema de navegación *GPS*. Existen muchos ejemplos más que intentan explicar la relación entre ambos conceptos: *IoT* serían los raíles de tren, con sus conexiones y desvíos e *IoE* los clientes, tickets, pasajeros, condiciones atmosféricas... El oxígeno en una traje espacial a la exploración del espacio como carreteras, vehículos y aviones a los servicios de logística....

Si bien muchos consideran que ambos términos (*IoT* e *IoE*) son sinónimos, espero que los matices expuestos hasta ahora te hayan demostrado que, en el fondo, no es así. Aclarado todo esto, advertirte de que en muchos foros y entornos se ha abandonado el uso del término *Internet de todo* para usar, solamente y de forma indiscriminada, *Internet de las cosas*. Así lo haremos en este libro.

Volvamos ahora a la primera pregunta: ¿es *Internet de las cosas* un concepto o una tecnología?

Para resolver dicha cuestión, acostumbro a remitirme al nacimiento de *Internet 2.0*; ¿te acuerdas? En aquel momento, las webs no eran interactivas ni permitían muchas de las cosas que ahora vemos como normales. El término *Web 2.0* se refiere a aquellos sitios web que permiten colaborar entre sí a sus usuarios y compartir información e interactuar entre ellos. Nada tiene que ver con una nueva tecnología, una nueva versión de un programa navegador, ni con la de un sistema operativo.

Internet 2.0 es, pues, un concepto que describe lo dicho anteriormente.

Así pues, y de la misma forma, *Internet de las cosas* es también un concepto y no una tecnología. Dicho esto, ciertas expresiones contenidas en el presente libro no deben confundirnos. Si bien *IoT* es un concepto, para llegar a lo que este describe se requiere el uso de tecnologías específicas. Hablaremos, pues, de *tecnologías IoT* para referirnos a todas aquellas usadas para hacer realidad el concepto. Un protocolo de comunicación diseñado específicamente para interconectar sensores, por ejemplo, sería una tecnología *IoT*.

 **Nota**

Definiciones más tardías que alguna de las descritas anteriormente hablan de *IoT* como *"la conexión inteligente de dispositivos físicos que conduce a una enorme mejora en eficiencia, al crecimiento de los negocios y a la calidad de vida"*. Por el momento, aún se está intentado buscar una definición que acepte todo el mundo; el tema es polémico por el hecho de que algunas empresas quieren apoderarse del término.

3

HISTORIA

En mi opinión, la historia del concepto *Internet de las cosas* es tan antigua como el ser humano mismo.

Este, siempre ha buscado su comodidad ingeniándoselas para crear todo tipo de artilugios y dispositivos, ya desde la propia prehistoria.

Teteras que silban cuando el agua llega a su punto de ebullición, relojes con timbres incorporados que nos despiertan por la mañana son pequeños ejemplos del imaginario humano para conseguir que las "cosas" se comuniquen con nosotros.

Exagerar estos ejemplos nos lleva a un conjunto mucho más complejo de mecanismos, pero más cercano al concepto *Internet de las cosas*, en el sentido de la interconexión entre ellas.

Imaginémonos, por ejemplo, una de las típicas escenas recurrentes en el cine de humor o en los dibujos animados donde una vela quema una cuerda que, a su vez, hace caer un contrapeso sobre una balanza conectada a una fuente de agua que llena una botella que… Tal imagen, que podía describir perfectamente uno de los inventos del *Dr. Franz de Copenhague* en *Los Inventos del TBO* o ser una de las máquinas de *Rube Goldberg*, ilustra la base de *Internet de las cosas*, en dos sentidos:

▶ Los objetos están conectados unos con otros y la activación de unos tiene como consecuencia la actuación de otros.

▶ Como en las máquinas de *Rube Goldberg*, que realizan complejos procesos para realizar simples acciones, *IoT* puede usar mecanismos y circuitos complicados con el único fin de regar un campo de trigo.

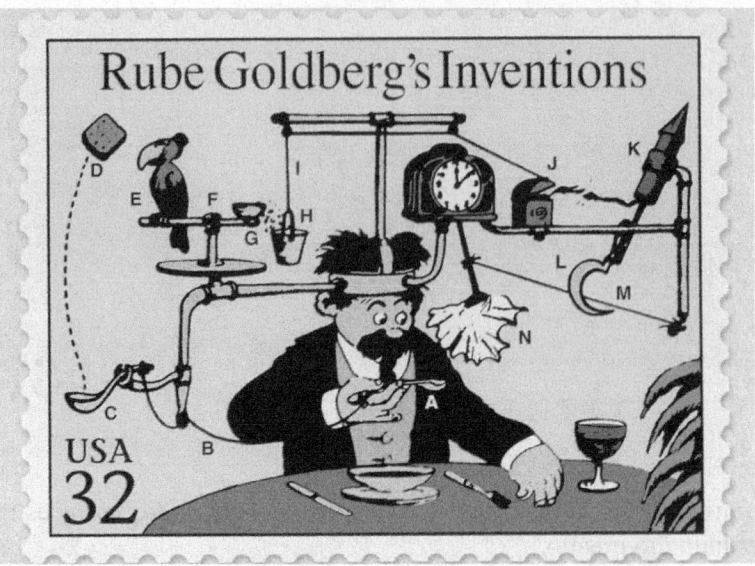

Figura 3.1. Sello conmemorativo USA sobre Rube Goldberg

Entre las máquinas de *Goldberg* e *Internet de las cosas* existe una gran diferencia: mientras que en las primeras entendemos que el objetivo final puede ser un absurdo en comparación al esfuerzo, en *IoT* la complejidad viene justificada por un elemento clave: saber qué regar, cuándo hacerlo y en qué justa medida. Esta "inteligencia" es la clave de todo.

Pero volvamos a la historia, esta vez más reciente. La automatización de la sociedad es algo que ha ido en aumento desde la invención de la máquina de vapor. Al objetivo de la comodidad del ser humano, comentado al principio del capítulo, se ha añadido el deseo de aumentar su rendimiento. Así pues, al plano estrictamente humano del bienestar debemos añadir la productividad empresarial. Ello nos conduce a hablar de las revoluciones industriales vividas por nuestra sociedad, ya que *Internet de las cosas* supone, junto a otras tecnologías, la plena entrada en la *cuarta revolución industrial*, como lo fueron otras técnicas en sus respectivas épocas.

▶ En la primera revolución industrial, ocurrida a finales del siglo XVIII en Gran Bretaña, destaca la máquina de vapor de Watt y su impulso en la industria textil.

▶ En la segunda, ya entrado el siglo XIX, vemos que la electricidad, el descubrimiento de nuevos metales, las comunicaciones y el transporte, así como la producción en cadena, son las tecnologías que la impulsaron.

▶ En la tercera, definida y aceptada desde el año 2006, destaca el aumento del uso y producción de energías renovables, el desarrollo y evolución tecnológica de las baterías recargables, así como la creación de redes eléctricas inteligentes y el transporte basado en vehículos eléctricos. La globalización pasa a ser uno de los aspectos más destacables de esta nueva sociedad. Si bien existen algunos puntos de desacuerdo en esta tercera revolución, a nadie se le escapa que la electrónica y la informática, junto a la revolución energética, facilitaron aún más la automatización en la producción industrial.

Según muchos, las profundas transformaciones económicas de las sociedades se producen cuando convergen nuevas tecnologías con nuevas fuentes de energía. La máquina de vapor con el carbón, la producción en cadena con la electricidad, la informática y la electrónica con las energías renovables.

Pero... ¿Y la cuarta revolución industrial o *Industria 4.0*, qué es? Nos centraremos en ella en capítulos posteriores. Por el momento usaremos el término *Industria 4.0* para referirnos al cambio que está sufriendo la industria clásica al incorporar nuevos métodos de producción basados principalmente en tecnologías de la información y la comunicación (*TIC*). Y una de estas nuevas tecnologías es, precisamente, *Internet de las cosas*.

Otro hito histórico que creo valioso mencionar es la predicción que hizo *Karl Steinberg*, científico informático e ingeniero alemán en 1966: "*las computadoras estarán vinculadas a todos los productos industriales en pocas décadas*". Steinberg predijo también, ese mismo año, la llegada de la era multimedia gracias a la unión de ordenadores, sistemas de comunicación y electrónica de entretenimiento, aparte de sentenciar que en muy poco tiempo la inteligencia artificial superaría a la inteligencia humana.

Continuando con personajes históricos que contribuyeron de una forma u otra en la construcción de *Internet de las cosas*, tal término o expresión fue "inventado" por **Kevin Ashton**, desde el **Instituto Tecnológico de Massachusetts (MIT)**, tratando de resolver un problema de stocks para una multinacional del sector de la cosmética para la que trabajaba. **Ashton**, con este interés en mente, fundó en 1999 el entonces llamado **Auto-ID Center** en el *MIT*, que le sirvió para investigar las posibilidades que ofrecían las tecnologías de identificación por radiofrecuencia (*RFID*) para solucionar su problema.

KEVIN ASHTON

"

THE INTERNET OF THINGS HAS THE POTENTIAL TO CHANGE THE WORLD, JUST AS THE INTERNET DID. MAYBE EVEN MORE SO.

"

Figura 3.2. Kevin Ashton, creador del término Internet de las cosas

Según **Ashton**, *"si los libros, termostatos, refrigeradores, paquetería, lámparas, botiquines, partes automotrices, entre otros, estuvieran conectados a Internet y equipados con dispositivos de identificación, no existirían, en teoría, artículos fuera de stock o medicinas caducas; sabríamos exactamente su ubicación, cómo se consumen en el mundo; el extravío sería cosa del pasado, y sabríamos qué está encendido y qué está apagado en todo momento. Internet de las cosas tiene el potencial de cambiar el mundo, como hizo Internet en su momento. Tal vez aún más."*

Desde entonces, el término ha llegado para quedarse. Las redes sociales también hicieron su trabajo y la etiqueta (o *hashtag*) con el acrónimo #IoT se impuso porque era único y, además, corto y fácil de recordar.

Establecida ya la fecha de nacimiento del nombre *Internet de las cosas* y su acrónimo, podemos preguntarnos: ¿fue ese también el año de nacimiento de *IoT*? Pues oficialmente no. Según **Cisco Systems** y su Grupo de Soluciones Empresariales Basadas en Internet (*IBSG, Internet Business Solutions Group*), *IoT* nació en el momento del tiempo en el que se conectaron a Internet más cosas que personas habitaban el mundo. Así, se estableció la fecha en algún momento entre 2008 y 2009.

Como puedes imaginar, la historia de *Internet de las cosas* no ha terminado aún. De hecho, no ha hecho más que empezar. La importancia de Internet, por sí sola, es indiscutible: en abril de 2011, las Naciones Unidas la declararon derecho humano fundamental. Tecnológicamente disponemos de sensores de todo tipo, dispositivos automáticos, conectividad de alta velocidad en cualquier momento y lugar a un bajo coste energético, lenguajes de programación… Y mucho más.

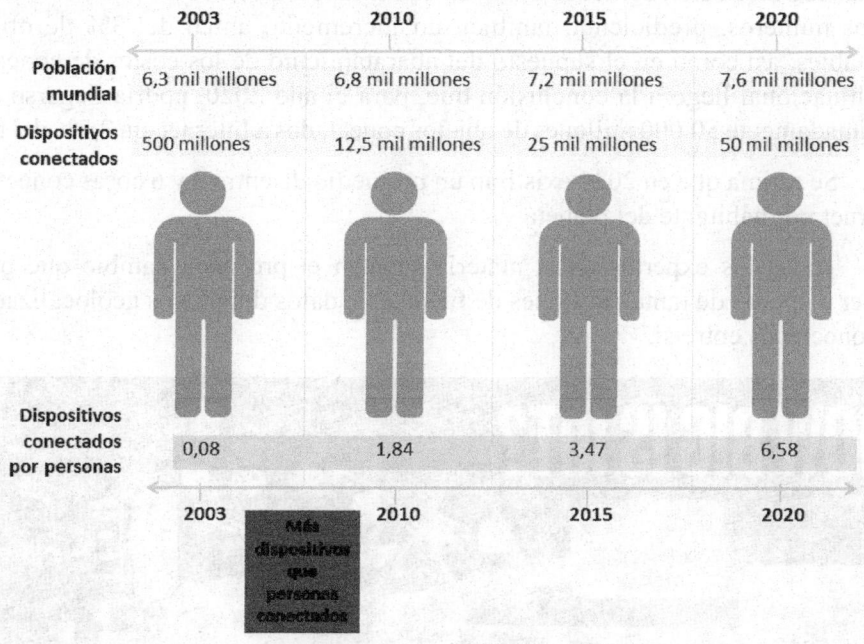

Figura 3.3. Fuente: Cisco IBSG, abril de 2011

Entonces, ¿Por qué no está más extendido su uso? La respuesta no es simple y depende de muchos factores. Hoy en día, muchas grandes empresas están luchando por quedarse con la mayor parte del pastel posible, desarrollando soluciones *IoT* que van desde los dispositivos hasta las plataformas de aplicaciones. Debido a que todo es muy nuevo, no existen prácticamente experiencias anteriores, estándares consolidados y protocolos de seguridad robustos, aunque la industria TIC se apresura para solucionar todos estos detalles.

Espero que, al finalizar este libro, veas muy clara la vasta dimensión de *Internet de las cosas* y seas capaz de explicar los retos a los que se enfrenta la industria de las tecnologías TIC y cómo los está superando. En el libro encontrarás referencias a las más actuales tecnologías relacionadas con *Internet de las cosas*.

Por último, es importante hacernos una pregunta: ¿cuántas cosas hay en el mundo que puedan ser conectadas a Internet? No te preocupes, no pretendo que realices un ejercicio de imaginación como este. Por suerte, *Cisco Systems* elaboró una predicción del crecimiento del número de cosas conectadas a Internet para el horizonte 2020, en 2012.

En ese año, estimó que el número de cosas potencialmente conectables a Internet era de 1,5 millones de millones de objetos y que, en ese momento, los objetos conectados a la red eran del orden de los 8.700 millones (un 0,6% del total). Basándose en esos números, prediciendo también un incremento anual del 3% de objetos conectables, así como en el supuesto del abaratamiento de los costes de conexión, la multinacional llegó a la conclusión que, para el año 2020, podría llegarse a los aproximadamente 50.000 millones de objetos conectados a Internet, un 2,7% del total.

Se estima que en 2020 existirán un promedio de entre 2 y 6 cosas conectadas a Internet por habitante del planeta.

Todos los expertos en la materia señalan el profundo cambio que puede suponer disponer de tantos millones de fuentes de datos dinámicos geolocalizados e interconectados entre sí.

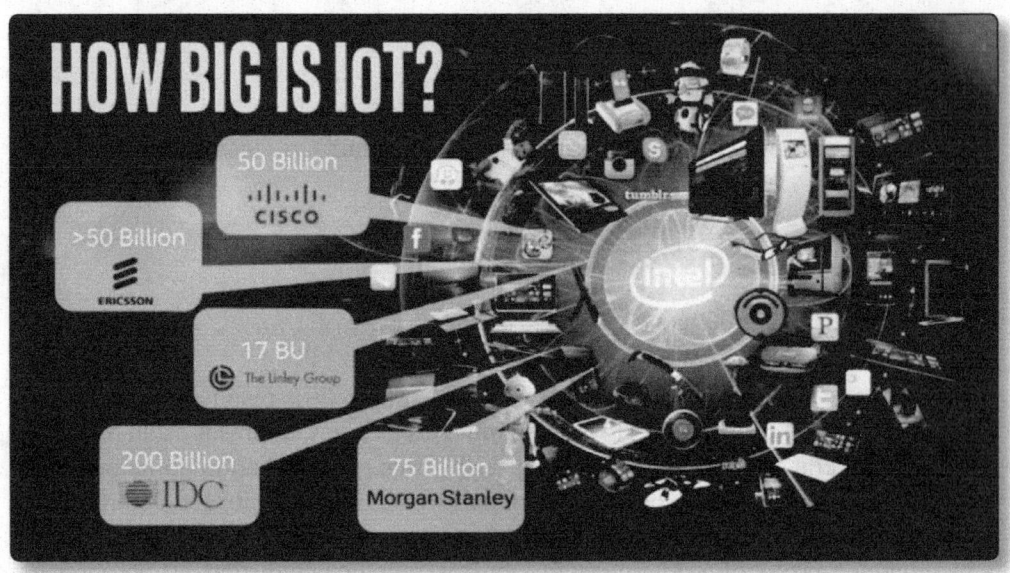

Figura 3.4. Distintas estimaciones sobre el número de dispositivos IOT para 2020

Ericsson y *Cisco Systems* sitúan la cifra en 50.000 millones, mientras que *Morgan Stanley* lo hace en 75.000 e IDC habla de 200.000 millones de objetos conectados.

Según estimaciones contenidas en un informe desarrollado por el popular sitio web *Business Insider*, en 2015, la cifra rondaría los 34.000 millones de dispositivos. Lo interesante es que en este se establece una diferencia entre dispositivos puramente *IOT*, cifrados en 24.000 millones, y dispositivos clásicos como ordenadores, tabletas, relojes inteligentes, teléfonos inteligentes... que sumarían los 10.000 millones restantes.

4

INTERNET DE LAS COSAS

Internet de las cosas está produciendo una gran transformación en todos los niveles de la sociedad. Empresas, gobiernos y ciudadanos se ven empujados por esta, forzándolos a adaptarse a ella. Desde los cambios en la gestión, la logística y la cadena de producción en las empresas, hasta la forma en que los ciudadanos pagamos los impuestos a una administración cada vez más informada y automatizada, *IoT* supone una total revolución que ha llegado para quedarse y cambiar nuestras vidas.

Muchos son los efectos positivos derivados de los cambios que *IoT* proporciona a nuestro día a día. Intentaré introducirlos en este capítulo, aunque se desarrollarán a lo largo del libro de forma más detallada.

4.1 EVOLUCIÓN DE INTERNET

La red precursora de Internet nació en Estados Unidos. Al principio las cosas fueron muy lentas. Tuvo un humilde nacimiento por allá los años 60, en un entorno militar (la agencia DARPA) y con un puñado de instrumentos que hoy en día calificaríamos de reliquias arqueológicas, como mínimo.

En aquel momento, y con el fantasma de la guerra fría de por medio, su mayor obsesión fue conseguir conectar diversos centros gubernamentales americanos usando una red descentralizada geográficamente que permitiese que las comunicaciones no se cortaran en caso del ataque o eliminación de alguno de sus nodos. Así, se realizó la primera conexión entre ordenadores de dos universidades americanas en 1965, aunque resultó lenta e inadecuada.

El secreto para evolucionar fue el desarrollo y uso de una tecnología innovadora: la *conmutación de paquetes*, tecnología ampliamente usada en la actualidad para la conexión a Internet.

La teoría de la conmutación de paquetes es muy simple. Se trata de dividir la información generada por el equipo emisor en unidades menores, llamadas paquetes, y permitir que estos circulen por diferentes rutas existentes en la red hasta llegar al destino, donde se reordenan para reconstruir la información original.

Así, en 1969 ya se contaba con cuatro universidades americanas interconectadas. A esta primera red se la llamó ARPANET y cumplió con la promesa de mantener las comunicaciones en caso de fallo en alguno de sus nodos.

También en esa época se establecieron las bases de lo que ahora conocemos como correo electrónico, ya que los desarrolladores e ingenieros necesitaban alguna herramienta que les permitiese comunicarse y coordinarse.

A finales de 1972 la red estaba formada por 50 universidades y centros de investigación americanos y, un año después, se establecieron las primeras conexiones con otros países.

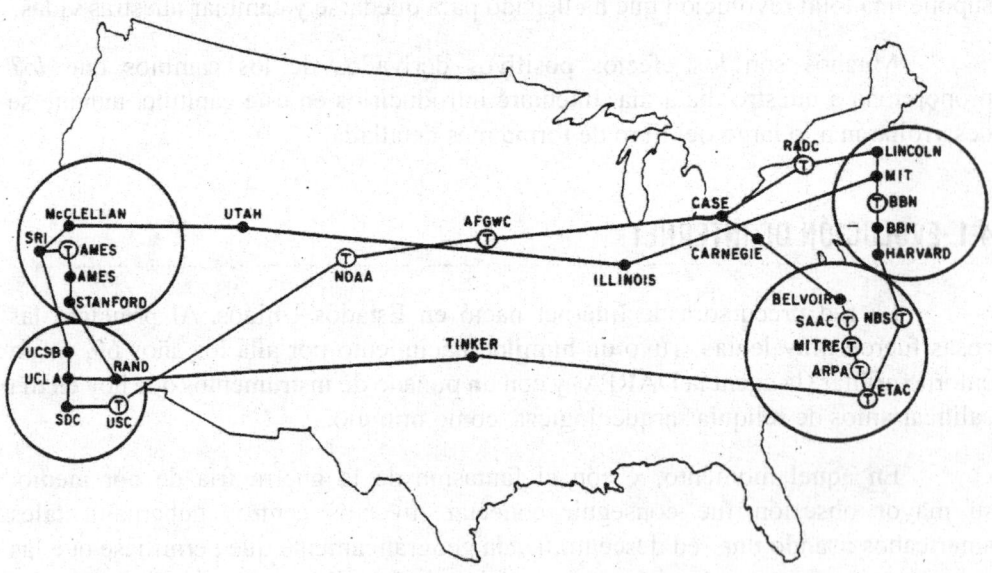

Figura 4.1. Mapa de ARPANET en Agosto de 1972

En el año 1981 se definió formalmente el protocolo TCP/IP y se adoptó el nombre *Internet*.

En 1984 se llegó a los 1.000 ordenadores conectados, 10.000 en 1987 y 100.000 en 1989, para llegar al millón en 1992. En 1996 se superó la barrera de los 10 millones de ordenadores conectados.

Muchos son los factores que impulsaron el crecimiento exponencial de Internet, como pueden ser la velocidad y el acceso a la conexión a la red pero, sin duda alguna, uno de los que más contribuyó a ello fue la aparición, en 1991, de la *World Wide Web* (textualmente, *telaraña* mundial). El simpático nombre se refiere a las interconexiones entre elementos a nivel internacional, cosa que permite imaginar una telaraña, trazando líneas imaginarias entre estas conexiones.

Este sistema de distribución de documentos interconectados fue concebido por el científico informático **Tim Berners-Lee**, quien propuso usar el sistema de enlaces de hipertexto para permitir el acceso a voluntad y de una forma simple, *navegando entre sus nodos*, a todo tipo de información.

Figura 4.2. Tim Berners-Lee, padre de la WWW (World Wide Web)

El sistema, que aún perdura en nuestros días, supuso una revolución para Internet y aceleró su expansión facilitando su uso. De hecho, mucha gente confunde Internet y WWW, pensando que son sinónimos. En 1993 existían 100 sitios web y en 1997 ya eran más de 200.000. En el momento de escribir este libro, se tiene constancia de más de 1.900 millones de sitios web activos.

En esos años, los principales aliados de la potente expansión de Internet fueron el correo electrónico y la web. Las empresas, en primer lugar, fueron las que tuvieron que adaptarse más rápidamente a los cambios y adoptar nuevas medidas organizativas a todos los niveles. Desde la comunicación interna y externa hasta sus campañas de marketing, la transformación digital estaba empezando. Y se trataba de adaptarse o conformarse y, en el peor de los casos, desaparecer.

El siguiente paso en la evolución de Internet fue la aparición del concepto *Web 2.0*, donde los usuarios podían tener experiencias compartidas e interactivas, en contraposición con la estática Web clásica. Surgieron también las redes sociales que, junto con la irrupción de los teléfonos inteligentes (*Smart Phones*) y otros dispositivos móviles, configuraron el parque actual de Internet.

Todo ello supuso un enorme incremento de usuarios de la red, pero también una gran demanda de conectividad y, sobretodo, de velocidad y ancho de banda a las grandes operadoras de telecomunicaciones del mundo.

A ello se añadió el problema del número de dispositivos conectados a la red, que requerían una dirección válida en esta. Como veremos más adelante, Internet creció bajo el reinado del protocolo *IPv4*, (*Internet Protocol version 4*), sistema que permitía la conexión de un máximo de unos 4.294 millones de dispositivos únicos (o 2^{32} direcciones únicas posibles). Tal límite fue ya una preocupación en los años 80, motivo que potenció el desarrollo de *IPv6* (*Internet Protocol version 6*), protocolo vigente desde 2012. El uso de este y la paulatina migración de dispositivos que usan el anterior establecen el nuevo límite en 340 sextillones de direcciones (o 2^{128} direcciones posibles).

Más adelante hablaremos de forma más amplia de las capacidades de direccionamiento de los dispositivos y del uso de sus direcciones. Por ahora, piensa simplemente en que la versión 6 del protocolo de Internet cubre con las necesidades actuales y a largo plazo del crecimiento previsto de la red.

En cuanto a la velocidad y conectividad, las grandes operadoras han afrontado los últimos 20 años, y lo están haciendo aún, el reto de proveer de capacidad de conexión a usuarios y empresas a un ritmo frenético. Servicios antes impensables como la videoconferencia, los servicios de voz sobre IP (*VoIP*), los mensajes multimedia, los videoclubs online, la música online, la televisión a la carta, etcétera… han hecho que la demanda de ancho de banda (capacidad de transmisión de datos) se haya disparado.

El ancho de banda se mide en *bits por segundo* y, como probablemente sabrás, un carácter alfabético cualquiera (como la letra B), usa *8 bits* en un sistema digital, que equivalen a lo que se conoce como *Byte*. Un bit puede tener dos valores, 0 y 1, en un sistema de numeración binario.

Así, por ejemplo, el acrónimo *IoT* usa 3 bytes o, lo que sería lo mismo, *24 bits* (*8 bits* por cada carácter, multiplicado por *3* caracteres). Si piensas ahora en una página de texto escrita en tu PC y compuesta por unas 50 líneas de 70 caracteres cada una, verás que dispones de un total de 3.500 bytes o caracteres.

Para obtener el número total de *bits* para tal cantidad de información, basta con multiplicarla por ocho. El total obtenido es de 28.000 *bits*.

Si nos remontamos ahora a la época de la aparición de la *WWW*, por allá en 1993, veremos que los servicios de conexión a la red más típicos ofrecidos por las operadoras se reducían (casi) exclusivamente a conexiones de tipo telefónico (*dial-up*), con velocidades máximas de 56 *Kbps* (*kilobits por segundo*).

ⓘ Nota

No debes confundir los términos *Kilobit* y *Kilobyte*. Mientras que el acrónimo del primero lo forman una *K* mayúscula y una *b* minúscula y equivale a *1000 bits*, el segundo usa una *K* y una *B*, ambas en mayúscula, y equivale a 1.024 bytes. Es decir, 8.192 *bits*. Además, el primer término designa velocidades de transmisión de datos, mientras que el segundo indica tamaño de datos.

En aquel entonces, nuestro documento de texto de 28.000 bits habría tardado medio segundo en enviarse. Quizás medio segundo no te parezca importante, pero te recuerdo que nuestro documento ocupa, solamente, una página de texto… ¿Qué pasa si necesitas enviar el contenido de una biblioteca digital completa, por ejemplo?

Hoy en día, nuestros teléfonos son capaces de realizar fotografías con unos niveles de resolución altísimos. Uno de los precios que pagamos por ello es el espacio de almacenamiento usado por cada imagen que, dependiendo de marcas y modelos, puede rondar los *10MB* (*Megabytes*) o, lo que sería lo mismo, 10.485.760 bits. 10 millones de bits por fotografía. Recuerdo mi último viaje, donde tomé más de 3.000…

Tal tamaño de imagen, a una velocidad estable de 56 *Kbps*, tardaría unos 3 minutos en enviarse. Sí, en mi caso, hubiese querido enviar mis 3000 fotografías actuales en aquella época, el tiempo necesario de envío habría rondado las 150 horas.

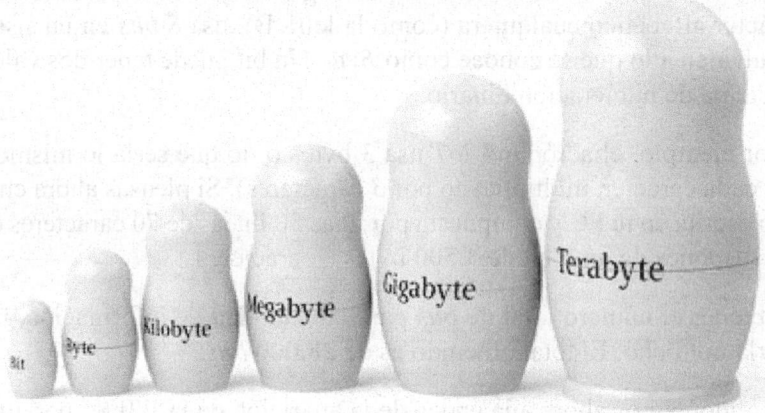

Figura 4.3. Las matrioskas del estudio ruso Art. Lebedev ayudan a diferenciar unidades de medida de datos.

En la actualidad, la oferta comercial de muchas operadoras incluye tecnologías de *Fibra Óptica* y *ADSL* (que dejará de existir en 2020) y que, para el usuario común, ofrecen velocidades que llegan a los *300 Mbps*. Eso son *300.000 Kbps*, 5000 veces más rápido que las conexiones de 1993.

Casi 105 segundos sería lo que tardarían mis 3000 fotografías con una conexión de fibra óptica de 300 *Mbps* actual.

> ### ⓘ Nota
>
> Los cálculos realizados son aproximados. Debes tener en cuenta que las velocidades de conexión fluctúan y a veces no se llega a ellas, usando velocidades menores. Además, por cada grupo de bits de datos se agrega alguno extra para ocuparse de aspectos como el control de la transmisión y la comprobación de errores.

Las necesidades de crecimiento de la velocidad de transmisión y la capacidad de almacenamiento de datos de los dispositivos serán críticos en el futuro. La irrupción de *Internet de las cosas* en el panorama actual, con la generación de datos en tiempo real que supondrá, prevén el uso de nuevas unidades de almacenamiento digital que, hasta el momento, no se usaban. Este sería el caso del *Brontobyte*, siguiente al *Yottabyte* actual.

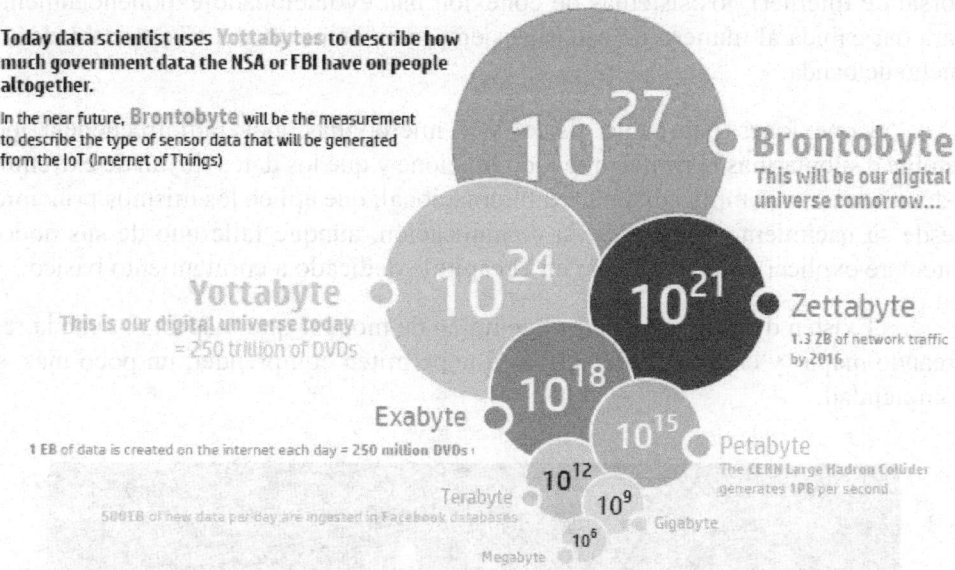

Figura 4.4. El Brontobyte, protagonista del universo digital del mañana gracias a los datos generados por IoT.

La tabla no se acaba ahí, en la lista continúan los *Geopbytes, Saganbytes* y *Jotabytes*, aunque no existen valores actuales a los que compararlos, por su enorme tamaño. Para pensar en un ejemplo (observa la ilustración de la *Figura 4.4*), 1 *Petabyte* sería el equivalente a 13,3 años de vídeo en alta definición.

ⓘ **Nota**

Como ejemplo curioso a nivel de generación masiva de datos, un motor a reacción de un avión comercial puede llegar a generar *10TB* de datos cada 30 minutos. Si multiplicas dicha cantidad por la duración promedio de los vuelos por el número de vuelos diarios… Obtendrás una generación de *petabytes* de datos diariamente. Como veremos más adelante, los datos importantes para *IoT* son los generados en tiempo real, ya que permiten la toma de decisiones instantánea. El resto de datos, almacenados, son útiles para análisis posteriores.

Por último, hablemos de conexiones. Como sabrás, el término Internet viene de *entre redes* y se refiere al hecho de que, en realidad, está compuesta por millones de redes menores interconectadas entre ellas. A lo largo de las últimas décadas, y desde las primeras conexiones internacionales de ARPANET (que fue el *backbone* o espina dorsal de Internet), los sistemas de conexión han evolucionado exponencialmente, para dar cabida al número de usuarios siempre en aumento y a sus necesidades de ancho de banda.

Conexiones por cable físico, por microondas, por radiofrecuencia, por satélite o submarinas permiten que todo funcione y que los datos fluyan de extremo a extremo, en una complicadísima red Internacional, que aplica los mismos principios desde su nacimiento: garantizar la comunicación, aunque falle uno de sus nodos. Intentaré explicar dicho concepto en el capítulo dedicado a enrutamiento básico.

Existen diversos proyectos que tratan de mostrar qué "aspecto" tiene la red, creando mapas y entornos interactivos que permiten comprender, un poco más, su complejidad.

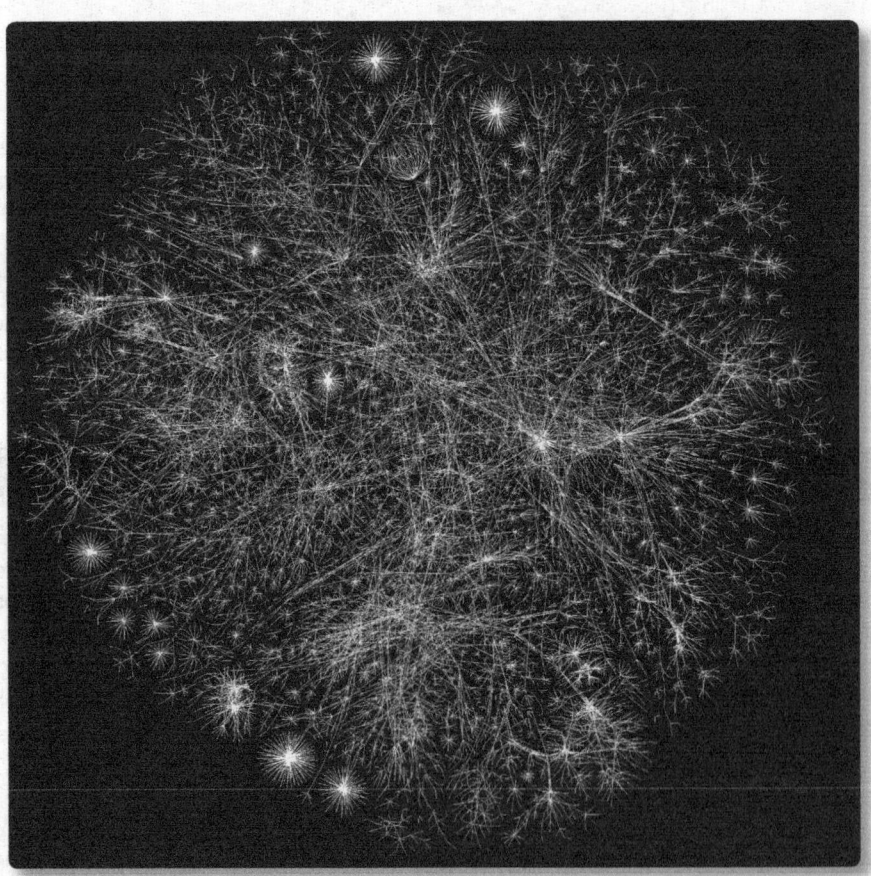

Figura 4.5. Mapa de Internet, a mediados de la década los 2000.
Creative Commons Barrett Lyon / The Opte Project

De igual forma, existen sitios web que permiten ver el mapa del cableado submarino de Internet. En la *Figura 4.6*, un detalle de los cables submarinos existentes entre Europa y EEUU, en 2016.

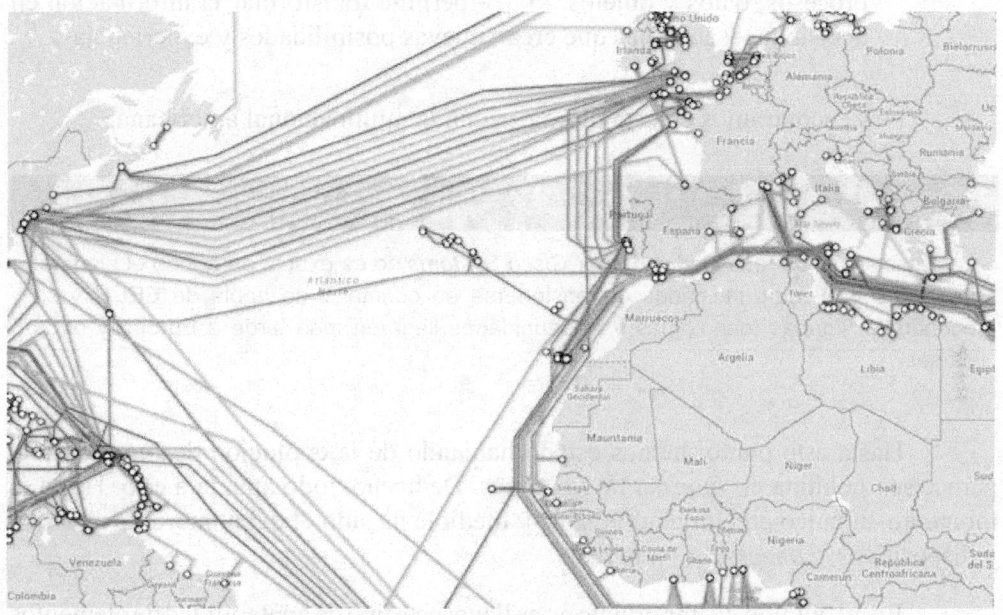

Figura 4.6. Cables submarinos entre EEUU y Europa, en 2016

Según **Cisco Systems**, la evolución de Internet se divide en cuatro fases distintas, teniendo cada una de ellas un efecto mayor que la anterior sobre los negocios y la sociedad en general.

Dichas fases son:

1. *Conectividad*: empezó a principio de los años 90, y se democratizó y expandió gracias al uso masivo del correo electrónico, la navegación web y los motores de búsqueda.

2. *Transformación del proceso empresarial*: esta fase se inició a finales de los 90 e implicó la conexión digital de los sistemas logísticos, suponiendo el inicio del comercio electrónico y la forma en que las empresas acceden a nuevos mercados.

3. *Digitalización colaborativa*: la tercera fase empezó a principios de la década de 2000 y se caracterizó por el amplio uso de los medios sociales,

la movilidad, los servicios de vídeo y audio en línea y el *cloud computing* (computación en la nube).

4. *Internet de las cosas*: es la cuarta fase, donde se conectan personas, procesos, datos y objetos, lo que permite transformar la información en decisiones y acciones que crean nuevas posibilidades y experiencias.

Nos encontramos en esta última, según la multinacional americana.

> ### (i) Nota
>
> La datación de las fases indicada por *Cisco Systems* no es exacta para todo el planeta. Los años y eventos indicados deben tenerse en cuenta si se habla de **EEUU** y su economía. Algunas tecnologías y oportunidades llegaron más tarde a Europa y otros países.

Hasta este punto, hemos estado hablando de la evolución de *Internet* que, parece ser, culmina en *Internet de las cosas*. De hecho, todo apunta a ello. Hasta el momento, el único crecimiento posible y medible ha sido el del número de usuarios y dispositivos *"conectados"* a la red.

En mi opinión, lo importante no es llevar este tipo de contabilidad de elementos conectados, si no tener en cuenta cuáles de ellos suponen una retroalimentación útil y, como veremos en los próximos capítulos, la información que proporcionan sobre su estado y propiedades y el nivel de reacciones que pueden desencadenar.

Por ello, podríamos añadir aquí tres fases evolutivas más, aunque esta vez enfocadas solamente a *IoT*, que fueron propuestas por **Doug Davis**, vicepresidente senior de **Intel Corporation**:

▼ *Tecnología incrustada*: conocida técnicamente como *embebida* (del inglés *embedded*), incluye todos aquellos dispositivos que disponen de un ordenador *incrustado* como parte de ellos, entendiendo ordenador como el conjunto de microprocesador, memoria y puertos de entrada y salida, entre otros. Un ejemplo de sistema embebido son los automóviles, que incorporan un gran número de microprocesadores para realizar distintas funciones. A ellos se conectan los técnicos del taller, a través de un controlador.

▼ *Masificación de la conectividad*: esta segunda fase comprende todos los dispositivos con capacidades de conexión, que envían y reciben datos usando la *nube*.

▼ *Inteligencia*: es la fase actual, que se centra en el esfuerzo del análisis de datos, usando tecnologías Big Data así como técnicas de *IA* (inteligencia artificial) y *Machine learning* (aprendizaje automático o de las máquinas).

Todos los expertos están de acuerdo en que esta es la fase más trascendental para que *IoT* tenga éxito, puesto que saber qué decisión tomar, y en qué momento hacerlo, depende del análisis de los datos que se producen a tiempo real. Tal decisión no necesariamente debe ser tomada, como veremos pronto, por seres humanos.

Figura 4.7. Las tres fases (u olas) de IoT, según Doug Davis de Intel Corporation.

No quiero terminar este punto sin mencionar otros factores clave en la evolución de internet, y de la tecnología en general: la *miniaturización* y el *precio* de los componentes, que tienen mucho que ver con la **Ley de Moore.**

Dicha ley, formulada por uno de los fundadores de **Intel**, dice que el número de transistores de un circuito integrado se duplica cada dos años. Y aunque el mismo creador de la ley afirma que tiene fecha de caducidad por la aparición de nuevas tecnologías superiores, la verdad es que hasta el momento se ha cumplido y, gracias a ello, los equipos tecnológicos han reducido su tamaño de forma exponencial, han aumentado su potencia y se venden a precios ridículos, propiciando nuevas aplicaciones como las ofrecidas por *Internet de las cosas.*

Existen numerosos ejemplos para comparar la evolución de la tecnología con otras disciplinas. Aquí van tres, para que entendamos cuán importante ha sido tal progreso:

▶ Se tardarían 25.000 años en encender y apagar manualmente un interruptor 1,5 billones de veces, pero en la actualidad existen transistores que se encienden y apagan ese mismo número de veces cada segundo.

▶ Si la carrera espacial hubiera evolucionado como la tecnología, la misión del **Apolo 11**, que costó 355 millones de dólares en 1969, valdría ahora como un café con leche.

▶ El transistor original de laboratorios **Bell**, creado en 1947, era lo suficientemente grande como para ser ensamblado manualmente. Por el contrario, el transistor de hoy puede situarse cómodamente en la cabeza de un alfiler, junto con otros 100 millones de transistores más.

No es de extrañar, pues, que con los tamaños y precios actuales de este tipo de dispositivos podamos permitirnos situarlos en cualquier parte, y en gran cantidad.

4.2 INTERNET PARA TODO

Hoy en día, cuando las personas hablamos de Internet, no lo hacemos pensando en una red informática de complicadas conexiones y protocolos. Hablamos de ella como un lugar a donde ir, donde mirar, donde comprar o donde leer, como si de un destino vacacional se tratara. Por ello, la red se ha convertido en un lugar *para todo*, donde más cambios se han producido sobre nuestra forma de vida, nuestra cultura y nuestra forma de relacionarnos.

Expresiones como *"lo miraré en Internet"*, *"me lo compraré en Internet"*, *"nos vemos en Internet"* o *"nos conocimos en Internet"* son tan naturales hoy en día que pronto nos sorprenderán aquellas que no lo contemplen como, por ejemplo, *"lo miraré en la biblioteca"*.

La materia ni se crea ni se destruye, solo se transforma. Si bien esto es una certeza que todos entendemos cuando nos referimos al mundo físico, a algunos les cuesta comprender que pasa lo mismo si hablamos de nuestros hábitos y costumbres, de nuestros modelos de comportamiento que, igual que en el caso de los átomos, también se encuentran en cambio constante.

La palabra *paradigma* se refiere a eso, a modelos o ejemplos de funcionamiento de las cosas que un grupo de individuos da como válidos. Válidos sí, pero quizás absolutos e inamovibles, no. Precisamente la frase "cambio de paradigma" se refiere muchas veces a este cambio de modelo, dado como válido hasta un momento determinado, que sufre una metamorfosis para llegar a un mismo objetivo final, realizando los pasos intermedios de formas distintas.

En el ámbito tecnológico hemos vivido y, de hecho, estamos viviendo muchos. Hasta hace relativamente poco, y este es un ejemplo demasiado recurrente ya, todo el mundo entendía que era necesario acercarse a un videoclub para conseguir ver una película en casa. Ahora, este modelo está obsoleto. Y no es debido a que las personas ya no consuman vídeo, es que lo consumen de una forma distinta. En consecuencia, el modelo de negocio se ha transformado radicalmente, pero el objetivo final de este, no.

A mi entender, en las décadas venideras nos esperan unos cuantos cambios de paradigma más, lo suficientemente importantes como para detenernos a reflexionar sobre sus consecuencias. La inmensa mayoría de estos vendrán de la mano de los últimos avances tecnológicos y las oportunidades que estos generan. Tecnologías móviles, inteligencia artificial, geolocalización y, como no, *Internet de las cosas* serán, probablemente, sus catalizadores.

En esta transición a nuevos paradigmas nos encontramos con el choque de intereses económicos entre sus actores. Un ejemplo muy claro es el conflicto de intereses entre el sector del taxi y los negocios basados en licencias VTC, que probablemente habremos sufrido como usuarios. En mi opinión, el cambio en este caso nada tiene que ver con el paso de un modelo de negocio, que está en las manos de unos cuantos, a otro más abierto y colaborativo. No. Esta batalla se perderá en un futuro no muy lejano. En el momento que la tecnología de la conducción autónoma, soportada por *Internet de las cosas*, se imponga y libere, el modelo más lógico que terminará por imponerse es el del servicio de taxi sin conductor. Y es que… si nos paramos a pensar, y con todos mis respetos… ¿para qué necesitaremos un conductor? A excepción de los románticos, a quienes les gusta mantener una conversación con el taxista para saber más acerca de las ciudades, a los demás lo único que les importa es llegar al destino. Por lo tanto, con esta tecnología desplegada, los vehículos con conductor quedaran solamente para aquellos que, haciendo un símil, suben a las calesas para dar una vuelta por los cascos históricos de las ciudades.

Otro negocio que sufrirá un cambio importante, derivado también de la conducción autónoma, es el del transporte de mercancías. Por suerte, e igual que en el caso del transporte de las personas, continuará existiendo la necesidad de transportar mercancías y, por consiguiente, el negocio continuará. En ambos casos se mantiene la finalidad y, lo que cambia, es el cómo llegar a ella. El caso es que las grandes empresas de logística hace tiempo que están invirtiendo en I+D y experimentan con diversas tecnologías que les permitan traspasar de modelo.

Todo está por ver. Mucha gente apuesta por los drones como medio de transporte de mercancías. Yo me inclino más a pensar en vehículos de conducción automática, ya que los drones implicarían enormes cambios legislativos, en materia de seguridad aérea, como para tenerlos en cuenta como solución a corto plazo.

Internet y sus aplicaciones y utilidades han cambiado el mundo desde hace décadas. Veamos, a continuación, un pequeño resumen de los cambios más significativos que se han producido.

▶ *Contrastar fuentes*: antes de la existencia de *Internet* como fuente de información y conocimiento, existían las enciclopedias y las bibliotecas. Todo lo publicado se daba por bueno, veraz y contrastado.

Con la llegada de la red, la WWW y sus utilidades de búsqueda, las enciclopedias, diccionarios y otros elementos similares desaparecieron de la faz de la tierra para dejar, en el caso más optimista, una versión digital en línea para consultar. Ese es el caso de la *Enciclopedia Británica*, que dejó su versión en papel en 2012, desde su primera edición en 1768.

Ahora, la persona que necesita información se dirige a *Internet*, aunque antes ha tenido que adquirir el hábito de contrastar la información encontrada para, bajo su criterio, entender que es válida y veraz. El usuario de Internet ha tenido que realizar, pues, un esfuerzo adicional: saber separar la información útil de la inútil.

▶ *Medios de comunicación y periodismo*: las personas han cambiado su forma de consumir información. Se ha pasado de leer periódicos en papel a disponer de una aplicación en el móvil que selecciona las noticias que más interés tienen para nosotros, avisándonos cuando entra una última hora.

Han nacido las versiones digitales de los grandes periódicos, pero también se han creado otros nuevos, únicamente en *Internet*. Las noticias se insertan a tiempo real y el usuario no tiene que esperar a la próxima edición para verlas. Redes sociales como *Twitter* se usan como fuentes de información instantáneas. Las informaciones pueden venir de agencias oficiales o bien de otros usuarios, con lo cual deben contrastarse también.

El problema es que la democracia de Internet permite que cualquiera publique cualquier contenido y ello, claro está, puede conducir a ofrecer informaciones erróneas e incluso cosas más graves como inducir a la automedicación, a las autolesiones o a la radicalización social.

▶ *La publicidad y el márquetin*: este sector ha tenido que reinventarse en los últimos años. Antes de *Internet* la cosa estaba clara. La publicidad se insertaba en prensa escrita, radio y televisión y, como mucho, en paneles publicitarios y fachadas de las ciudades.

Hoy en día, la cosa es muy distinta. La publicidad puede aparecer al inicio de una noticia que descarguemos de la red, o en medio de un vídeo visualizado en youtube. Aparece también al realizar una búsqueda en la red o al desplazarnos por los contenidos de nuestra red social favorita.

Lo más importante, y quizás peor para nuestra privacidad, es que las herramientas de *Big Data* analizan nuestros movimientos para ofrecernos la publicidad que más encaje con nuestros hábitos. Si bien puede parecer positivo, ya que solamente veríamos anuncios que tengan que ver con nuestros intereses, el tema da que pensar. En este caso, *IoT* tendrá mucho que decir, ya que será uno de los más importantes proveedores de información acerca de nosotros mismos para la industria de la minería de datos.

▶ *Música*: la forma en que consumimos música ha cambiado de forma radical, propiciada por el aumento de ancho de banda y velocidad de acceso a *Internet*. Servicios de música en *streaming* (textualmente transmisión) como *Spotify* han conseguido que muchos cambien el hábito de comprar discos físicos por el de disponer de una subscripción a esta aplicación, que da acceso a toda la música del mundo.

A parte de este tipo de consumo de productos musicales, los usuarios pueden comprar las obras en línea, a través de diversas tiendas en la red. Otro cambio de hábitos que estas han introducido es que las personas pueden comprar una única canción, en lugar de quedarse con el álbum completo.

La venta de música en plataformas digitales y su consumo en *streaming* superaron, en España y en 2016, los números obtenidos por el formato físico.

▶ *Videoclubs y televisión a la carta*: la desaparición de los videoclubs es ya una realidad. Las personas ya podemos ver películas donde queramos y en el momento que lo deseemos, sin necesidad de dirigirnos a ningún establecimiento físico ni acordarnos de su posterior devolución. Los programas de televisión y radio clásicos sitúan sus versiones en línea en la web para que sus usuarios puedan verlos cuando quieran… o puedan.

Ya no existen ataduras de horarios ni geográficas. Cualquier dispositivo conectado a la red, con capacidades multimedia, puede reproducir este tipo de contenidos. La televisión ya no es un sistema de difusión de uno a muchos, los usuarios deciden cuándo consumen sus productos. Las emisoras locales ya pueden soñar con ser vistas desde el otro lado del planeta. Además, con herramientas como *Youtube*, cualquier usuario puede disponer de su propio canal de televisión.

Recuerdo con nostalgia que todo esto ya lo presagiaba *Nicholas Negroponte*, director del *Media Lab* del *MIT*, en su libro *Being digital*, de 1995, del que tengo la suerte de poseer un ejemplar dedicado.

▶ *Libros electrónicos*: igual que en el caso de la música o los contenidos audiovisuales, los libros están siguiendo el mismo camino evolutivo: las ventas en digital superan las ventas físicas y todo hace prever que se continúe así. Ya es muy habitual ver en playas y piscinas personas usando *e-readers* (dispositivos lectores electrónicos) para leer las versiones digitales de sus autores favoritos, en formato *e-book* (libro electrónico).

La industria del libro no piensa solamente en la migración de las versiones en papel de sus productos al entorno digital. Existen otros subsectores del sector que también siguen la tendencia. A saber: la cultura de la subscripción a contenidos específicos, el mundo de las licencias para bibliotecas, la autoedición de obras para autores novel…

▶ *Estudios reglados*: a nadie se le escapa que el mundo universitario y académico en general de hoy en día dispone de un conjunto de herramientas de soporte tecnológico a la enseñanza sin precedentes.

Los estudiantes van a sus clases con equipos portátiles, se documentan por la red, graban las sesiones para después repetirlas en cualquier lugar e incluso, si no pueden asistir físicamente, las siguen a través de sistemas de videoconferencia.

Eso sí, deberían haber superado ya el primer punto comentado, contrastar fuentes, para saber separar la información útil de la inútil y que sus trabajos finales respondan a criterios de veracidad y profesionalidad.

Todo ello me recuerda que, por más tecnología de la que se disponga, la figura del profesor continúa siendo imprescindible en el proceso de aprendizaje de las personas. La misión de un profesor no es entregar información, como haría cualquier sistema informático, si no conducir en el proceso de aprendizaje. Tal reflexión la repite una y otra vez **Derek Muller** en su vídeo *This will revolutize education*, en su canal de *Youtube*, *Veritasium*. Recomiendo verlo.

▶ *Estudios autodidactas*: para este tipo de estudiantes, Internet también ha supuesto una revolución. Por todo lo comentado con anterioridad, pero también por la divulgación de conocimiento que se está impulsando desde las universidades, a través de la red, de los llamados MOOC (*Massive Open Online Course*, cursos masivos y abiertos en línea).

Cerca de 1000 universidades de todo el mundo ofrecen este tipo de cursos, gratuitos. Suponen un punto de partida para la divulgación científica y el acercamiento de la formación universitaria a la población.

▶ *Pagos y sistemas de pago*: Internet también ha sido el facilitador de transacciones económicas instantáneas en todo el mundo. El comercio electrónico forzó este cambio y, ahora, los pagos virtuales desde un PC o desde cualquier dispositivo electrónico (un e-book o una Smart TV, por ejemplo) suponen gestos más que cotidianos.

Internet ha permitido el desarrollo de plataformas de pago como *PayPal*, que actúa como un banco y que surgió como alternativa a los métodos de pago tradicionales, en un momento en el que la red necesitaba soluciones para los pagos instantáneos de productos o servicios.

Otra plataforma tecnológica con base en la red es *Revolut*, que propone a sus usuarios servicios bancarios en línea, sin cuotas ni comisiones. Las compras en el extranjero y el cambio de moneda son siempre al tipo de cambio interbancario, con lo que los ahorros son muy considerables. Dicha plataforma avisa: "el mundo híper-conectado de hoy merece un socio financiero igual de progresista".

Debemos destacar también las tecnologías asociadas a los sistemas de pago usados en nuestros dispositivos móviles, que tienen mucho que ver con *IoT*, y que están sustituyendo las tarjetas bancarias físicas. La que ha llegado para quedarse es, sin duda alguna, *NFC* (*Near Field Communication*, comunicaciones de campo cercano), adoptada ya por *Apple*, *Samsung* y *Google* para sus respectivos sistemas de pago.

No quisiera terminar sin mencionar en este apartado *bitcoin*, en minúscula, el llamado dinero de *Internet*. Su existencia deriva de la descentralización de la propia red y de su capacidad de proceso distribuido, características que permiten transferir valores sin intermediarios de ningún tipo, con total confianza y seguridad. En otro capítulo del libro veremos la tecnología en la que se basa, *Blockchain*.

▶ *Migrando a la nube*: otro cambio significativo, esta vez muy interesante para el mundo de la empresa en general es la migración a la nube. Pero… ¿de qué? Mucha gente, al oír hablar de la nube, piensan en un disco duro "colgado" en algún lugar donde poder guardar las fotografías familiares. Y, si bien esto es cierto, las posibilidades de la nube son muy grandes y abarcan mucho más de lo que podemos pensar. En realidad, el concepto nube hace referencia a que la infraestructura está en algún sitio, fuera de nuestro alcance, y no vemos tampoco de qué forma física están conectados los sistemas o en qué lugar se encuentran.

Antes, las empresas custodiaban sus datos de forma local realizando copias de seguridad que los administradores debían extraer de los edificios como medida de seguridad en caso de desastre. Los equipos locales se quedan obsoletos muy a menudo y requieren constantes actualizaciones e instalaciones de parches de software, con la consecuente formación que se requiere para el administrador de sistemas. Muchas veces se requeriría puntualmente más potencia de cálculo para tareas muy concretas o disponer de más espacio en los servidores de disco, por no hablar de fallos de máquina que pueden paralizar la empresa o la seguridad contra ciberataques.

Todo ello lo soluciona la nube, ya que permite migrar cualquier cosa a ella. La computación en la nube (procesamiento en la nube o *cloud computing*, del que hablaremos en otro capítulo) ofrece servicios como por ejemplo:

SaaS, Software as a Service. Las aplicaciones informáticas se colocan en servidores externos (en la nube), y normalmente se paga un alquiler por su uso. La empresa puede olvidarse de copias de seguridad, actualizaciones de la aplicación, caídas eléctricas y demás problemas que comprometerían la disponibilidad del conjunto. De *todo* se encarga la empresa que ofrece el servicio.

IaaS, Infrastructure as a Service. Permite trasladar a la nube servidores de todo tipo, discos de almacenamiento, redes... pudiendo instalar software en ellos, incluidos sistemas operativos y aplicaciones. La empresa cliente tiene el control del sistema operativo y sus aplicaciones, no siendo así en el caso de los sistemas que los soportan. De esta forma, son gestionados por la empresa propietaria del servicio *cloud*, que tiene capacidades para modificar, aumentar y reducir espacio en disco o capacidad de proceso, tanto de forma manual como automática. Además, la infraestructura se monitoriza de forma constante, se realizan copias de seguridad y se implementan complejos sistemas de protección contra ataques cibernéticos. La prestataria se encarga de la estructura de *hardware*, mientas que la empresa cliente lo hace del *software*.

▶ *Servicios de videoconferencia*: las posibilidades de conexión remota de alta velocidad en cualquier lugar han abierto las puertas a una vieja reivindicación: la videoconferencia. Este servicio es bien conocido por todas aquellas personas que tienen a sus seres queridos en el extranjero ya que, aparte de poder disfrutar de una experiencia visual completa y a tiempo real, los costes son inexistentes.

En el mundo de la empresa ha significado una brutal reducción de costes al ahorrar desplazamientos para acudir a reuniones de equipo en delegaciones de las compañías, además de proveer de una virtual presencia humana gracias a la cual los intervinientes ven las reacciones de los demás y entra en juego el lenguaje no verbal.

▶ *Ocio, cultura y viajes*: existen un sinfín de cambios tecnológicos que han afectado a estos ámbitos. En el campo del ocio, nadie puede negar que, por ejemplo, los más pequeños han pasado de jugar a canicas con las amistades a quedarse absortos ante la pantalla de un móvil. Tampoco se le escapa a nadie que el teléfono móvil es una gran herramienta, en los restaurantes, cuando el objetivo de los padres es disfrutar de una buena velada.

Y es que muchas son las tecnologías que han cambiado la industria del ocio y que, también, han facilitado el cambio en la cultura y los viajes. Desde Internet descubrimos nuevos lugares, nuevas realidades, nuevas formas de entender lo que creíamos inamovible.

Mapas interactivos que nos permiten explorar un territorio antes de llegar a él, gafas de realidad virtual que facilitan comprender un espacio antes de verlo o nos ofrecen un avance de una maravilla que estamos a punto de descubrir. Publicidad que usa realidad aumentada para hacer más atractivos sus productos o juegos interactivos para descubrir los secretos de una ciudad mientras paseamos por ella son simples ejemplos de cómo ha cambiado la forma de ver y vivir nuestro mundo cotidiano.

En el plano más práctico, uno de los cambios de paradigma más claro y parecido al ya comentado de los videoclubs es la forma en que las nuevas generaciones planifican sus viajes y reservan todo lo necesario, en línea. Aviones, hoteles y vehículos así como guías turísticos, experiencias de todo tipo e incluso teléfonos móviles o tarjetas telefónicas para no perderse un segundo de conexión a la red, todo lo imaginable puede reservarse desde una *App* (aplicación móvil).

▶ *¿Sexo?*: pues sí, el consumo en la industria de los productos "sólo para adultos" ha sufrido, igual que la de los libros, la música y las películas, un cambio drástico de hábitos por parte de sus clientes. Unas décadas atrás, lideraban este sector las publicaciones en forma de revistas más o menos "culturalizadas" y películas en discretos reservados de los videoclubs.

Otras ofertas más picantes incluían la posibilidad de ver porno en directo, dentro de cabinas de reducidas dimensiones en los sex-shops.

Hoy en día, la pornografía en línea es uno de los negocios que mueve más dinero en Internet. Páginas para adultos de todo tipo y para todos los gustos, cámaras en tiempo real para mantener videoconferencias sobre catálogo con la persona deseada, servidores de vídeo de *realidad virtual* para hacer del visionado una experiencia mucho más real… Y no todo termina en el visionado. Existen un montón de dispositivos (*gadgets*) para aumentar la experiencia, como el par de vibradores (ella / él) que funcionan, vía Internet, de forma sincronizada.

Así, la red ofrece un universo de posibilidades que lo hace, para muchos, una opción más atractiva, casi, que la realidad misma. Como decía Andy Warhol: "El sexo es mucho más excitante en la pantalla y en las páginas que en las sábanas".

No quisiera olvidarme de los sitios web de contactos. Si bien algunos de ellos prometen ser sitios serios donde encontrar tu media naranja, la verdad es que mucha gente se apoya en ellos para encontrar parejas "ocasionales", aprovechando la inmediatez que nos brinda la tecnología con sistemas de selección rápida, a los que se añade la potencia de la geolocalización, para facilitar las cosas.

Como habrás visto, muchas son las cosas que han cambiado gracias a la tecnología y a la llegada de Internet. Según los expertos, muchas más son las que están por llegar, de mano de *IoT*.

4.3 EL VIAJE A INTERNET DE LAS COSAS

El viaje a Internet de las cosas se da cuando se conecta a la red todo aquello que no está conectado. Decíamos en capítulos anteriores que se considera el nacimiento de *Internet de las cosas* el momento en el cual el número de *cosas* conectadas a la red superó el de las personas conectadas a ella.

Como pronto averiguaremos, no es suficiente con que los objetos se conecten a la red. De hecho, y como podía leerse en un interesante artículo de la revista *Scientific American* de 2004, "*Incluso algo tan simple como una bombilla podría conectarse directamente a Internet, si está convenientemente equipada con circuitos de bajo coste que puedan enviar señales a través del cableado eléctrico*".

El quid de la cuestión no está pues en la conexión indiscriminada de objetos a Internet, el secreto es poder dotarlos de *inteligencia* para que tomen decisiones por nosotros, se comuniquen con otros dispositivos, con procesos y con personas con el objetivo de hacerlo todo mucho más fácil, autónomo e inteligente. Todo ello mediante la generación de datos en tiempo real y su posterior análisis.

Existen multitud de ejemplos que pueden servirnos para ilustrar la diferencia entre objetos conectados y objetos conectados inteligentemente. Me remitiré al ejemplo del primer objeto conectado a Internet, que data de 1989, y que se creó a raíz de una apuesta, tan simple como "*¿te atreves a conectar una tostadora a Internet?* El reto estaba servido y, al cabo de unos meses de arduo trabajo, el dispositivo estaba listo para preparar, remotamente, unas deliciosas tostadas.

Aunque el cachivache funcionó, solamente permitía, de forma remota, la puesta en marcha y apagado y el control del tiempo de tostado. Nada más. Además, se requería la presencia del ser humano para extraer la tostada a tiempo, a riesgo de obtenerla quemada si no se tenía esto en cuenta.

¿Para qué servía pues? Probablemente para nada, excepto para ganar una apuesta entre técnicos, aparte de quemar algunas tostadas con las pruebas realizadas. Francamente, se trataba de un objeto inútil que, hoy en día, no merecería la categoría de objeto perteneciente a la familia de *Internet de las cosas*. Por lo tanto, podemos hablar de tostadora controlable vía Internet, pero no podemos etiquetarla como *smarttoaster* (tostadora inteligente).

¿Qué faltaría para que podamos darle tal categoría? Pues la incorporación de muchas más funcionalidades que permitan, no solamente un control total, si no que esta pueda mandar información acerca de su estado, temperatura, necesidades de mantenimiento, etcétera.

Imaginemos ahora un reloj despertador, conectado e inteligente, que pudiera estar conectado a los grifos de ducha de nuestro baño, así como al secador de pelo y a la hebilla del cinturón de nuestros pantalones, junto con nuestra tostadora inteligente. La comunicación inteligente de todos permitiría una harmónica colaboración hasta el punto de disponer de nuestra tostada perfecta, en el momento necesario. Y... ¿qué pasaría si la tostadora no funcionase? Pues con las utilidades incorporadas de mantenimiento predictivo, probablemente nunca se daría el caso, ya que ella misma se hubiese encargado de llamar al servicio técnico y gestionar su propia reparación, encargándonos el desayuno en la cafetería de al lado de nuestro trabajo, si el tiempo de reparación previsto así lo sugiriese. Esta es, muy simplificada, nuestra estación final en el viaje a Internet de las cosas: conectar objetos cotidianos a la red que, con la ayuda de las tecnologías de la información y la comunicación, potencien enormemente sus funcionalidades.

Otros casos similares a la tostadora, en el sentido de ser pioneros en conectarse a Internet, fueron una máquina expendedora de bebidas que informaba de su stock de producto a los estudiantes del campus, para evitar que estos anduviesen para nada, y una cafetera en la universidad de *Cambridge* que, enfocada por una cámara, mostraba su imagen en todos los ordenadores de la red de la oficina para, así, comprobar si había café disponible.

Igual que la diferencia explicada anteriormente, entre objetos conectados y objetos conectados inteligentemente, también debemos señalar la existencia de todo tipo de redes autónomas que, a medio plazo, deben converger en Internet para que *IoT* sea mucho más potente.

Para ver con un ejemplo el concepto de red autónoma pensemos en un vehículo actual. Este dispone de una gran cantidad de microprocesadores conectados a todo tipo de sensores, que forman pequeñas redes de comunicación, gracias a las cuales se controla el funcionamiento de todos los sistemas y se avisa al usuario en caso de detectar alguna anomalía. Podemos asegurar, entonces, que dentro del vehículo existen multitud de redes que supervisan muchos de sus aspectos técnicos pero que no van más allá. Se trata de un sistema autónomo que, a mucho estirar, permite que la concesionaria de automóviles conozca remotamente la salud de nuestro auto y reserve hora para la correspondiente revisión en el taller.

Igual que en este caso, nos encontramos con multitud de ejemplos de redes autónomas, no interconectadas, que realizan sus funciones correctamente pero que no hacen nada más, aun cuando su información, de compartirla con el mundo, sería muy valiosa.

Desde galerías comerciales a estaciones de autobuses, desde gasolineras a apartamentos en la playa, la mayor parte de tales infraestructuras disponen de pequeñas redes que controlan muchos de sus elementos en el día a día: calefacción y aire acondicionado, sistemas de alarmas, iluminación, riego automático, etc.

Con el tiempo, se espera que estas redes evolucionen y se conecten a Internet, proporcionando todo tipo de información útil para el mundo. Una vez esto ocurra dispondrán de capacidades de seguridad, análisis y administración común, gracias a las cuales *IoT* se convertirá en la revolución más importante de todos los tiempos.

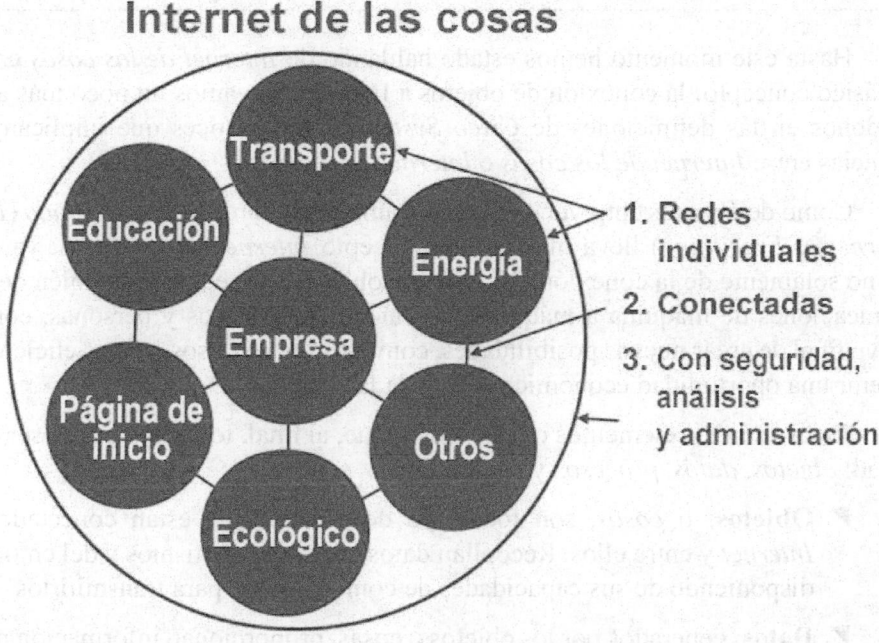

Figura 4.8. Fuente: Cisco IBSG

Multinacionales como *Cisco Systems* hablan de *IoT* como la evolución de Internet, relacionándola con sus capacidades sensoriales (gracias a los millones de sensores que se conectan a ella) y los ámbitos a los que ha llegado (desde el interior de nuestro organismo hasta los confines del espacio exterior).

ⓘ **Nota**

Existen numerosos vídeos en Internet que muestran cómo debería ser el futuro con *IoT*. Te recomiendo que accedas a *Youtube.com* y busques vídeos como por ejemplo: Le damos la bienvenida a Internet de Todo: Cisco Humanity, Internet of Everything Commercial by Cisco o quizás Cisco Commercials Internet of Everything, una recopilación de anuncios muy divertidos de la multinacional americana. Interesantes también los vídeos de *Schneider Electric* sobre *IIOT* (*Industrial Internet of things*), que puedes encontrar escribiendo SmartPlant and the Internet of Things en el buscador de *Youtube*.

4.4 ELEMENTOS DE INTERNET DE LAS COSAS

Hasta este momento hemos estado hablando de *Internet de las cosas* en su más básico concepto: la conexión de objetos a Internet. Vayamos un poco más allá, basándonos en las definiciones de *Cisco Systems* y los matices que implican las diferencias entre *Internet de las cosas* e *Internet de todo*.

Como dejábamos entrever en algunos puntos del libro, *Internet de todo* (*IOE* o *Internet of Everithing*) lleva más allá el concepto *Internet de las cosas*, ya que habla no solamente de la conexión física de los objetos a la red, sino también de las comunicaciones de máquina a máquina, involucrando procesos y personas, con el objetivo final de crear nuevas posibilidades, convertir los procesos en más eficientes, y devenir una oportunidad económica para toda la sociedad.

Cuatro son los elementos que permiten que, al final, todo esto pueda ser una realidad: *objetos*, *datos*, *procesos* y *personas*.

▸ **Objetos**: o *cosas*, son todo tipo de objetos que están conectados a *Internet* y entre ellos. Recopilan datos acerca de sí mismos y del entorno, disponiendo de sus capacidades de comunicación para transmitirlos.

▸ **Datos**: generados por los objetos o cosas, proporcionan información muy útil para la toma de decisiones y la mejora de resultados si se combinan con herramientas analíticas.

Creo que en este momento es pertinente mostrar la pirámide *DIKW* (de las iniciales de las palabras inglesas *data*, *information*, *knowledge* y *wisdom* – datos, información, conocimiento y sabiduría):

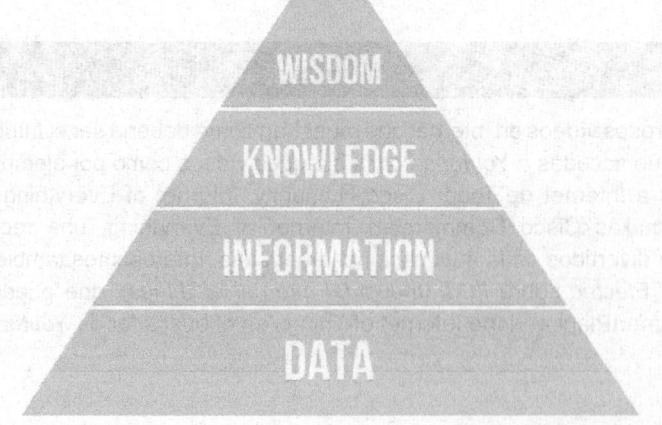

Figura 4.9. Pirámide DIKW, By Longlivetheux - Own work, CC BY-SA 4.0

Como se aprecia en la pirámide, la base del conocimiento y la sabiduría son los datos. Ellos son la materia prima que debe manipularse, procesarse, filtrarse para convertirla en información. Por si solos no servirían para nada, pero en grandes cantidades pueden, por ejemplo, mostrar tendencias de mercado. Un buen ejemplo de ello son las técnicas Big Data usadas en redes sociales o en buscadores para focalizar campañas publicitarias más adecuadamente.

Es importante destacar, del párrafo anterior, las palabras *grandes cantidades* en referencia a los datos a analizar. Cuantos más datos tengamos, más información, conocimiento y sabiduría obtendremos. Ahí vemos la relevancia que adquieren los objetos como elementos recolectores del sistema.

▶ **Procesos**: diversas son las definiciones de procesos, dependiendo del ámbito al que nos refiramos. En todo caso, y como resumen, podríamos definir un proceso como el conjunto de fases a las que se somete algo para transformarlo. Dicha definición encaja en diversos entornos: el proceso de creación de un plato en la cocina, el tratamiento de un paciente para completar su recuperación, los pasos a realizar para solicitar un día de fiesta en el trabajo…

Observemos como característica común que existe algún tipo de lógica orientada a conseguir un resultado concreto. Si nos centramos en el mundo digital, podríamos decir que un proceso se refiere a la ejecución de instrucciones dictadas por un programa. Pero también, si pensamos en un sistema operativo, puede referirse a la administración de las distintas tareas o procesos que el sistema está ejecutando.

En el mundo industrial, un proceso de fabricación puede referirse al conjunto de operaciones necesarias para obtener, transformar, transportar y almacenar diversos tipos de productos.

Si nos centramos en *Internet de las cosas*, en los procesos intervienen todos los demás elementos: personas (de las que hablaremos en el próximo apartado), datos y objetos. Con una correcta integración de todos ellos, se obtiene la información correcta, que se entrega al destinatario previsto, en el momento necesario y de la forma más adecuada.

ⓘ **Nota**

Según las definiciones propias de *Cisco Systems* en sus documentos sobre *IoT*, la definición anterior es la más importante acerca de la oportunidad sin precedentes que esta revolución significará para la sociedad en general en las próximas décadas.

En los últimos tiempos, y en el entorno empresarial, hemos asistido al auge de una nueva disciplina que está revolucionando la forma de gestionar las empresas: *BPM* (*Business Process Management* o gestión de procesos de negocio).

Como definición, los sistemas de gestión por procesos se caracterizan por la comprensión, la visibilidad y el control de todos los procesos de una empresa por parte de todos los participantes en cada uno de ellos, con la finalidad de aumentar la eficiencia de esta, así como la satisfacción final del cliente.

Destacan empresas como *IBM*, *Nintex*, *SAP*, *Microsoft*, *Oracle*, *Bonitasoft*, *Alfresco*, *Auraportal* como proveedoras de soluciones de este tipo, para distintos sectores y tamaños de empresa.

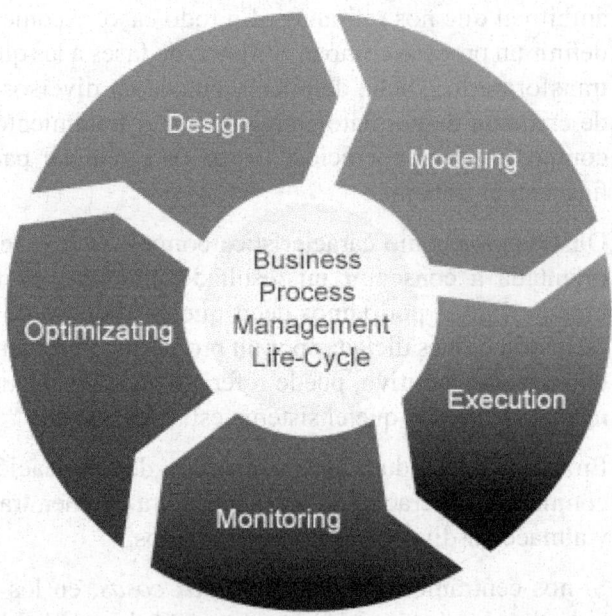

Figura 4.10. BPM, Business Process Management – Gestión de procesos de negocio – Ciclo de vida.

No es difícil imaginar la forma en que *IoT* puede colaborar, optimizar y, en definitiva perfeccionar los procesos empresariales existentes.

▶ **Personas**: los seres humanos son factores clave en *IoT*, ya que pueden ser origen de datos, pero también destinatarios. Cualquier persona deja rastro digital en todas las operaciones que realiza en la red. En algunos casos esta será quién tome las decisiones finales gracias a la información recibida de los nuevos sistemas inteligentes, ya que las máquinas y los procesos se podrán comunicar con ella.

No debemos pensar solamente en la forma clásica en que las personas interactúan con las máquinas, introduciendo información conscientemente, sino que debemos imaginar nuevas formas de proveer información a la red, más allá de las actuales redes sociales. Zapatos inteligentes, textiles conectados, relojes, bandas deportivas... pero también dispositivos médicos implantados con capacidades *IoT*. Todos ellos ya están cambiando la forma en que el ser humano provee de información a la red.

> ### ⓘ Nota
>
> Muchas son ya las noticias que circulan por la red acerca del implante de chips en seres humanos, cosa que está levantando mucha polémica, por diversos motivos. Morales, de salud, legales... que generan debate sobre el derecho a la privacidad de sus usuarios. ¿Qué harían las compañías de seguros si tuviesen acceso a los historiales médicos de un paciente? ¿Puede tu empresa rastrearte constantemente porqué estás *marcado*? ¿Tendrá efectos secundarios el implante de un chip subcutáneo? Te recomiendo que busques en la red la frase chips en seres humanos.

4.5 TIPOLOGÍA DE CONEXIONES ENTRE ELEMENTOS IOT

Lo que realmente da sentido y valor a la frase *Internet de todo*, por encima de *Internet de las cosas*, son las nuevas oportunidades que nos ofrece el poder conectar todos los elementos enumerados en el punto anterior.

Observemos los tres tipos de conexiones principales que existen entre ellos:

▸ **P2P**: (*people to people*) persona a persona. El origen y el destino de la comunicación son personas.

▸ **M2P**: (*machine to people*) máquina a persona. El origen de la comunicación es una máquina y el destino una persona.

▸ **M2M**: (*machine to machine*) máquina a máquina. El origen y el destino de la comunicación son máquinas.

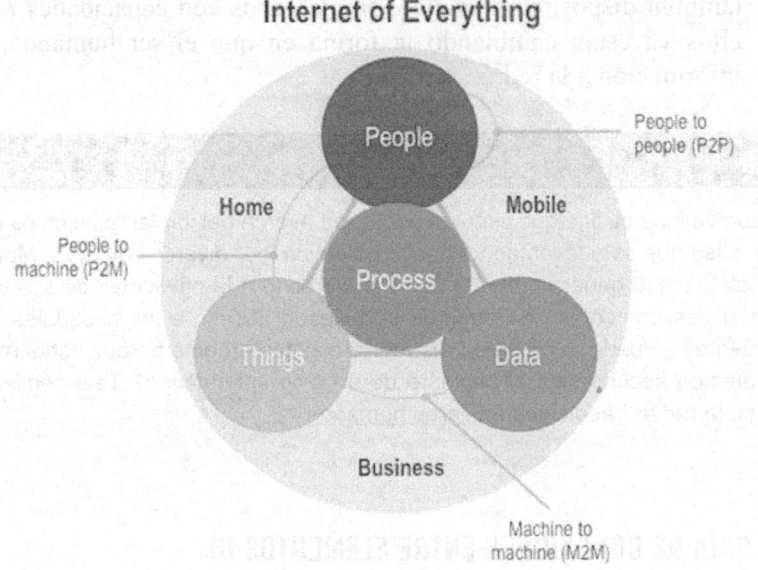

Figura 4.11. Tipo de conexiones entre elementos IoT

Muchos son los ejemplos de la comunicación entre los elementos *IoT* mencionados anteriormente. Como puedas quizás pensar, el tipo de conexión más importante si hablamos de *IoT* parece ser el de *M2M*, máquina a máquina. Si pensamos en una ordenación por orden de relevancia, probablemente nos encontraremos ante esta solución:

- M2M
- M2P
- P2P

Y no nos habríamos equivocado. Si *IoT* va de eso, de *Internet de las cosas*, lo más lógico es que sean las cosas las que tomen el papel protagonista en todo este asunto. La automatización implica un alto nivel de conectividad entre las máquinas, de tal forma que el resultado deseado tiende siempre a la no intervención del ser humano.

Aunque, hoy por hoy, para que una solución *IoT* sea funcional y realista, las personas deben continuar interviniendo en algunos puntos concretos de los procesos, ya sea proporcionando información a las máquinas (*M2P*) o bien colaborando con otras personas (*P2P*). Eso sí, si continuamos hablando de *IoT*, dichas acciones usarían los equipos y aplicaciones previstas como elementos de la solución tecnológica ya que, de hecho, seguirían siendo parte de ella.

Veamos ahora algunos ejemplos de este tipo de conexiones:

Comunicación M2M

Hace unas décadas, los dispositivos más modernos de comunicación entre máquinas eran muy rudimentarios, simples y sin inteligencia. Si pensamos en algún ejemplo, puede venirnos a la mente la luz que se enciende en el interior de un vehículo cuando abrimos una puerta. Este "avanzado" mecanismo de alerta existe desde hace muchísimos años y, de hecho, es un buen ejemplo de la comunicación entre objetos. Si la puerta está abierta, se libera mecánicamente un botón que activa la luz, que avisa al conductor de esta situación.

Los actuales sistemas *M2M* incluyen todo tipo de electrónica y, además, capacidades de programación, comunicación y envío de grupos muy heterogéneos de datos que facilitan la toma de decisiones.

Quizás, la tecnología más usada en la comunicación *M2M* sea la telemetría. Es decir, la toma de mediciones de todo tipo y su envío a otros sistemas digitales. De regreso al vehículo, tendríamos ejemplos muy claros de comunicación *M2M*: la presión de los neumáticos, donde un sensor toma medida constante del valor y lo transmite al panel de control, el nivel de carburante, la temperatura del motor o del exterior, el funcionamiento de las luces, el nivel de aceite…

Puedes entender la importancia de este tipo de comunicación en el mundo actual, y que sea el tipo más usado si hablamos de *IoT*, por las ventajas que ofrece automatizar tareas repetitivas (que sean las máquinas quienes solucionen las incidencias) añadidas a las posibilidades de acceso y control remoto de los sistemas.

Ejemplos de comunicación *M2M* en todo tipo de organizaciones:

- ▼ Edificios "Inteligentes" (iluminación y climatización automáticas)
- ▼ Transporte público (regulación de tráfico, aparcamientos)
- ▼ Contadores inteligentes (electricidad, agua, gas…)
- ▼ Pagos móviles (pago de peaje en autopistas)

Comunicación M2P

De hecho, en el primer ejemplo del vehículo en el apartado anterior, donde hablábamos de la luz y la puerta abierta, nos encontrábamos claramente ante una comunicación *máquina a persona*. En última instancia, la máquina (automóvil) ha emitido una señal (luz) para avisar a un humano (persona). Es la persona, pues, que debe reaccionar y tomar una decisión acerca de qué hacer en esta situación. La solución obvia por la simplicidad del ejemplo es cerrar correctamente la puerta, aunque tal aviso también podría ser debido a que algo la obstruye y, en ese caso, se debería comprobar el perímetro de la misma para solucionar el problema.

Un ejemplo muy claro de la importancia de la intervención del ser humano en ciertos momentos es el mundo de la salud. Por mucha tecnología que se use para supervisarla, los resultados arrojados a las pantallas, impresoras, avisadores, etcétera deben ser supervisados por profesionales competentes (humanos) para que estos tomen las decisiones correctas para la recuperación de sus pacientes.

Aunque siempre citemos el acrónimo *M2P* en este orden, *máquina a persona*, el sistema es bidireccional; es decir, no necesariamente tiene que ser la máquina la que inicie la "conversación", puede hacerlo la persona. De hecho, muchas veces son las personas las que se comunican con las máquinas, introduciendo valores o comandos para, posteriormente, obtener resultados.

Ejemplos de comunicación *M2P*:

▼ Pantallas, impresoras, avisadores, teléfonos inteligentes
▼ Cartelería inteligente en comercios
▼ Cámaras de vigilancia
▼ Máquinas expendedoras
▼ Vehículos con restreadores GPS
▼ Mascotas con chips de rastreo
▼ Control remoto del hogar

Comunicación P2P

Ya se ha dicho, hace unas líneas, que las personas continúan siendo importantes en el mundo *IoT*. De hecho, son las tecnologías quienes les dan soporte para que estas puedan colaborar, permitiendo conexiones de alta velocidad, videoconferencia y movilidad geográfica a unos niveles nunca vistos anteriormente.

La comunicación *P2P* es, simplemente, eso: persona a persona, aunque usando todo este tipo de tecnología facilitadora de la comunicación, sin importar la distancia a la que se encuentren.

Ejemplos de comunicación *P2P*:

▸ Redes sociales
▸ Salas de videoconferencia
▸ Call centers
▸ Servicios de salud
▸ Teletrabajo
▸ Servicios de formación en línea (tutores)

> ### ⓘ Nota
>
> Los tres tipos de comunicaciones (*M2M*, *M2P*, *P2P*) son bidireccionales, cualquiera de los elementos intervinientes puede iniciar la conversación.

Figura 4.12. Centro de control de la red inteligente de Autobuses de Barcelona. Marc Rovira TMB.

Nota

Un caso de estudio interesante es la creación de la **Oficina Municipal de Datos** por parte del **Ayuntamiento de Barcelona**, convirtiéndose en la primera ciudad española en hacerlo. Dicha oficina, mediante la recolección y análisis de datos del conjunto de servicios públicos (servicios urbanos, padrón de habitantes, wi-fi público, transporte público, tráfico, tributos, etcétera) va a permitir mejorar la gestión de la ciudad, en muchos aspectos, para revertir en calidad de vida para el ciudadano.

4.6 TRABAJANDO EN EQUIPO PARA UN OBJETIVO COMÚN

Los tipos de conexiones descritos en el punto anterior pueden trabajar de forma aislada o conjunta. El potencial máximo de *IoT* se obtiene con la combinación de todos los tipos de interacciones.

Pongamos como ejemplo una pequeña ciudad, donde existe un sistema instalado de detección de fallos en el alumbrado público. En cuanto se funde una bombilla, el sistema actúa de la siguiente forma:

1. La bombilla, equipada con un sensor *IoT*, detecta que no está funcionando correctamente.

2. Se dispara un proceso en el que:

    • Se envía un aviso al servicio de mantenimiento del alumbrado público.

    • Se envía un aviso a los teléfonos móviles de los vecinos afectados en el radio de 100 metros

    • Se establece un contador interno que calcula 4 horas. Si en este tiempo no se marca la incidencia como resuelta, se envía de nuevo el mensaje al servicio, pero además al supervisor de este para que gestione la incidencia correctamente.

3. El servicio de mantenimiento substituye la bombilla

4. Cuando la bombilla nueva se pone en funcionamiento, se marca automáticamente la incidencia como resuelta y se envía un mensaje a los vecinos informando de ello.

Observemos que en este ejemplo intervienen los tres tipos de comunicaciones explicados anteriormente:

▸ **Máquina a máquina**: el sensor recoge la lectura sobre el funcionamiento incorrecto de alumbrado, ya que su sensor fotoeléctrico no detecta la presencia de luz en el horario previsto, y envía el aviso al sistema de mensajería instantánea del centro de control. El aviso contiene información como la intensidad de iluminación recogida, la hora del día y su ubicación geográfica.

▸ **Máquina a persona**: el sistema de mensajería comprueba sobre el mapa la ubicación del dispositivo averiado y averigua quién es el técnico de guardia del servicio de mantenimiento para, inmediatamente, enviarle un mensaje de aviso. A continuación, basándose en la base de datos del padrón municipal, busca los teléfonos de los ciudadanos que viven en un radio de 100 metros y que se han suscrito a este servicio municipal y envía un mensaje a todos. Se inicia un proceso interno de cronómetro de 4 horas. Finaliza el plazo previsto, pero nadie ha marcado la incidencia como resuelta. Entonces, el sistema manda un mensaje al supervisor del servicio.

▸ **Persona a persona**: el supervisor del servicio realiza las acciones necesarias para localizar al técnico de guardia, pero no lo consigue. Entonces, llama al técnico substituto para que realice la reparación y esta se completa en menos de 2 horas. Al finalizar, marca la incidencia como resuelta, el sistema *IoT* del alumbrado realiza la comprobación y también da su visto bueno. Se avisa a los vecinos y el ciclo empieza de nuevo.

Aunque este ejemplo es correcto, probablemente pensarás que muchas de las situaciones descritas son mejorables. De eso se trata, de aprovechar las oportunidades que nos brinda *Internet de las cosas* para que los sistemas evolucionen y solucionen de la forma más eficaz situaciones de la vida cotidiana. Nos encontramos en la fase en la que todo está, aún, por decidir.

5

LOS CAMBIOS QUE SE AVECINAN

Hoy en día, todo el mundo habla de la digitalización de las organizaciones y de la transformación digital. Aunque, quizás, no todos sepan que en realidad y en el contexto actual, significan cosas distintas. Probablemente nos daremos cuenta de ello al ver que, en inglés, existen los términos *digitize* y *digitalize* que, aunque el más conocido traductor web los traduzca al español con el mismo significado (*digitalizar*) describen, en realidad, cosas distintas. Incluso podemos añadir más confusión al tema incluyendo otro: *digital transformation*.

No voy a hablar mucho del tema, puesto que en él influye la traducción y la semántica, además del uso de los términos a lo largo del tiempo, pero sí creo importante introducir, aquí, un pequeño recordatorio de su uso actual mayoritario:

► *Digitize*: transformar una información a formato digital, disponible para los sistemas tecnológicos actuales. *Digitalizar* en español, en el sentido de transformar a formato digital señales que no lo son (analógicas). Un ejemplo sería convertir una imagen antigua en papel a formato de archivo digital a través del proceso de escaneado.

► *Digitalize*: hacer el mejor uso posible de la información digitalizada (en el sentido del apartado anterior) para simplificar, optimizar o mejorar cualquier tipo de proceso. También *digitalizar* en español, un ejemplo en una industria de soluciones de refrigeración sería el uso de una aplicación *CRM* (*Costumer Relationship Management*) que incluyera el registro de llamadas de servicio técnico de todos los clientes, así como una fotografía de sus instalaciones y el listado de boletines de reparación anteriores. Todo ello optimizaría su tiempo de atención, resolución de dudas y solución de problemas, así como mejoraría su satisfacción global. Observemos que esta digitalización no implica ningún tipo de cambio en el modelo de negocio, simplemente aporta mejoras, optimizando tiempo y recursos.

▶ *Digital transformation*: usar los dos conceptos descritos en los puntos anteriores para innovar, creando modelos de negocio nuevos. *Transformación digital* en español, uno de los ejemplos clásicos son los ya extintos videoclubs y las actuales plataformas de vídeo en línea como *Netflix*, *Rakuten TV* o *HBO*. El primer paso fue convertir las películas a formato digital (*digitize*, de analógico a digital), grabándolas en soportes como *DVD* y facilitándolas a los clientes en forma de alquiler físico. El segundo (*digitalize*), añadir herramientas para facilitar la gestión de estos establecimientos, como por ejemplo aplicaciones informáticas de alquiler con sugerencias para los usuarios, avisos de películas ya vistas, etcétera. El tercer paso (*digital transformation*, transformación digital) es el que más disruptivo fue, ya que acabó con el modelo de negocio anterior para que naciera uno completamente nuevo y sin posibilidades de existir sin la existencia de los dos primeros pasos: el *streaming* de vídeo, vídeo a la carta, vídeo en línea…

La transformación digital no siempre implica la creación de una nueva organización. Dicha transformación ocurre en las empresas, siempre y cuando se tenga en cuenta la innovación y la formación continua y significa, para resumirlo, un cambio en el modelo de negocio o una redefinición de este, sustituyendo el clásico por otros que surjan de ideas innovadoras que aprovechen todo el potencial de los datos y procesos digitalizados.

Solo así, conduciendo todo este flujo de datos e información a todo tipo de dispositivos (desde móviles a *IoT*) y plataformas (desde Big Data a sistemas de inteligencia artificial), para ofrecer un cambio o redefinición de modelo de negocio a nuestros clientes, conseguiremos entrar en la era de la *Transformación digital* de la que todo el mundo habla.

Existen muchos ejemplos de cambio o redefinición de modelo de negocio

▶ *McDonalds* hace ya unos años que está aplicando cambios en su modelo de negocio. Kioscos digitales donde los usuarios pueden personalizar sus hamburguesas o el pago con móvil son un par de muestras del interés de la empresa por los nuevos hábitos de sus clientes. Es importante tener en cuenta que, aparte de agilizar las colas en las cajas, los kioscos facilitan la recogida de datos de los clientes, de los cuales pueden extraerse muchas conclusiones: hábitos de consumo en relación al calendario, tendencias en gustos según países, aparte de introducir sugerencias del día en relación a los productos que menos interese tener en stock, por ejemplo.

Figura 5.1. Kioscos futuristas de McDonald's, que permiten personalizar los pedidos de los clientes, entre otras funciones.

▸ *Caixabank* tuvo el reconocimiento de banco más innovador del mundo anunciando, en 2018, su reorganización para acelerar la transformación digital del negocio poniendo el foco en la atención del cliente. Dispone de servicios en línea para que los clientes hablen con sus gestores, obtengan previsiones financieras o pueden realizar trámites de formas mucho más rápidas que las convencionales.

▸ *L'Oréal* ofrece a sus clientes una aplicación móvil que incluye reconocimiento facial que permite recibir los consejos de sus expertos y ver, al instante, el resultado de la aplicación de sus productos.

▸ *N26* y *Revolut* son empresas de nueva creación pensadas para ofrecer servicios bancarios desde dispositivos móviles acordes con los nuevos hábitos de la sociedad y son un buen ejemplo de la transformación digital que nos aguarda. La banca es, históricamente, uno de los sectores en los que se espera, desde hace tiempo ya, un cambio de modelo. Y está ocurriendo. En el momento de escribir este libro, existían en el mundo más de 2000 start-ups relacionadas con servicios bancarios, llamadas *FinTech*, que ofrecen a sus clientes los productos que demandan, y otros innovadores, a una velocidad de respuesta mucho mayor que la banca clásica. Tecnologías como *blockchain*, entre otras, ayudaran a catalizar y consolidar el cambio.

▶ *Zara* tiene, en Londres, una tienda donde no hay probadores, la ropa forma parte de la decoración, y la compra tiene que hacerse exclusivamente en línea para recogerla, más tarde, en la propia tienda o en cualquier otro lugar. Esto demuestra que el grupo español tiene claro el cambio de actitud de los futuros compradores. Otros ejemplos de innovación de la marca son, por ejemplo, la identificación de sus productos con *RFID* (identificación por radio frecuencia) con la finalidad de que sus empleados conozcan el stock exacto en cada momento, además de que sus clientes puedan saber, con su aplicación móvil, en qué tienda se encuentra una prenda de su interés.

En septiembre de 2018, el presidente de **Inditex** anunció que todas las marcas del grupo estarían disponibles para su compra online, en todo el mundo, en 2020.

Figura 5.2. Tienda de Zara en Stratford (Londres). El País 2018.

ⓘ **Nota**

Según datos de la consultora *IDC (International Data Corporation)*, el 67% de 200 multinacionales encuestadas tienen la transformación digital como centro de su estrategia corporativa en 2018.

No hay ningún sector que pueda escapar a la transformación digital. Hoy en día, podemos realizar la siguiente división con muy poco margen de discusión:

Sectores que ya han sufrido transformación:

▶ Prensa (revistas, periódicos y libros), por la aparición de todo tipo de formatos digitales, dispositivos lectores y su forma de distribución y consumo.

▶ Música, por la aparición de servicios de música en línea (*streaming*), con el concepto de pago por uso, y las nuevas formas de comprar música (canciones en lugar de álbumes) en tiendas en línea.

▶ Vídeo, televisión y radio, por la aparición de plataformas digitales de servicios de vídeo en *streaming* y servicios de televisión y radio a la carta.

▶ Comercio, por la entrada en el mercado de los grandes almacenes en línea, con millones de productos y entregas inmediatas en la casa del cliente y facilidades como la devolución gratuita sin más explicaciones.

▶ Viajes, por la puesta en servicio de miles de sitios web buscadores de ofertas de viajes y las facilidades que se ofrecen al cliente final para la gestión y compra en línea de cualquier servicio relacionado. Podemos decir que las agencias físicas pasan a ser un servicio anecdótico.

Sectores que están sufriendo una transformación:

▶ Servicios financieros
▶ Telecomunicaciones
▶ Gobiernos y administración pública
▶ Transporte
▶ Agricultura
▶ Salud
▶ Gestión de edificios

Sectores que sufrirán una transformación futura:

▶ Fabricación en general
▶ Seguros
▶ Educación
▶ Energía
▶ Abogacía y profesiones relacionadas con consultoría y gestión legal.

> **ⓘ Nota**
>
> Los grandes fabricantes lo saben, y están buscando alianzas con empresas nativas digitales. Un claro ejemplo de ello es la industria del automóvil. Por ejemplo, **General Motors** invirtió en **Lyft** 500 millones de dólares. **Volkswagen** hizo lo mismo, invirtiendo 300 millones en **Gett**, y **Toyota** invirtió 500 en **Uber**, competidora de las otras dos. El interés de los fabricantes es avanzar en proyectos de conducción autónoma y el futuro de la movilidad, hecho que explica las inversiones millonarias.

En las próximas páginas intentaré explicar qué cambios pueden entreverse en diversos aspectos de la vida humana, aunque debemos tener en cuenta que la revolución de *IoT* está solamente en sus inicios y, por ello, las reglas del juego aún no están escritas.

Con ello me refiero a que no existen estándares de datos y comunicación establecidos, protocolos de seguridad testados e implementados y, como ocurrió en las tempranas edades de la informática y las redes, todo es aún posible.

En el mundo de las empresas tecnológicas se están jugando diversas partidas en las que unas empresas compran a otras y preparan su arsenal para estar listas para la gran batalla: conquistar el mundo *IoT*. Como veremos, los retos más importantes a los que se enfrentan sus técnicos tienen que ver, básicamente, con dos factores críticos:

▼ **El suministro de energía a los dispositivos**: este es un tema crucial dado que muchas soluciones *IoT* integran dispositivos que la necesitan, pero que se encuentran alejados de cualquier fuente de alimentación y el cambio de baterías es impensable. Serían ejemplos de ello la maquinaria pesada en explotaciones mineras o las naves espaciales en misiones de exploración del espacio profundo.

▼ **La disponibilidad de conexión en todas partes (ubiquidad u omnipresencia de conexión)**: si bien puede parecer que hoy en día se dispone de acceso a la red en todas partes, esto no es así. Existen multitud de lugares donde es difícil proveerse de una conexión a la red y, por ello, deben usarse tipos de conexión especiales que tengan en cuenta las distancias y los consumos energéticos, así como la seguridad de los dispositivos.

Además, debemos tener en cuenta que a diferencia de la época en que nació la informática, la diversidad de dispositivos y las necesidades de *IoT* se multiplican de forma exponencial y, por ello, los retos para las empresas del sector son aún mayores.

Muchos informes apuntan, y es de sentido común, que el cambio vendrá gracias al esfuerzo que realicen las empresas en general para la adopción de todas estas nuevas tecnologías. Sus necesidades de comunicación y control, de automatización de procesos, de análisis de mercados y de tendencias repercuten directamente en sus cuentas de resultados. Por todo ello es evidente que son las que de más recursos disponen para invertir en innovación y, de ahí, se deduce que serán las aceleradoras del cambio.

El sector que más está invirtiendo en la actualidad para acelerar la transformación, y que de facto está actuando como catalizador para todas estas tecnologías es el **Industrial** que, además, dispone de su propio subsector dentro de *IoT*: *IIoT*, acrónimo de *Industrial Internet of Things*.

Hasta el presente, si pensamos en el mundo industrial clásico y la aplicación de las nuevas tecnologías, nos damos cuenta de que existen, en realidad, dos ecosistemas conviviendo de forma simultánea que, raramente, se comunican entre ellos. Son los departamentos de tecnologías de la información (*TI* o en inglés *IT, Information Technologies*) y Tecnologías operativas (*TO* o en inglés *OT, Operation Technologies*).

▶ El departamento de *TI*, comúnmente llamado *departamento de informática* ha sido, estas últimas décadas, un departamento relativamente aislado de los demás. Normalmente actuaba como proveedor de soluciones a los demás departamentos, en campos como la contabilidad, la relación con los clientes, la infraestructura de equipos informáticos y su mantenimiento, los servicios de red, las aplicaciones de escritorio, etcétera.

▶ Las tecnologías operativas, *TO*, continuando en el mundo industrial, suponen todas aquellas que se utilizan en la actividad principal de una industria. Es decir, y como ejemplo, todos los robots de una cadena de montaje cualquiera.

Si pensamos en ambas tecnologías, nos daremos cuenta enseguida de que, habitualmente, no hablan el mismo idioma. Incluso los técnicos que mantienen los PC's o los robots son siempre distintos. Los lenguajes de programación de unos y otros son también diferentes, sus sistemas operativos nada tienen que ver con Windows o Mac y los protocolos de red tampoco se parecen mucho a los que el mundo de la informática e internet conoce.

Muchos centros de control de producción de la industria poseen sistemas distintos y separados para, por ejemplo, conectar sus sistemas de telemetría a la central, sus cámaras de vigilancia, sus sistemas de control de acceso...

> ### (i) Nota
>
> No debemos tomarnos la afirmación anterior al pie de la letra. Cada vez son más los fabricantes te tecnología industrial que apuestan por la compatibilidad y convergencia entre ambos mundos, pensando en el vínculo común que los aúna: *IoT*. Un ejemplo de ello es la plataforma *EcoStruxure*, de **Schneider Electric**.

Dicha convergencia será una realidad en las próximas décadas ya que, a día de hoy, tecnologías como *blockchain*, *Big Data* e *IoT*, entre otras, están cambiando las operaciones en las empresas, desde la línea de fabricación hasta la llegada del producto al destino, pasando por el modelo de negocio.

Figura 5.3. Robots trabajando en una cadena de producción de la industria del plástico. Kuka Robotics.

Las empresas industriales subrayan la urgente necesidad de convergencia entre ambas tecnologías (*TI* y *TO*), necesidad que presiona también a los gobiernos para que realicen un esfuerzo en diversos ámbitos. Legislación y regulación, pero también inversión en educación, innovación, investigación, transferencia de conocimiento, etcétera.

Entonces, ¿para cuándo la revolución de las cosas?

Como en muchos otros casos históricos, la adopción de las nuevas tecnologías no es un hecho que se produzca de la noche a la mañana, excepto en el caso de los *geeks* (locos por la tecnología). Lo que implica el mundo *IoT* va mucho más allá de cualquier revolución que hayamos conocido con anterioridad y, por el momento, solamente podemos intuir hacía dónde están yendo las cosas, cuáles son por las que se apuesta y cuáles se desestiman.

Vienen tiempos de cambio donde veremos emerger nuevas empresas con fuerza, otras se transformarán, y otras morirán en el intento.

Muchos directivos comprueban cada año el llamado *Hype Cycle* (ciclo de sobreexpectación) que genera la consultora americana *Gartner*. Se trata de un gráfico que muestra las tecnologías emergentes y marca el punto en el que se encuentran sus expectativas.

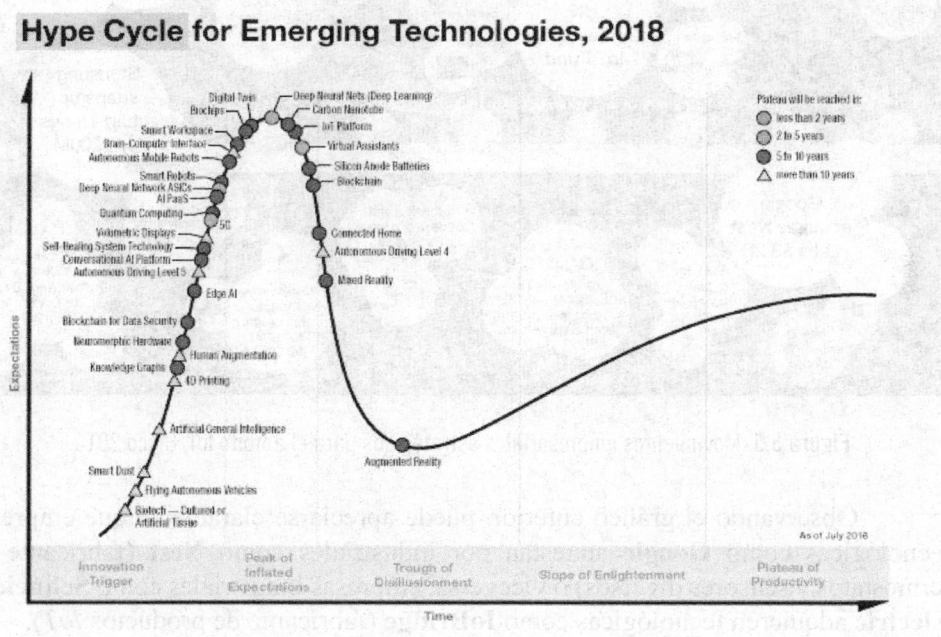

Figura 5.4. Ciclo de sobreexpectación de Gartner. Gartner 2018

Como ejemplo, vemos que en el gráfico anterior *IoT* ya superó, en 2018, la curva de máxima expectación y ahora está bajando hacia el punto de máxima desilusión. Tal cosa no es negativa, simplemente se cuenta con que cualquier tecnología sufre estas fases antes de su estabilización definitiva y consolidación, en la que intervienen muchos factores que van más allá del objetivo de este libro.

En todo caso, este hecho sumado a la paulatina convergencia entre *TI* y *TO* en la industria y los movimientos estratégicos de las grandes tecnológicas auguran un rápido crecimiento de *IoT* en los próximos años.

Tales movimientos incluyen la compra de otras compañías y, lo que a veces puede sorprender, es que estas no tienen por qué pertenecer al sector de las tecnológicas.

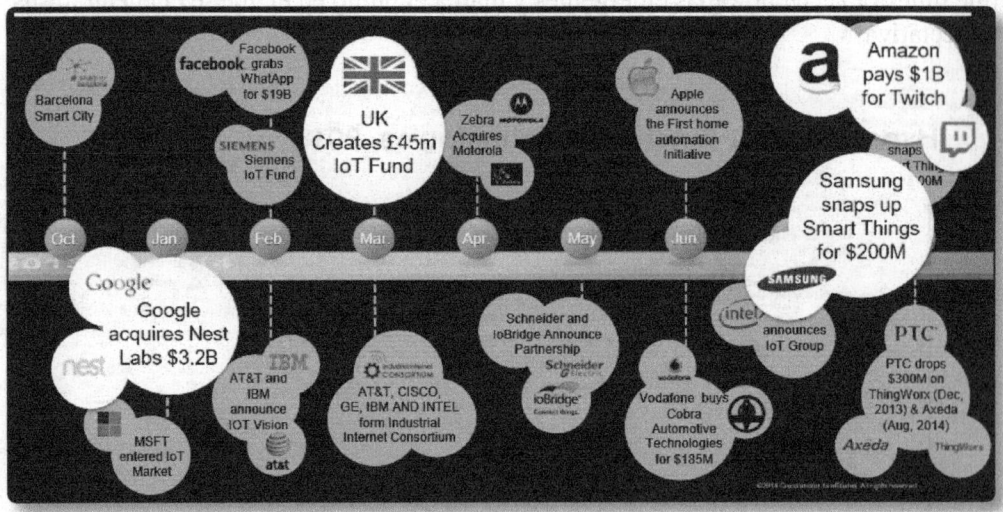

Figura 5.5. Movimientos empresariales estratégicos para el ámbito IoT. Cisco 2014.

Observando el gráfico anterior, puede apreciarse claramente que empresas tecnológicas como **Google** apuestan por industriales como **Nest** (fabricante de termostatos y sensores diversos) o viceversa, empresas industriales como **Schneider Electric** adquieren tecnológicas como **IoBridge** (fabricante de productos *IoT*).

Movimientos como el de **Google** pueden sorprender a priori, pero analizando las características de los productos **Nest** nos daremos cuenta de que mucho tienen que ver con *IoT*. Muchos bromean con ello por el hecho de que la omnipresente **Google** entre en nuestras vidas para recopilar datos, silenciosamente, desde la pared de nuestros hogares.

Figura 5.6. Termostato inteligente Nest, de Google.

El futuro dirá si estas inversiones fueron acertadas o no, en todo caso cada compañía intenta tener su visión y estrategia y prepararse para un futuro inmediato.

En la parte final del capítulo de introducción se habló de la definición del término *Internet de las cosas* señalando que una de las ventajas que aportará es la mejora de la calidad de vida, en muchos aspectos. Según Doug Davis, actual vicepresidente senior de *Intel* y Director General de *ADG* (grupo de conducción automatizada) del grupo, cuatro son los grandes temas donde *IoT* debe influir de forma positiva:

- ▶ Cuidado de la población, cada vez más longeva
- ▶ Cambio climático
- ▶ Gestión de la expansión de las ciudades
- ▶ Alimentación (producción y distribución)

Aunque es cierto que muchas de las predicciones hechas por expertos nos conduzcan a un futuro perfecto, donde *IoT* solucionará los problemas de la humanidad y la sobreexplotación del planeta, la verdad es que las tecnologías de las que estamos hablando pueden contribuir en gran medida, si no en su totalidad, a ello. Eso sí, debemos pensar siempre en el problema de los conflictos de intereses cuando se están barajando cambios de paradigma como los expuestos aquí. La historia nos muestra una y otra vez que no siempre impera el sentido común y el beneficio a la comunidad, normalmente lo hace el beneficio económico y el poder político.

Los puntos que vienen a continuación intentan explicar qué cambios ocurrirán, y están ocurriendo, en la sociedad. Si bien podrían realizarse divisiones mayores, a mi entender tres son los ámbitos desde donde podemos analizar el impacto de *IoT*:

▼ Empresas
▼ Gobiernos
▼ Personas

He intentado incluir en cada punto los avances y beneficios que pueden producirse gracias a la incorporación de tecnologías *IoT* aunque, debo confesar, ha sido un poco complicado decidirme en qué lugar situarlos debido a que el beneficio se observa en todas las partes implicadas.

Si pensamos, por ejemplo, en el mundo de la salud como una actividad empresarial, nos daremos cuenta de que el uso de tecnologías *IoT* puede suponer un aumento de productividad y una reducción de costes, y por lo tanto un aumento de beneficios, para las empresas del sector. Tales cambios supondrán, también, beneficios directos para los pacientes y, por lo tanto, comportarán una mejora para ambos.

5.1 CAMBIOS EN LOS ENTORNOS EMPRESARIALES

Si hay algo de lo que no cabe la menor duda, es que la adopción de *Internet de las cosas* ya ha empezado, y lo ha hecho en el sector industrial. Como apuntábamos en párrafos anteriores, el objetivo de su aplicación en la industria es la mejora continua, la mayor eficiencia y la reducción de costes asociada. Ahora bien, dicha adopción conlleva un conjunto de importantes efectos colaterales asociados que deben destacarse también. Estos tienen que ver con el beneficio para el cliente final y con la sociedad en general, como veremos en algunos ejemplos, pero también con los trabajadores, ya que redunda en su seguridad y en la creación de nuevos perfiles profesionales.

Al referirnos a industria no solamente lo hacemos pensando en fabricación y en cadenas de montaje en serie. Estamos hablando de una forma mucho más generalista, en la que se incluyen muchos otros sectores, como puede observarse en el gráfico siguiente:

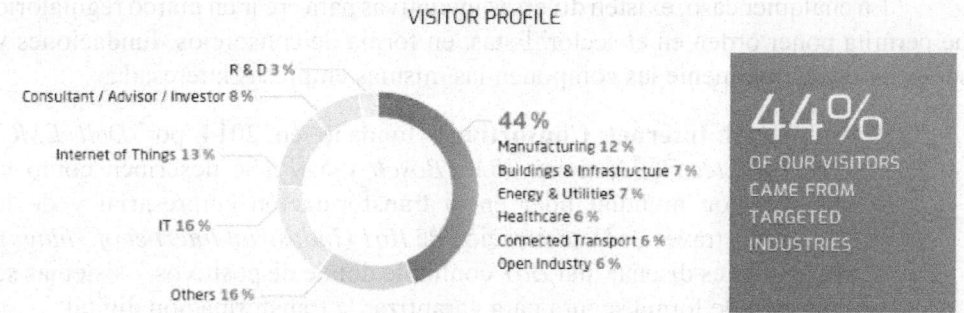

Figura 5.7. Perfiles de los visitantes del congreso IoT Solutions World Congress 2018

Así pues, cuando hablamos de industria lo hacemos de fabricación, pero también de construcción, energía, salud, agricultura, transporte y un gran número de sectores verticales más a los que la aplicación de *IoT* está generando beneficios y creando expectativas.

Muchos son los retos a los que se enfrentan, aunque no todos son de tipo tecnológico. Según el **Barómetro digital 2018** publicado por **ISDI** (*Instituto Superior para el Desarrollo de Internet*), las últimas encuestas realizadas a empresas españolas muestran que más de la mitad reconocen que la falta de talento para encarar la transformación digital es un grave problema. Este hecho lleva a una lenta o nula implementación de soluciones *IoT*, como puede extraerse del **Informe sobre madurez digital en España 2018** de **Divisadero**, donde se muestra que aunque el 43% de las empresas encuestadas aseguran disponer de proyectos *IoT*, solamente el 10% se encuentran en su fase de optimización.

Todo ello, sumado a la ya comentada inexistencia de estándares y protocolos testados e implementados provoca que las empresas sean reticentes a la implementación temprana de soluciones *IoT*.

Cuestiones como la falta de talento deberían ser abordadas de forma conjunta entre los gobiernos, las empresas y las universidades, dejando el tema de los estándares y protocolos a la propia industria tecnológica.

En la carrera tecnológica, a veces, no todos son normas y estándares. En ocasiones, para no esperar la normalización, la industria ha adoptado una tecnología no estándar porque, simplemente, en aquel momento era la más usada y la que garantizaba mayor expansión. Por ello no debería sorprendernos si, en un futuro próximo, vemos normas escritas que han sido basadas en protocolos propietarios de empresas tecnológicas en vez de estándares de consenso de la industria.

En cualquier caso, existen diversas iniciativas para crear un marco regulatorio que permita poner orden en el sector. Estas, en forma de consorcios, fundaciones y asociaciones, normalmente las componen las mismas empresas interesadas:

▶ **Industrial Internet Consortium**, fundado en 2014 por *Dell EMC*, *General Electric*, *Huawei*, *IBM*, *Bosch* y *SAP*. Se describen como la organización mundial líder en la transformación empresarial y de la sociedad a través de la aceleración de *IIoT* (*Industrial Internet of Things*). Su misión es diseñar una *IIoT* confiable donde dispositivos y sistemas se conecten de forma segura para garantizar la transformación digital.

▶ **Open Connectivity Fundation**, fundada en 2016, la forman empresas como Microsoft, Intel, Samsung o Cisco, entre otras. Se definen como una fundación dedicada a certificar la interoperabilidad segura de dispositivos y plataformas *IoT* para consumidores e industrias a través de la definición de protocolos y estándares.

▶ **AIOTI (Alliance for Internet of things Innovation)**, fundada también en 2016 por empresas como *IBM, Samsung, Huawei* o *Schneider Electric*, fue iniciada por la comisión europea en 2015 con la idea de reforzar el diálogo entre empresas y entes *IoT* en ese continente. Los objetivos son muy parecidos a los de las demás, aunque se hace énfasis en la conexión y colaboración entre empresas de los estados miembro. Por ello vemos muchas empresas que, también, aparecen en alguna de las otras organizaciones.

▶ **IEEE (Institute of Electrical and Electronics Engineers)**, es una asociación de ingenieros fundada en 1963 que se dedica al desarrollo de estándares para diferentes áreas técnicas. Con casi medio millón de miembros en todo el mundo, es la mayor asociación formada por profesionales de las tecnologías. De ella nacieron las mundialmente famosas normas para redes locales por cable ethernet (802.3) e inalámbricas (802.11). Dentro de la asociación existe la iniciativa **IEEE IoT**, cuya misión es proveer de la plataforma donde los profesionales lideren, compartan conocimiento y colaboren para que las tecnologías *IoT* converjan y prosperen.

Todas ellas intentan solucionar el problema básico de *IoT*: los dispositivos deben estar interconectados y vinculados y deben permitir que las plataformas y aplicaciones accedan a ellos con el fin de ejecutar las tareas para las que se han diseñado y que, por si mismos, no podrían realizar. Por lo tanto, es crucial que todos los dispositivos usen las mismas normas y se comuniquen con los mismos protocolos, como pasa con Internet y el protocolo *IP*. Veremos, cuando hablemos de seguridad, que la inexistencia de normas ha generado importantes vulnerabilidades, con un coste económico millonario para las empresas.

> ### ⓘ Nota
>
> Existen otras organizaciones con los mismos objetivos que las mencionadas anteriormente, como *Thread Group*, *ITU-T SG20*, *OneM2M* o *Apple HomeKit*, que tiene su propia visión del tema.

> ### ⓘ Nota
>
> ¿Quieres contribuir a la definición definitiva del término *Internet of Things*? Puedes hacerlo accediendo a la página prevista para ello en el sitio web de la asociación **IEEE IoT Initiative**: *https://iot.ieee.org/definition.html*.

Podemos resumir en tres los motivos principales por los cuales la adopción de tecnologías *IoT* en las industrias es relativamente lenta:

▸ **Falta de talento**,

▸ **Falta de estándares y protocolos**, que amenaza la interoperabilidad con tecnologías existentes y futuras, así como la existencia de vulnerabilidades que afecten a la seguridad y la privacidad.

▸ **Costes de implementación**, muchas veces entendidos como astronómicos por la falta de información, dejan a un gran número de proyectos *IoT* en el cajón por no ver de forma clara el retorno de la inversión.

5.1.1 Beneficios clave para la industria

Muchos son los beneficios clave de la implementación de tecnologías *IoT* en las industrias, aunque nos encontramos en una fase donde la pedagogía y la formación en esta área son claves. Podríamos destacar los siguientes:

Mantenimiento predictivo (o anticipativo)

Quizás es uno de los factores más interesantes para el sector industrial. A día de hoy, una de las preocupaciones mayores de las empresas son las pérdidas asociadas a las paradas de planta, principalmente a las paradas no previstas derivadas de accidentes o fallos en los sistemas y maquinaria, donde se invierten muchos recursos en su solución.

En el sistema actual, existen diversos factores que disminuyen la productividad de las fábricas, disminuyendo su eficiencia:

▶ Pérdidas de tiempo de personal (técnico y no técnico) que debe prestar atención al fallo o accidente.

▶ Pérdidas asociadas con la baja o nula productividad de la cadena al entrar en modo de pruebas tras un incidente.

▶ Pérdidas asociadas a averías menores que, aunque no logran parar la producción, la ralentizan sustancialmente.

▶ Pérdidas ocasionadas por productos defectuosos fabricados en estos periodos de fallo.

▶ Pérdidas debidas a mantenimientos previstos y ajustes de maquinaria.

Ante el temor a estas, la industria clásica se esmera en potenciar y perfeccionar al máximo su mejor herramienta para combatirlas: el *mantenimiento preventivo*.

El mantenimiento preventivo es el resultado de aplicar el refrán "*más vale prevenir que curar*". Con esta finalidad, no tener que *curar*, las empresas planifican todo tipo de actuaciones preventivas sobre la maquinaria y los sistemas tecnológicos, aunque estos no las necesiten.

El mantenimiento *predictivo*, sin tener en cuenta las tecnologías *IoT*, trata de prever, usando técnicas estadísticas y datos históricos, cuándo fallará un elemento. Dicho sistema no tiene porqué ser exacto en sus predicciones, ya que no se basa en pruebas reales sobre los sistemas.

El mantenimiento *predictivo* que usa tecnología *IoT* prevé y avisa de forma anticipada de los fallos, gracias a la recopilación constante y en tiempo real de los datos generados por sus sensores. Vibraciones, temperaturas anormales, etcétera suelen ser síntomas de fallos inmediatos y pueden ayudar a detectarlos. En estos casos, la empresa tiene la posibilidad de actuar de forma programada sobre la pieza, buscando el mejor momento (por costes) para sustituirla o repararla e, incluso, enviar a un técnico en la materia con la pieza de repuesto adecuada.

Al refrán, yo añadiría: "*más vale prevenir que curar, aunque lo mejor es predecir*".

La aspiración máxima del mantenimiento predictivo es conseguir que, al detectar un fallo inminente, el sistema realice la compra online de la pieza de repuesto, esta sea enviada automáticamente y un robot autónomo la sustituya sin intervención humana alguna.

Esta situación, que puede parecer futurista, es ya una realidad. Existen algunas soluciones en el mercado que incluyen el auto-mantenimiento y la auto-reparación de componentes, pensadas principalmente para equipos de alto coste económico o difícil acceso (turbinas en presas hidroeléctricas, aerogeneradores, motores de avión o de naves espaciales...), que reducen significativamente los costes asociados a su reparación clásica.

Todas estas posibilidades existen gracias a la incorporación de sensores *IoT* en todos los elementos a supervisar y su integración con potentes sistemas *Big Data* que ofrecen altísimas capacidades de análisis.

Un ejemplo de ellos son los motores de avión. Por ejemplo, el fabricante *Rolls-Royce* ha incorporado, en 2018, sensores en unas 4500 turbinas convirtiéndolas en proveedoras de datos de todo tipo que se publican en la nube de forma instantánea y permiten a la empresa ver, en tiempo real, el estado de sus equipos.

Un **Boeing 787** genera del orden de 500 *gigabytes* de datos por vuelo doméstico en USA, y varios *terabytes* en rutas internacionales. Estos datos contienen información acerca de parámetros como altitud, velocidad, temperatura del motor y del aire, caudal de combustible, inclinación, ubicación geográfica, etcétera. De esta forma los técnicos pueden predecir problemas y definir actuaciones de mantenimiento planificadas.

Figura 5.8. El grupo minero Riotinto está invirtiendo en diversos proyectos IoT para sus explotaciones alrededor del mundo.

Otro ejemplo clásico del mantenimiento predictivo son las flotas de vehículos. Si ya adquirió una importancia muy relevante en su momento el uso de geolocalización mediante dispositivos *GPS*, imaginemos lo que puede suponer el envío constante a los centros de control de millones de datos acerca del estado de los vehículos: niveles de líquidos, presión de neumáticos, estado del motor, horas de conducción… De todos ellos pueden sacarse conclusiones y acelerar la toma de decisiones en tiempo real: descansos de los conductores, cambio de elementos desgastados, optimización de rutas para el ahorro de combustible en relación a atascos u obras en las carreteras, reserva de horas de descanso para realizar las reparaciones…

Todas estas posibilidades brindan una nueva oportunidad a las empresas, haciéndolas más competitivas y eficientes.

> **ⓘ Nota**
>
> Si bien los datos recabados por los sensores instalados en todo tipo de maquinaria y su conjunción con *Big Data* ayudan al ser humano a la toma de decisiones, en el futuro será clave el uso de tecnologías *IA* (inteligencia artificial), como *Machine Learning* (aprendizaje automático), que tiene como objetivo que los sistemas sean capaces de deducir comportamientos a partir de ejemplos. Es decir, máquinas que aprendan solas.

Medición, monitoreo y control

Desde el inicio del uso de las máquinas, el ser humano ha incorporado en ellas todo tipo de accesorios con finalidades muy específicas: medir y controlar. En el mundo físico tenemos muchos ejemplos de ello, como podrían ser los manómetros mecánicos que encontramos en las estaciones de servicio para hinchar los neumáticos de nuestros vehículos, las válvulas de las teteras que silban a temperatura de ebullición, termómetros instalados en calderas con las indicaciones de temperatura actual, máxima y mínima, marcas en los depósitos plásticos de agua de lluvia que permiten conocer el volumen que contienen…

Por lo tanto, no estamos descubriendo nada nuevo cuando explicamos la obligatoria necesidad de medir, monitorizar y controlar en el mundo industrial.

Ahora bien, todo ello puede cambiar si a estos dispositivos les añadimos la *magia* de las posibilidades de *IoT*, conectándolos entre ellos y, a su vez, conectándolos a la red de redes y a sistemas *Big Data* con potentes servicios analíticos. Seguramente pueden ocurrírsenos miles de aplicaciones pensando en un escenario que lo conecte y supervise todo. La verdad es que la tecnología nos brinda tal oportunidad, aunque somos los seres humanos los que debemos imaginar cómo aprovecharla.

Para hacer un simil, podríamos imaginar un ordenador de los primeros que poblaron las casas particulares. Sí, aquellos *Commodore*, *Amstrad* o *Spectrum* que debían conectarse a un viejo televisor de tubo y que, al ponerlos en marcha, respondían con un simple mensaje: *Ready*.

La tecnología de aquellos sistemas nos brindaba un montón de posibilidades, aunque tenía un problema: debía programarse. Así, la responsabilidad sobre el aprovechamiento de uno de esos equipos recaía sobre el usuario quién, con más o menos imaginación, obtenía más o menos resultados.

Otro símil son los teléfonos inteligentes actuales. Ni *Apple* ni *Google* tenían la intención de crear aplicaciones para dispositivos móviles. Simplemente crearon la plataforma sobre la que los programadores podían hacerlo y… voilà… millones de programadores del mundo llenaron sus tiendas con sus creaciones.

Con los sistemas *IoT* pasa un poco lo mismo. Nos mandan sus datos y podemos consultar un montón de cosas pero… debemos imaginar para qué los queremos. Por lo tanto, no es difícil pensar que con el tiempo las aplicaciones que pueden generarse alrededor de *IoT* sean casi infinitas.

Un ejemplo de medición, monitoreo y control que permite mejorar significativamente el servicio empresarial (a parte del servicio a los clientes) son los *contadores inteligentes*.

En España, la ley obligó a sustituir los clásicos contadores eléctricos analógicos en todos los hogares antes del 31 de diciembre de 2018. Los nuevos contadores ofrecen numerosas ventajas a las compañías en relación al antiguo sistema empleado.

Cada contador envía diversa información, usando la misma línea eléctrica, a la central de la compañía distribuidora. De esta forma, la empresa puede realizar la medición del consumo eléctrico en tiempo real, además de monitorear los picos de potencia consumida de la instalación, así como controlar y gestionar aspectos como las tarifas aplicadas (pudiéndolas cambiar remotamente) y manipulaciones indebidas procediendo, si es necesario, al corte del suministro eléctrico y su rearme.

Si bien es cierto que los contadores inteligentes suponen ventajas también para los abonados, lo claro es que suponen un cambio muy importante para las compañías distribuidoras.

> ⓘ **Nota**
>
> Al contrario de lo que mucha gente piensa, los contadores inteligentes no envían señales de radiofrecuencia ni usan línea la telefónica. Envían pulsos eléctricos aprovechando el mismo tendido eléctrico.

La medición, monitoreo y control ofrece a todo tipo de empresas grandes posibilidades para la mejora de sus procesos y la optimización de costes.

Monitorizar el consumo de agua, electricidad y combustible para así racionalizarlo en relación a los precios de mercado puede ser un buen ejemplo para entender el gran beneficio que pueden aportar estos sistemas, no solamente a nivel empresarial, sino también al medio ambiente.

Los sistemas *IoT* implementados en empresas de transporte pueden también actuar reprogramando, por ejemplo, la ruta de sus vehículos en relación a eventos de tráfico, optimizándolos en relación al histórico de sus consumos. Además, si se monitorea de forma constante el precio del combustible de diferentes proveedores, el sistema puede recalcular automáticamente las rutas de todos los vehículos para obligarlos a repostar en puntos de suministro que impliquen un ahorro predeterminado.

En el ámbito del monitoreo, hace mucho tiempo que los usuarios de comercios en línea estamos acostumbrados a poder ver el estado de nuestros pedidos: si han salido de un almacén, si están en un aeropuerto… incluso se nos permite modificar el lugar o la fecha de entrega si es necesario.

Otras aplicaciones *IoT* incluyen el uso de *drones* para la vigilancia de grandes superficies. Sería el caso de grandes instalaciones industriales, por ejemplo, la vigilancia de bosques en el caso de servicios de extinción de incendios o la vigilancia aérea por parte de empresas agrarias.

Figura 5.9. Monitoreo de una explotación agraria con drones en Lleida, España

Empresas como **Amazon** son un ejemplo claro del uso de los sistemas de monitoreo y control *IoT*. De hecho, la logística es la clave del éxito de la empresa, que ha aplicado la innovación constante desde su creación. Cosas como la ubicación aleatoria de los productos en sus almacenes o los sistemas que calculan los caminos más cortos a ellos u obligan a los trabajadores a cambiar de cajas si detectan grandes pesos son innovaciones que ahora, otras empresas de distribución, están empezando a copiar.

Figura 5.10. Un empleado de Amazon supervisando la flota de robots Kiva

No todo termina con la medición, control y monitorización de maquinaria, robots y consumibles. Los dispositivos *IoT* son muy útiles también monitorizando personas y analizando sus comportamientos.

Las posibilidades de personalización y adaptación que nos brinda *Internet de las cosas* en el entorno del trabajo son enormes. Desde cómo se diseñan y gestionan los espacios en relación a los hábitos de los trabajadores ubicados en ellos hasta su salud y bienestar, los dispositivos *IoT* tienen mucho que ofrecer.

Existen ya diversos ejemplos de aplicación en edificios reales, que permiten opciones como:

▼ Gestión integral de la iluminación, permitiendo controlar en todo momento el estado de los sistemas de todo un edificio.

▼ Optimización de energía, con opciones como la detección de presencia de personas en salas o la regulación de las luces en relación a la posición del sol y las mesas de los empleados.

▶ Configuración de entornos, para permitir el uso de distintos niveles de calidez de las luces en relación a las actividades que se realizan en las salas.

▶ Gestión de espacios, detectando si estos están libres o no, para poder informar de su disponibilidad inmediata cuando se solicitan.

▶ Sistemas de navegación interna que sean capaces de indicar cuál es la sala de reuniones libre más cercana y conducirnos a ella.

Torre Europa, edificio emblemático de Madrid, dispone del sistema de iluminación conectado de Philips que permite recopilar datos sobre presencia humana, iluminación y temperatura a través de sensores ubicados en sus sistemas de iluminación. Fue el primer edificio de España y el segundo de Europa en contar con estas posibilidades.

Figura 5.11. Iluminación inteligente de Phillips en el edificio de Cisco Systems en Toronto.

Productividad, eficiencia y eficacia

Sitúo en el mismo lugar estos términos clave porque, de hecho, se encuentran íntimamente relacionados.

Si buscamos la definición de productividad veremos que es la relación entre la cantidad de productos obtenida en un entorno productivo y los recursos usados para obtenerla, teniendo en cuenta que pueden medirse también en términos de tiempo (es decir, la relación entre los resultados y el tiempo utilizado para obtenerlos).

Cuantos menos recursos se usen para obtener el resultado, más productivo es el sistema, cosa que hace que éste sea más eficiente y, por lo tanto, más eficaz si se entiende la eficacia como la consecución del objetivo final y la eficiencia como la mejora u optimización de los procesos para llegar a él.

Solamente teniendo en cuenta que *IoT* puede ayudar a reducir tiempos de mantenimiento, entendemos de inmediato que el sistema se torne más productivo.

Por lo tanto, *IoT* mejora también la eficiencia y la eficacia ya que ayuda a lograr un objetivo y a la vez intenta hacerlo con el mínimo de recursos y tiempo posibles.

Siempre se ha descrito a los robots, en las cadenas de producción, como elementos muy útiles para mejorar la productividad empresarial. Ahora bien, durante años solamente se han dedicado a la automatización de aproximadamente un 10% de las tareas de producción.

Los avances que *IoT* ofrece a estos tipos de robots son muy considerables, y tienen que ver con la evolución de los sensores que incorporan. Mejoras en la visión artificial, en los sistemas de agarre y presión, de temperaturas, vibración, etcétera y una progresiva disminución de los precios en el mercado de la robótica industrial hacen augurar que, muy pronto, los robots aumentarán su presencia en todo tipo de industrias.

Si a parte de las mejoras de los sensores y la bajada de costes, le añadimos las posibilidades analíticas de Big Data y la toma de decisiones autónoma que brinda la Inteligencia Artificial o *Machine Learning*, la revolución está servida. De hecho, se prevé que en 2025 se eleve al 25% el porcentaje de tareas automáticas encargadas a estos aparatos.

Un ejemplo muy claro de la mejora de la productividad mediante el empleo de robots es el de la empresa de fabricación de teléfonos móviles china **Changying Precision Technology** que, en 2015, instaló robots en su cadena de montaje, pero también en sus almacenes y en el área de transporte y distribución internos. La sorpresa fue que, al cabo de un año, se alcanzó una mejora de la productividad del *250%* y, paralelamente, el número de defectos pasó del *25%* al *5%*.

Figura 5.12. Un dron supervisa las instalaciones de la fábrica inteligente de Audi en Ingolstadt, Alemania.

Existen un sinfín de ejemplos de la aplicación de *IoT* que buscan obtener o mejorar productividad, eficiencia y eficacia. Los trataremos en los próximos apartados.

Seguridad y fiabilidad

Como veremos más adelante y ya se ha apuntado con anterioridad, la seguridad es uno de los aspectos críticos que van a permitir la evolución e implementación de *IoT* en nuestras vidas. El problema es que, a día de hoy, no todo está resuelto y, por lo tanto, un fallo de seguridad en los sistemas relacionados con *Internet de las cosas* puede ser fatal. No solamente para la economía de la empresa afectada, sino para el mundo en general. Existe una gran preocupación por este tema y los técnicos trabajan duramente para encontrar protocolos y tecnologías que hagan de los dispositivos herramientas seguras y fiables.

> ⓘ **Nota**
>
> A principios de 2017, la **CNN** informaba de una vulnerabilidad informática en el control de marcapasos y desfibriladores de la empresa **St. Jude Medical** (actualmente **Abbott Laboratories**), por culpa de la cual un *hacker* podría acceder a ellos y provocar, por ejemplo, el vaciado de la batería o una descarga incorrecta, aparte de monitorizar al paciente las 24 horas del día.

Aunque en este apartado no hablaré de los aspectos técnicos de la seguridad en *IoT*, he querido introducir el tema por su importancia y porque debe tenerse siempre en cuenta al diseñar una solución empresarial.

Centrémonos en la seguridad como beneficio clave empresarial. *Internet de las cosas* puede ofrecer, y de facto ofrece, tranquilidad y seguridad a los clientes. Existen muchas soluciones en el mercado que ayudan a diferentes tipos de empresas a ofrecer, como valor añadido, sensación de tranquilidad (y seguridad).

Pensemos, por ejemplo, en una empresa clásica de alarmas domésticas. Hasta hace bien poco, sus dispositivos se limitaban a hacer saltar la alarma (normalmente en forma de estrepitosa sirena) en el caso de detectar la apertura de una puerta o capturar un movimiento que no debería producirse.

Ahora todo es distinto. Por un lado, el cliente puede estar informado, en todo momento, de lo que está pasando en su hogar. No solamente gracias a un mensaje de móvil sino también usando imagen y sonido. Por otro, la empresa que ofrece el servicio puede tener mucho más control sobre la situación. Puede ver el interior del domicilio, puede hablar a través de los dispositivos instalados, puede abrir y cerrar puertas, enviar mensajes silenciosos a las autoridades…

Todo ello resultado de la simple implementación de nuevas generaciones de sensores con más posibilidades, cosa que redunda en la tranquilidad de sus clientes.

ⓘ Nota

Un buen ejemplo de ello lo encontramos en la empresa fabricante de ascensores **ThyssenKrupp** que ha instalado tecnología *IoT* en sus productos para mejorar sustancialmente su funcionamiento y poder garantizar a sus clientes tiempos mínimos fuera de servicio (además de ofrecer tranquilidad a quienes los usan a diario). Con su lema "*arréglalo antes de que se rompa*" nos recuerdan que, para ellos, el mantenimiento predictivo es un factor clave.

A nivel industrial, *Internet de las cosas* hace que el ser humano no sea necesario en algunos de los procesos más peligrosos de las industrias, reduciendo así accidentes laborales y errores humanos que, en muchas ocasiones, conducen a fallos del sistema y paradas en la producción. El monitoreo constante de la salud de los trabajadores y las condiciones del puesto de trabajo redundan en la reducción drástica del número de accidentes, por lo que dichas técnicas mejoran notablemente su seguridad.

La empresa **Balfour Beatty**, líder mundial en supervisión del ciclo de vida de infraestructuras en el sector de la construcción estableció como prioridad la seguridad en carretera de sus trabajadores y los riesgos de estos en las instalaciones que supervisaban. Para ello decidió instalar una solución *IoT* de **IoT Telefónica** que le reportó una mejora en los hábitos de conducción de sus empleados, así como la obtención de informes mejorados de sus activos y un ahorro en costos gracias a la mejora de la eficiencia de vehículos y conductores.

Figura 5.13. Un empleado de Balfour Beatty supervisando un faro en Londres

Otro factor clave que tiene que ver con seguridad y fiabilidad es responder a la pregunta: "*¿dónde van los datos recopilados?*". Si hemos insistido en diversas ocasiones en que lo más importante de un sistema *IoT* es la generación de datos para su posterior análisis, ¿no es igual de importante decidir dónde se guardan estos?

Como respuesta, la nube puede mejorar la seguridad. Se necesitan infraestructuras tecnológicas muy fiables, que usen las últimas tecnologías en seguridad garantizando así la confiabilidad de los datos que en ellas se manejan y almacenan. Dispositivos robustos, soluciones redundantes supervisadas por técnicos altamente cualificados son necesidades que antes no eran tan críticas como ahora y que no están al alcance de todo el mundo. Por ello, y para que las empresas puedan ofrecer servicios de alta calidad con garantías, se hace imprescindible pensar en sistemas que incorporen tecnología *cloud* (en la nube) como respuesta a los retos que nos plantea la ciberseguridad.

> **ⓘ Nota**
>
> Obviamente, los beneficios clave comentados en los párrafos anteriores son el resultado del uso de los datos generados por los dispositivos *IoT* con el elemento más importante del conjunto: las aplicaciones (*software*) de análisis para la toma de decisiones y automatización de acciones.

5.1.2 Nuevas oportunidades

Lo más interesante de la adopción de tecnologías *IoT* para las empresas es que pueden convertir sus datos, resultados y aplicaciones en nuevas líneas de negocio a añadir a su cartera de servicios.

Continuemos con el ejemplo de **Rolls-Royce** y los motores de avión. Quizás debamos quedarnos con un detalle: **Rolls-Royce** fabrica motores de avión, no es ni un fabricante de aviones ni una compañía aérea.

Probablemente, su intención inicial fue controlar en tiempo real el funcionamiento en vuelo de sus motores para, de esta forma, ayudar a sus ingenieros en su optimización, diseño, modificación, reparación y análisis. Para ello, se alió con **Microsoft** e implementó un sistema basado en la plataforma *IoT* de la multinacional informática, consiguiendo así su objetivo inicial.

Ahora bien, si **Rolls-Royce** poseía tal cantidad de información sobre sus productos, ¿no era posible compartirla con sus clientes? Pues claro, y así lo hizo. De esta forma, estos (fabricantes de aviones y compañías aéreas) contrataron sus servicios para recibir avisos de mantenimiento predictivo, consejos e información muy útil sobre el rendimiento de sus productos.

Un factor clave en aviación es el consumo de combustible, ya que representa un 40% de los costes de las compañías aéreas. Cualquier tipo de ahorro en este concepto, por pequeño que sea, puede significar mucho en la cuenta de resultados.

Otro ejemplo nos viene de la mano de **General Electric** que, desde hace ya tiempo, ha reorientado su estrategia empresarial para incluir todo tipo de servicios digitales basados en sus productos y tecnología *IoT*.

Uno de sus clientes es una importante compañía petrolera con altas pérdidas en concepto de paradas no previstas y mantenimientos correctivos. Se buscaba integrar las tecnologías operativas y las de la información para conseguir soluciones que incluyeran el mantenimiento predictivo.

Después de implementar la solución propuesta, se han frenado de forma espectacular los incidentes imprevistos y sus costes asociados. La solución de

General Electric supone un monitoreo remoto constante de gran cantidad de piezas de las plataformas petrolíferas de su cliente, informándolo puntualmente de cualquier cosa que ocurra en ellas.

Estos son dos ejemplos industriales que atañen a empresas de gran envergadura, pero muestran negocios basados en las nuevas posibilidades ofrecidas por *IoT*. Maticemos, aún, un par de cosas:

▶ En el caso de **Rolls-Royce**, se alió con una potente compañía tecnológica, **Microsoft**, para conseguir su objetivo. Por lo tanto, el nuevo servicio resultante ofrecido a los clientes de la primera se ha obtenido gracias esta alianza.

▶ En el caso de **General Electric**, la misma compañía creó su división **Digital** para afrontar los retos de *Industrial Internet of Things*, aunque como empresa centenaria, continúa con su negocio en el mundo de la energía. Así, los clientes contratan los servicios de mantenimiento predictivo, monitoreo y control a la misma empresa proveedora de la maquinaria de operaciones que, a la vez, es la que ofrece la plataforma de software que la supervisa.

La revolución de las tecnologías *IoT* no está reservada a grandes compañías como las usadas en los ejemplos. Sus ventajas y posibilidades, junto con sus reducidos costes, hacen que cualquier empresa, de cualquier tamaño, pueda acceder a ellas.

ⓘ Nota

La transformación digital busca encontrar líneas de negocio nuevas e innovadoras basadas en todo el ecosistema de productos y aplicaciones tecnológicas existentes y emergentes. No solamente se trata de crear productos y servicios nuevos, también se trata de ver las nuevas oportunidades que se derivan de las nuevas formas de trabajar.

Otro ejemplo de nuevas oportunidades es **Tesla Motors**. Sí, **Tesla** fabrica vehículos eléctricos, pero esto solamente es la punta del iceberg. Los propietarios de los vehículos **Tesla** lo saben muy bien. Tener uno es como tener un teléfono inteligente: recibe actualizaciones automáticamente que, de la noche a la mañana, hacen que el vehículo incluya nuevas prestaciones. Sin ir al taller, millones de vehículos corrigen errores de diseño o mejoran su sistema de frenado, por ejemplo. ¿Imaginas esto en los coches de toda la vida? Así, **Tesla** ofrece todo un conjunto de servicios de pago, paralelos a su negocio básico: la venta de automóviles.

Figura 5.14. Elon Musk, cofundador de Tesla Motors, en una presentación en Washington.

5.1.3 Fabricación

Ya hemos visto, en el apartado beneficios clave, algunas de las ventajas que la implementación de *IoT* puede traer a las empresas en general. En el mundo industrial, uno de los factores claves es la integración de las tecnologías operativas con las tecnologías de la información. Numerosas soluciones del mercado apuestan por ella consiguiendo que maquinaria de todo tipo, robots, aplicaciones y humanos trabajen en armonía.

Veamos ahora algunas de las soluciones existentes para el sector de la fabricación industrial, mediante ejemplos.

La Alemana **Osram**, en colaboración con **Bosch**, implementó una solución *IoT* en su fábrica de Berlín, dedicada a la producción de lámparas de xenón para automóviles. El sistema conectó más de 80 máquinas distintas que generan todo tipo de flujos de información hacia sistemas de análisis y toma de decisiones. Ello cambió las estructuras organizativas de la producción, dando más autonomía a los técnicos, que reciben en sus móviles y tabletas información de todo tipo acerca del estado de las máquinas, sus alertas, y la asignación de tareas en relación a las necesidades de mantenimiento de cada una de ellas. Todo ello ha contribuido enormemente a que la planta cumpla con sus plazos de fabricación y mejore su eficiencia, a la vez que reduzca sus costes operativos.

La estadounidense **Stanley Black & Decker** instaló en una de sus plantas, en México, un sistema de localización en tiempo real de la empresa **AeroScout Industrial** que, combinado con la infraestructura de red sin cables de **Cisco Systems**, permitió aumentar en un 24% la efectividad de su línea de fabricación de sierras circulares para el mercado de la explotación forestal. Además, se mejoró la toma de decisiones y la capacidad de reacción gracias al sistema de notificación inmediata, reduciéndose también los defectos de etiquetaje en un 16%. Mejoraron otros aspectos como la ergonomía de los puestos de trabajo (ya que se eliminaron movimientos repetitivos o excesivos), el rendimiento aumentó en un 10% y se redujeron los costes de almacenaje de stock por el mismo valor porcentual. Es importante destacar, también, la motivación de los empleados y su implicación con las nuevas posibilidades de notificación de problemas de calidad de los productos fabricados directamente a los supervisores.

La española **Polibol**, líder en el sector del packaging flexible, instaló como solución *IoT* un sistema combinado de productos de la empresa **Libelium** y tecnología en la nube con **Microsoft Azure**. Los resultados fueron muy positivos, reduciendo significativamente los costes de mantenimiento y asegurando la calidad en todos los procesos de fabricación.

En la planta se instalaron sensores de entorno para el control de humedad, temperatura, ruido y luminosidad, como elementos indicativos esenciales, así como medidores de concentración de gas para cumplir con las demandas de niveles mínimos, para la seguridad de los trabajadores, pero también para cumplir con las estrictas reglas de embalaje en las industrias relacionadas con la alimentación.

Figura 5.15. Un sensor de nivel acústico en la planta inteligente de Polibol, en Zaragoza.

5.1.4 Salud

Hoy en día, cuando hablamos de tecnología y salud, y centramos la discusión en el campo de *Internet de las cosas*, a todo el mundo le viene a la cabeza el famoso reloj de **Apple**: el *Applewatch*, con sus capacidades de monitorizar nuestras constantes vitales. Patrón de sueño, ritmo cardíaco, calorías quemadas, sensores de caída… son informaciones que, si lo deseamos, podemos consultar en todo momento.

Aunque este no es el único dispositivo personal que permite medirlas, fue quien puso de moda tal práctica. Ahora, existe una enorme oferta en el mercado en forma de relojes inteligentes y pulseras de muñeca que realizan un seguimiento exhaustivo de nuestra actividad diaria.

Tales dispositivos, llamados *wearables* ("vestibles", por el hecho de llevarlos encima como parte de nuestra indumentaria), pueden significar una revolución en la industria de la salud y ayudar enormemente en la prevención de muchas patologías, así como permitir intervenciones rápidas en el momento y lugar en el que se produzcan.

Muchos usuarios de estos artilugios los usan como curiosidad, o como una información más a compartir en sus redes sociales. Y su potencial es enorme, tanto para ellos como para las empresas del sector salud.

Estas últimas, al igual que el sector público sanitario, son las que más pueden beneficiarse de las posibilidades que conlleva tener a los pacientes conectados en todo momento. Y más si son ellos mismos los que han realizado la inversión en los dispositivos de monitorización. No todo se acaba en los *wearables*.

Para el sector salud existen muchas más utilidades que, con el tiempo, se multiplicarán de forma exponencial ofreciendo nuevas posibilidades, hasta ahora inimaginables.

Por ahora las soluciones más típicas, dejando de lado los dispositivos relacionados con los relojes y las muñequeras, son los sistemas remotos de dosificación de medicamentos y los sistemas de seguimiento de medicación. Ambos son cruciales en el tratamiento de enfermedades crónicas y, probablemente, son los que ocupan más tiempo a nuestros profesionales sanitarios. En el fondo, el seguimiento de un enfermo crónico puede ser automatizado en su mayor parte, si se usan los dispositivos y se establecen las alarmas adecuadas. Así, un alto porcentaje de instalaciones médicas, al igual que el tiempo de disponibilidad de los profesionales que en ellas trabajan, quedarían libres para aquellos casos que requieran una atención más urgente y directa.

Un factor común a todas las soluciones *IoT* para medicina es pretender la "expulsión" de los pacientes de los centros de salud, en el buen sentido de la palabra.

Lo ideal, en un futuro próximo, será que la medicina pueda proveerse en cualquier lugar, y en cualquier momento.

De esta forma, podría rebajarse la presión actual sobre hospitales y servicios de urgencia, reduciendo las listas de espera, por ejemplo, y las necesariamente telegráficas visitas a los médicos, elementos que saturan nuestro sistema sanitario y lo hacen menos eficiente. Debemos tener en cuenta también el tiempo que nuestros facultativos emplean en registrar las constantes vitales, paso que podría ahorrarse ya con los sistemas de monitorización comentados.

A veces, además, los servicios de diagnóstico remoto podrían permitir que un médico decida sobre la gravedad de un paciente en un accidente inmediatamente después de que este se produzca, ahorrando en desplazamientos innecesarios de ambulancias, helicópteros o equipos especiales, ya que el triaje se realizaría con anterioridad. También, con la incorporación de técnicas de inteligencia artificial, los médicos pueden ser sustituidos en algunas situaciones rutinarias por otro tipo de profesionales sanitarios en las mismas ambulancias.

> ### (i) Nota
>
> Un estudio de *Telefónica* e *IESE* indica que el 70% de los pacientes y un 80% de los profesionales del sector salud estarían dispuestos a usar la telemedicina, frente a un 16% que indica que no lo harían, aunque se lo ofrecieran.

Otra ventaja que aportará la medicina remota es la atención a nuestros mayores, ahorrándoles desplazamientos u ofreciéndoles servicios de atención en domicilio. Actualmente es muy típico disponer, en muchos hogares, de servicios de tele-asistencia domiciliaria, como el que ofrece **Cruz Roja Española**. Con pulsar un botón, la persona dependiente, en su domicilio, contacta con un equipo médico disponible las 24 horas y éstos comprueban su ficha de salud, comunicándose a través de un sistema de interfono y actuando en relación a la gravedad de la emergencia. Este sistema, que aporta tranquilidad, independencia y seguridad a sus usuarios y familiares, tiene algún punto débil que ciertos dispositivos, como un reloj inteligente, podrían solucionar. Y es que en situaciones donde el usuario pierde el conocimiento y no es capaz de pulsar el botón, entrarían en juego sensores como el detector de caídas que incorpora la versión 4 de *Applewatch*. En ese momento, el dispositivo podría realizar un electrocardiograma, enviar esta información para actualizar la ficha médica del paciente y, si es necesario, avisar al equipo de emergencias médicas directamente, aparte de poner al corriente a los familiares más próximos.

En el caso de la medicina, igual que en el del mantenimiento industrial del que hemos hablado en apartados anteriores, lo interesante es predecir, más que prevenir. Y para predecir, un médico necesitaría mucho más tiempo del que puede permitirse gastar en una visita normal. En estas debería tomar y analizar todas las constantes vitales del paciente, todo su historial médico, compararlo con el momento de la visita, así como supervisar hábitos de vida como la alimentación, viendo si las pautas seguidas son correctas o deberían corregirse. Además, son muchos los pacientes que ven alteradas algunas constantes vitales en sus desplazamientos a los centros de salud: nervios, tensión alterada, ritmo cardíaco anormal. Todas ellas podrían ser monitorizadas a distancia, para establecer medias en el tiempo, no mediciones puntuales.

Por todo ello, se hace muy interesante pensar en sistemas inteligentes que puedan predecir situaciones de riesgo. Existen ya numerosos casos en que dispositivos como el de *Apple* han sido clave para salvar la vida de sus usuarios. No hace falta más que consultarlo a *Google* para darse cuenta de este hecho. Aunque en ellos haya sido el propio usuario quien ha acudido a los servicios médicos tras recibir una alerta informándole de una anomalía cardíaca, en un futuro podríamos disponer de sistemas inteligentes que tomen decisiones sobre si aquella situación es normal o no y obrar en consecuencia. Como ilustración, nuestro reloj puede emitir una alarma si echamos a correr para subir a un autobús que estamos a punto de perder. Esta situación no debería tenerse en cuenta para enviar ningún equipo médico a nuestro rescate. En cambio, si la alarma ocurre mientras nos encontramos relajados, en nuestra butaca preferida, la cosa podría ser más grave.

Esta última situación tiene mucho que ver con los sistemas de inteligencia y aprendizaje artificial y escapan del objetivo de este libro, aunque debemos pensar que ambos están íntimamente ligados con *Internet de las cosas*, en el punto de la toma de decisiones tras la recolección de datos.

Gracias a *Internet de las cosas* y a todas las tecnologías que lo soportan, podremos conseguir que la medicina y la prevención estén presentes en todos lados. No solamente estamos hablando de sensores para nuestras constantes de vida, también lo hacemos sobre sensores que analizan la calidad del aire, las radiaciones, los niveles de hongos en nuestros domicilios… Con todo ello se facilitará mucho la predicción y se permitirá que los equipos médicos estén a punto cuando se produzcan todo tipo de incidentes.

Si estamos acostumbrados a ver en nuestras ciudades equipos de reanimación cardíaca, ¿por qué no encontrarnos con pantallas de tele-diagnóstico médico? Dichas oficinas "ambulatorias" leerían nuestra ficha médica, contrastarían todos los valores medibles que emitiríamos en aquel mismo instante y el sistema procedería consecuentemente, conectándonos con un médico de urgencia o tranquilizándonos si es necesario.

La medicina se convertiría en un servicio más democrático y en muchos casos más asequible para los ciudadanos, ya que la industria de la salud se liberaría de muchas cargas de infraestructura y sus profesionales serían mucho más eficientes debido a la racionalización de sus tiempos de trabajo.

En el mundo de la salud es obligatorio, también, hablar de hábitos. Y muchas veces los usuarios nos saltamos las recomendaciones de los especialistas u olvidamos muy rápidamente los consejos de los médicos. Alimentación y deporte van íntimamente ligados con nuestro estado de salud y debemos cuidar todo lo que con ellos tenga que ver.

En algunos casos, la motivación para seguir una alimentación sana y equilibrada y realizar deporte de forma periódica es estética, pero en otros (como los pacientes que padecen de diabetes, por ejemplo) se hace imprescindible monitorizar su comportamiento para, con posterioridad, aconsejarlo mejor o al menos tener la oportunidad de actuar rápidamente en casos de crisis.

Para ayudar en ello, existen multitud de aplicaciones de monitorización que lo registran todo: nuestras constantes vitales, emitidas por los dispositivos que llevamos encima, pero también qué deportes hacemos, calorías quemadas, quilómetros recorridos, qué comemos, niveles de radiación….

Aún queda camino por recorrer. *Apple*, por ejemplo, solicitó en 2018 una patente en la oficina de Patentes y Marcas de Estados Unidos que permitiría, en teoría, medir el nivel de glucosa en sangre sin la necesidad de que el paciente reciba un pinchazo. Y ese sería el sueño de cualquier diabético: una forma no invasiva de medir el azúcar en el torrente sanguíneo, de la misma forma que ahora se mide el hierro en sangre cuando realizas una donación: sin pinchazos. Y además, realizando una monitorización continua, que podría vincularse a un sistema de aviso de emergencia en caso de que el paciente estuviera al borde de entrar en estado de shock o padecer un coma diabético.

Y no solamente va de relojes o pulseras la cosa. Ya en 2014, la Coreana **Samsung** patentó sus *Smart lenses* o *lentillas inteligentes* con las que, en teoría y conectándose a un *Smartphone*, podríamos disponer de un sinfín de utilidades que van desde el uso integrado de sistemas de navegación personal a la visualización de películas o al uso como sistemas de realidad virtual o realidad aumentada en substitución de sistemas más grandes e incómodos como las típicas gafas de realidad virtual o realidad mixta.

En el mismo camino están *Google* y *Sony*, patentando sistemas de lentillas. En el caso de *Google* su intención es muy específica y ligada a la salud: conseguir, de momento, que la lentilla realice lecturas de glucosa a través del sistema de lacrimales de los ojos. Otra aplicación para ellas es ayudar a personas con presbicia (ver borrosos los objetos próximos), ya que serán capaces de adaptar su graduación dependiendo del lugar donde se dirija el ojo.

Siendo la medición del nivel de glucosa en sangre una prioridad para el mundo de la salud, es comprensible que se realicen grandes esfuerzos económicos y de investigación acerca de este tema, por la gran cantidad de personas que sufren, en todo el mundo, sus consecuencias.

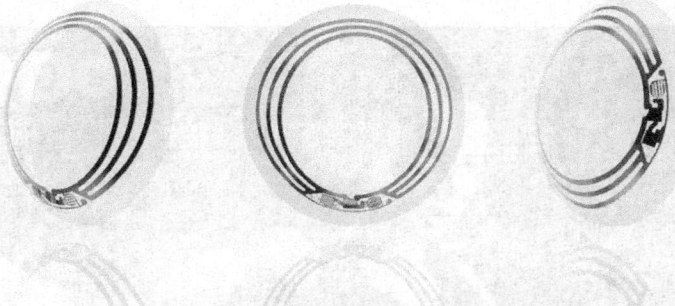

Figura 5.16. Imagen del prototipo de lentillas inteligentes fruto de la colaboración entre Google y Novartis.

Además, y a parte de las lúdicas, las aplicaciones de control médico que podrían ofrecer unas lentes de contacto inteligentes son múltiples: control de presión intraocular para la prevención del glaucoma, medición del colesterol en sangre, medición de alcohol… Aunque también podrían usarse para, por ejemplo, dosificar y administrar medicación, colirio, etc. A través de sistemas automáticos inteligentes o bien de forma remota controlados por personal especializado y sin necesidad de salir de casa.

Como hemos mencionado antes, la monitorización de la salud en el caso de enfermedades crónicas es un tema crítico, aunque existen otras motivaciones que pueden llevarnos a ella. La más típica es la estética y, para esta, existen multitud de aplicaciones que permiten controlar muchos aspectos de nuestro rendimiento físico.

Los usuarios de *gimnasios*, ya hace un tiempo que están viendo como las clásicas máquinas mecánicas están siendo sustituidas por otras que incorporan pantallas y, de forma menos evidente, sensores de diversa índole. Ya no ofrecen simplemente una sesión de entrenamiento programada por un instructor, hacen mucho más. Miden rendimiento, velocidad, quema de calorías, tipología de ejercicios realizados, proponen sesiones de más o menos esfuerzo en relación a nuestro cansancio y a los objetivos que nos hayamos marcado, y además permiten que nos entretengamos mirando nuestra serie o película preferida en servicios de vídeo en *streaming*.

Lo más interesante del tema es que todo esto pasa por el mero hecho de acercarnos a ellas con nuestra muñequera conectada o con nuestros auriculares *Bluetooth*. No tenemos que preocuparnos por nada más. Por ahora, todos estos datos pueden consultarse desde cualquier dispositivo móvil o desde el PC de sobremesa de la oficina, quien sabe si pronto nos van a exigir que los presentemos en nuestras visitas médicas o, quizás, nuestro médico (o entrenador personal) los reciba después de cada sesión de entrenamiento.

Figura 5.17. La empresa alemana eGYM, ha apostado fuertemente por la transformación digital de su negocio.

En el ámbito de la alimentación disponemos de muchas aplicaciones, e incluso algún *wearable*, que permite contar calorías ingeridas. Aunque debo decir que, por ahora, tenemos que seleccionar manualmente nuestros menús de una lista para saber cuánto hemos comido…. Quién sabe qué nos espera en un futuro.

Lo que sí es interesante de todas ellas es la recomendación de dietas en relación a nuestro esfuerzo físico y a lo que estamos comiendo a lo largo de la semana. Incluso algunas llegan más allá, existiendo servicios en tiempo real de consulta con nuestro médico o dietista para la resolución de dudas o, simplemente, para recibir recomendaciones acerca de qué comer y cuándo hacerlo. Nuestra salud nos agradecerá que la mimemos.

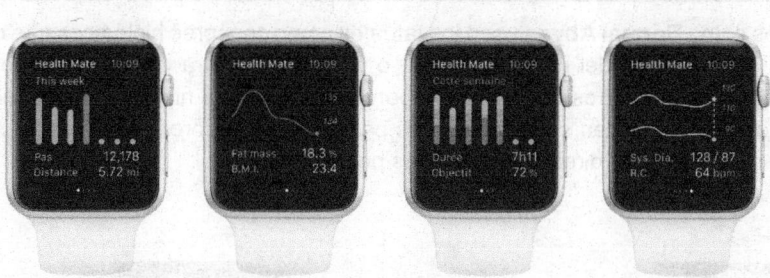

Figura 5.18. Vista de diferentes pantallas relacionadas con la salud del Apple Watch 4, presentado a finales de 2018

En otro orden de cosas, no todo son dispositivos inteligentes como relojes o teléfonos. En la categoría de wearables encontramos, también, piezas de vestir y zapatos inteligentes. Esta vez, la denominación sí es adecuada al 100%. Se trata de tejidos que incorporan propiedades y sensórica que les permiten enviar información a otros dispositivos conectados, como les *smartphones*, pero no limitados a ellos. Por el simple hecho de andar por un pasillo en el que existieran las antenas adecuadas, podrían recibirse estos datos automáticamente. De esta forma podemos monitorizar a sus portadores y recibir todo tipo de alarmas e información acerca de su estado de salud, entre otras cosas. Muy útil en el campo de la prevención de riesgos laborales.

Es más, dependiendo del tipo de tejido y sus características, este podría servir también como dispensador de medicación, aplicador de masaje o, porque no, desfibrilador de acción remota. Existen proyectos en este sentido como el *Blue Light Pain relief Patch*, de **Phillips**, que calma el dolor de espalda a base de luz LED azul o *Luminous Textile*: paneles instalados en la pared, fabricados con material textil, que permiten ser usados a modo de pantallas comerciales que combinan efectos de luz, textura y vídeo y que podrían, por ejemplo, indicar la salida de emergencia al ser detectado un desastre natural.

La evolución de este tipo de aparatos y tecnologías es muy natural, puesto que su uso implica, en muchos casos, la reducción de costes por bajas laborales, el ahorro en medicación o evitar la hospitalización. Todo ello gracias a la predicción de incidentes o, como mínimo, la monitorización de las personas para su prevención. Es natural, pues, que exista un gran interés por todo ello debido al elevado ahorro que puede suponer, tanto al mundo empresarial como a las administraciones públicas. Y si, además, como efecto colateral se obtiene la satisfacción de la persona…. ¿Qué más se puede pedir?

> (i) **Nota**
>
> Proyectos como **Dermal Abyss** usan los tatuajes como sensores biológicos que cambian de color dependiendo del nivel de azúcar o sodio en nuestra piel aunque, por ahora, no son conectables. Otros, en forma de parches, miden los niveles de alcohol de sus portadores. Estas pueden ser las primeras pruebas de sensores implantados de forma permanente o temporal directamente en las personas.

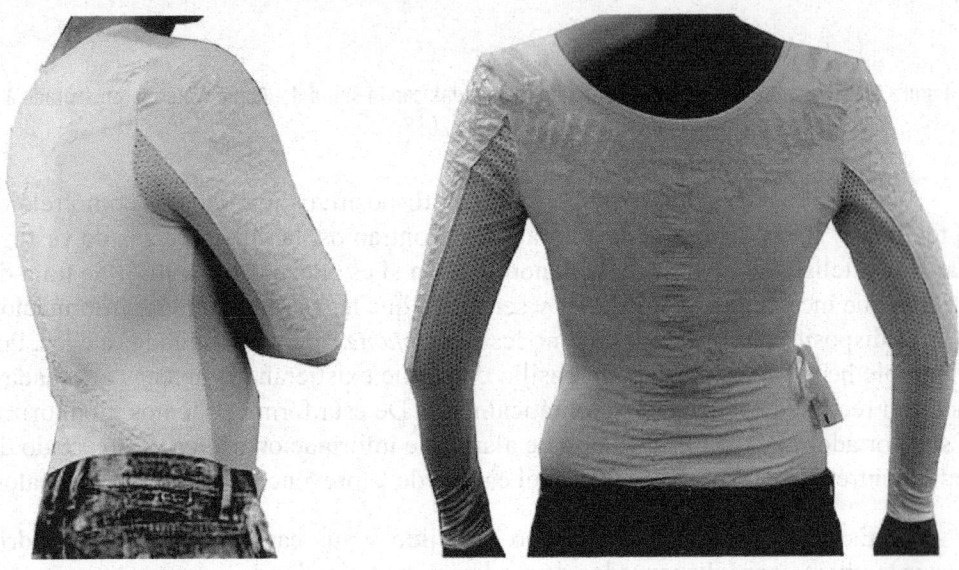

Figura 5.19. Wearlumb, un body que mejora la salud postural y evalúa riesgos laborales creado gracias a la cooperación de las empresas SGS Tecnos, Worldline y el centro tecnológico Eurecat, en Barcelona.

Muchas veces, analizar la salud desde el punto de vista económico es muy frio y casi nadie entiende que deba hacerse. De hecho, muchas novelas y películas de ficción nos hablan de casos donde los profesionales deben decidir entre economía y salud, anteponiendo facturas a juramentos hipocráticos.

Y es que, si nos paramos a analizar el gasto público en este apartado, veremos que gran parte del dinero se destina a partidas evitables si no las hacemos depender de la memoria o tentación humana. Existen estudios a nivel internacional sobre qué perdidas provoca el hecho de que los pacientes no sigan las prescripciones de su médico o, por el contrario, se tomen sobredosis en el caso de los medicamentos que provocan adicción. Los números son sorprendentes y, si no existieran tales tipos de pérdidas, el dinero podría usarse para cosas mucho más útiles.

Así pues, muchas investigaciones y proyectos innovadores van por este camino. A finales de 2017 se presentó, por ejemplo, una cápsula con un sensor incorporado que emite una señal cuando esta se disuelve en el estómago y, por lo tanto, suelta la dosis de medicamento. Así, puede registrarse el ritmo de las tomas y ver si un paciente se olvida de algunas o toma demasiadas.

Figura 5.20. Pastilla aprobada en USA por la FDA (Food and Drugs Administration) para pruebas diagnósticas de apoyo a colonoscopias, ya que incluye dos cámaras que transmiten vídeo en tiempo real.

Otros proyectos, por ejemplo, presentan pastillas que se adhieren al estómago y sueltan su medicación lentamente, muy útiles en los casos donde el paciente debe tomar mucha medicación o en los que es importante tener en cuenta la hora a la que debe hacerse.

Aunque en salud, la privacidad está al orden del día y es lo que se antepone a lo demás. Si un paciente no quiere ser monitorizado, actualmente puede renunciar a ello y, por lo tanto, tal esfuerzo no serviría de nada. Este hecho, y la seguridad actual de *IoT* son dos retos que los profesionales deben afrontar.

Remarcar también la importancia de la telemedicina en el ámbito rural o en ubicaciones geográficas de difícil acceso. Al igual que en el caso de ciertos enfermos crónicos, el desplazamiento desde zonas complicadas o alejadas de los centros médicos no siempre es fácil tornándose, en determinadas ocasiones, imposible (nevadas, carreteras cortadas, tráfico). Este mismo planteamiento podría ser útil para prestar ayuda y servicios humanitarios en el tercer mundo. Muchos profesionales se prestarían a colaborar, aunque no podrían desplazarse sobre el terreno y, por lo tanto, el diagnóstico a distancia podría ser una solución que, además, podría permitir el envío de ayuda selectiva donde más se necesite.

Figura 5.21. Doctor on demand, el popular servicio médico a distancia de Estados Unidos

Por último, comentar iniciativas como las que se están viendo en todo tipo de poblaciones e infraestructuras: las zonas cardioprotegidas. Se trata de equipar con desfibriladores todo tipo de instalaciones públicas y privadas (escuelas, centros de trabajo, aeropuertos, comercios) donde no exista un servicio médico al alcance en los primeros momentos, cruciales para las víctimas de un paro cardíaco. *Internet de las cosas* se usa en este ámbito ya hace unos años, puesto que se centraliza toda la información proveniente de los sensores de los desfibriladores en una plataforma de control *IoT*: carga de baterías, temperatura, estado de los electrodos… Todo con la finalidad de que el dispositivo esté a punto para dar su servicio. Además, alguna comunidad ya está obligando a que la llamada a los servicios de emergencia se realice desde los propios dispositivos, en cuanto alguien los extraiga de sus postes.

> **ⓘ Nota**
>
> Existen numerosos proyectos de investigación y start-ups relacionados con *IoT* y salud. Empresas de todo tipo registran patentes de forma constante y luchan por convertirse en líderes del sector. La salud, junto con el sector Industrial clásico, deberían impulsar la implementación de todo este tipo de tecnologías. Además, las posibilidades que ofrece la colaboración de equipos de trabajo y médicos a la distancia añaden un gran potencial al mundo de la medicina, principalmente al de la investigación.

5.1.5 Sector agropecuario, silvicultura y pesca

El sector primario, en general, puede ser uno de los grandes beneficiarios de la implementación de tecnologías *IoT*. Existen numerosos ejemplos de cómo pueden ayudarnos y no referidos solamente al aumento de la productividad, sino también a la racionalización de los recursos.

Se entienden como actividades del sector primario aquellas que transforman recursos naturales sin llegar a la fase de industrialización. Es decir, extraen de la naturaleza las materias primas que, con posterioridad, pueden ser usadas en otras industrias.

Así, tenemos los subsectores agrario y pecuario, dedicados a la explotación agrícola y ganadera, la apicultura (dedicada al mundo de las abejas), la silvicultura, dedicada a la explotación y estudio de bosques y el sector pesquero, que engloba todo lo que tiene que ver con la explotación de las especies acuáticas.

Todos ellos padecen problemas ¿comunes?: sobreexplotación, cambio climático, enfermedades. *Internet de las cosas* puede ayudar, y mucho, en la solución de alguno de ellos o, como mínimo, en reducir sus efectos.

En agricultura, por ejemplo, el uso del agua es crítico y, con el cambio climático, se hace cada vez más escasa dependiendo de la ubicación geográfica de los cultivos. En España se destina un 79% a este subsector, frente al 21% del consumo urbano.

Con estos antecedentes, cualquier ahorro en el consumo del agua es bienvenido. Y es que no hace falta pensar mucho para ver que, a veces, se desperdicia agua en cosas tan obvias como que llueva sobre mojado. Es decir, en campos de cultivo con grandes extensiones de terreno normalmente vemos sistemas de riego automático que realizan su trabajo, incansablemente, esté o no el suelo mojado. Si llueve, o llovió el día anterior, los sistemas de riego se ponen en marcha gracias a los temporizadores incorporados que, al no contar con sensores *inteligentes*, no saben si están realizando su trabajo correctamente. Y quizás, midiendo valores como la humedad de la tierra o viendo los pronósticos meteorológicos de las próximas horas, se evitaría el desperdicio de millones de litros de agua.

De igual forma, los sistemas de riego de césped urbano o doméstico se ponen en marcha siempre a las mismas horas, sin tener en cuenta los parámetros comentados anteriormente. Todo ello supone un enorme desperdicio de agua que, bien distribuida, podría significar disponer de más reservas para momentos de restricción.

Según la agencia para la protección del medio ambiente americana, la *EPA*, el uso de agua para riego representa 34.000 millones de litros diarios, perdiéndose la mitad de ellos por evaporación, viento o sistemas de riego mal instalados o mantenidos incorrectamente. Por ello, disponen de un programa de certificación para profesionales y dispositivos que garantiza un uso menor, responsable y eficiente del agua.

Pensemos ahora cómo *IoT* puede ayudar a consumir menos agua en nuestros campos. Añadiendo sensores en el suelo que registren la humedad de la tierra y den la orden de regar o no dependiendo de ello es un buen comienzo. Así, pasamos de los temporizadores mecánicos no inteligentes a dosificar el agua solamente cuando sea necesario.

Pero… ¿qué pasa si el suelo está totalmente seco pero se avecina claramente una tormenta en las próximas horas? En un sistema de riego que solamente tome la humedad previamente al riego, se tomará la decisión de regar.

Conectando los sensores de humedad a un sistema de previsión del tiempo como los que todos tenemos en nuestros *smartphones* podríamos saber si amenaza tormenta y esperar, para ver si llueve. Pasadas las horas se tomaría la humedad del suelo nuevamente y, si continúa seco (y por lo tanto no ha llovido), se tomaría la decisión de regar.

La aplicación de esta inteligencia, tan simple y lógica, permitiría ahorrar millones de litros de agua, que los agricultores podrían mantener almacenada para su uso posterior o, si no disponen de depósitos, estaría a disposición de la red de abastecimiento.

No solamente se pierde agua por el mal uso de los sistemas de riego. Muchas veces, las averías en los sistemas de distribución colaboran en ello. Obstrucciones, roturas de tubos por desgaste, reventones ocasionados por obras son diversos factores que, a parte del desperdicio de agua, provocan costes de mantenimiento correctivo muy elevados.

En muchos entornos especializados ya se habla del concepto *smartwater* para explicar todas las medidas tecnológicas que ayudan en este campo. Sistemas de contadores inteligentes que detectan consumos anómalos, detectores de fugas o sistemas de predicción de consumo ligados a la gestión energética son ejemplos que empresas como *Acciona*, *Schneider Electric* o *Sensus* manejan ya a diario en sus despachos.

La gestión inteligente del agua, que aportaría la sensórica incorporada en los sistemas de distribución, podría añadir también otro tipo de sensores que detectaran, por ejemplo, la presencia de substancias extrañas o tóxicas en el agua. De esta forma podrían evitarse intoxicaciones o productos químicos no aptos para los cultivos.

De igual forma, recorridos de vigilancia aérea realizados por drones sobre los cultivos podrían ayudar a calcular, gracias al análisis inteligente de imágenes, el índice de vegetación en cada momento para, de esta forma, supervisar el crecimiento y las necesidades hídricas de las plantas, por ejemplo. Otras aplicaciones en la misma línea analizarían aspectos como su vigor, gracias a cámaras de multi-espectro que permiten medir índices de clorofila, cantidad de hoja, proporción de agua, etcétera.

En el ámbito de la agricultura, los drones tienen mucho que aportar. No solamente en temas como el indicado en el párrafo anterior, en muchos más. Estos artilugios pueden ayudar a contar y clasificar plantas, ver si están afectadas por alguna plaga, detectar malas hierbas o, en el caso de incendios forestales o fenómenos meteorológicos como el granizo, analizar las superficies afectadas.

Figura 5.22. Un dron del fabricante español Hemav Technology, cuarto operador mundial de drones y primero en el sector agrícola, supervisando las plantaciones de Bodegas Protos.

Otras aplicaciones *IoT* en el campo de la agricultura son la monitorización y control de almacenes y silos de grano, la gestión y distribución de pesticidas o la gestión y localización de herramientas, de las que hablaremos en esta misma sección.

Todos estos elementos son ya conocidos bajo el término *agricultura de precisión*, que abre un enorme campo de posibilidades para el primer sector, más allá del mero control de las plantaciones. La posibilidad de centralizar la información emitida por los sensores en centros de control permite la supervisión de todo tipo de plantaciones para la toma de decisiones más acertada, pero también para otros temas como la previsión de producción y su calidad, datos muy útiles en el sector vitivinícola, por ejemplo, donde los clientes pueden realizar compras *a la avanzada*. Además, existen numerosas bodegas que compran la producción de uva a agricultores locales, casos en los que la supervisión y control remoto se convierten en cruciales.

Aún en el sector agrario, y de igual forma que en el minero, la conducción autónoma de vehículos tiene mucho que decir. Los tractores autónomos existen desde hace unos años, aunque con ellos tenía que trabajar el agricultor para superar diversas situaciones habituales o, simplemente, corregir sus trayectorias. De hecho, esta posibilidad nació de la colaboración entre la *NASA* y el fabricante americano *John Deere*, usando los satélites de posicionamiento *GPS* combinados con sensores en tierra para este fin.

Hoy en día, con los avances que las tecnologías *IoT* y la inteligencia artificial están aportando al mundo de la conducción, el tractor totalmente autónomo es ya una realidad y los profesionales del sector agrario pueden dedicar su tiempo a otras cosas que aporten más valor, aunque la normalización de todo ello está aún por venir.

Figura 5.23. Un tractor autónomo de John Deere.

El sector apícola también se ha visto salpicado por el uso de tecnologías *IoT*. Y es que la preocupación por la extinción de las abejas está al orden del día y su importancia queda perfectamente evidenciada por la frase atribuida a *Albert*

Einstein: "si la abeja desapareciera de la tierra, al ser humano le quedarían solamente cuatro años de vida.".

No es necesario, pues, explicar la importancia que tiene vigilar muy de cerca a este trascendental insecto. Se considera a la abeja la responsable de la polinización del 70% de las plantas del planeta, así como la base del 30% de productos de alimentación mundial. Cualquier factor que influencie en su productividad o existencia debe ser estudiado y erradicado de forma inmediata. En el mercado existen soluciones que miden de forma constante diversos parámetros de los paneles de abejas en las granjas productoras: humedad, temperatura, anhídrido carbónico, ozono, cobalto, contaminación atmosférica y componentes químicos específicos en el aire, todos ellos culpables del estrés en las colmenas. Aunque las mediciones no se restringen a estos, también se graba su zumbido, que es un indicador de su estado de salud o sus pautas y recorridos de vuelo, colocándoles identificadores de radiofrecuencia a modo de mochila.

Todos estos datos son enviados a los centros de control y a los dispositivos móviles de los técnicos apicultores, presentándoles datos sobre sistemas de información geográfica. Todo ello con la finalidad de actuar lo más rápidamente posible y atajar el problema de raíz.

Existe un proyecto financiado por la Unión Europea, en el marco del Horizonte 2020, llamado *Internet of bee* (Internet de las abejas), orientado a proveer sistemas de monitorización para el mantenimiento y la salud de los panales de abejas.

Figura 5.24. IoBee, proyecto financiado por la Unión Europea para mejorar la salud de las abejas.

En el ámbito forestal podemos distinguir dos grandes entornos. Por un lado, las explotaciones forestales con objetivos económicos, entorno al que se aplicarían prácticamente las mismas técnicas y conceptos que los explicados en el apartado dedicado a la agricultura. Aunque, normalmente, se habla de extensiones de terreno mucho mayores y, en muchas ocasiones, de difícil acceso.

Para estos casos existen algunas soluciones que aportan su granito de arena a las empresas y a sus empleados. La empresa *Engidi* ofrece su casco inteligente que, aparte de su uso en ámbitos industriales, permite la geolocalización del personal en entornos donde el casco es obligatorio por razones de seguridad.

Este no se limita solamente al envío de su ubicación, también monitoriza la salud del empleado enviando parámetros como su temperatura (relacionada con el estrés térmico), las lecturas de un barómetro incorporado, si el usuario se quita el casco, detección de golpes y caídas y, también, posee un botón de rescate para situaciones de emergencia.

Figura 5.25. Campos de aplicación del casco inteligente del fabricante catalán ENGIDI.

Aparte de monitorizar al personal sobre el terreno, otras soluciones aportan posibilidades como el rastreo y ubicación de maquinaria y herramientas, muy útiles en grandes extensiones geográficas donde exista mucho movimiento de personal, máquinas y utensilios que a veces, además, pueden ser propiedad de diversas empresas.

Por otro lado, después de haber visto las explotaciones empresariales, tenemos a los grandes bosques públicos, menos expuestos al control y más propensos a todo tipo de desastres: incendios, inundaciones, saqueo, tala…

Hablemos de estos. Todos conocemos los efectos que la modernización ha traído a nuestros bosques. Se ha necesitado espacio para ciudades, polígonos industriales y se han reconvertido bosques en terrenos llanos, cultivables. Aunque quizás uno de los elementos que de forma más clara y devastadora ha contribuido al cambio de nuestros paisajes han sido, sin duda, los incendios forestales.

En el cuidado de los bosques el papel de los drones es ya casi imprescindible, igual que en su momento lo fueron las torres de vigilancia. Un incendio puede arrasar cientos de hectáreas en espacios de tiempo muy cortos. Si bien los sistemas *IoT*, la predicción meteorológica y los archivos históricos colaboran muy activamente en la predicción de tales desastres naturales, lo que a veces más preocupa es el después. La repoblación y recuperación de la masa forestal.

Figura 5.26. Incendio en la emblemática montaña de Montserrat (Barcelona), en 1986, que arrasó 5000 hectáreas de bosque.

En estos casos, los términos económicos son quienes mandan. Igual que en la prevención de incendios lo más caro es limpiar el bosque, por la inversión en recursos humanos y técnicos, después de un incendio forestal lo más costoso es repoblar la superficie quemada.

Aunque existen iniciativas sociales que ayudan a la replantación masiva, estas no son suficientes y, a veces, los bosques tardan años en recuperarse. Por suerte, algunas iniciativas del mundo empresarial están pensando en ello y aparecen soluciones como *iSeed* (semilla inteligente).

Dicho proyecto suma tres elementos clave para su éxito. Por un lado, bases de datos y tecnología *Big Data* para su análisis y selección de las variables más adecuadas al ecosistema que se desea recuperar. Por otro, drones equipados con todo tipo de sistemas y dotados de depósitos con capacidades para lanzar hasta 10.000 semillas por vuelo. Y por último ellas, las semillas. Se trata de unas semillas especiales pre-germinadas que están recubiertas por una cápsula biodegradable que, además, contiene todos los elementos necesarios para facilitar el crecimiento de la planta o árbol.

Los sistemas *Big Data* aconsejan qué plantar, cómo hacerlo, con qué densidad y frecuencia y que especies son las más adecuadas para la ubicación de destino. Una vez conocidos estos parámetros, se cargan las semillas en el dron y este decide, a través de sus sistemas de información geográfica y las instrucciones extraídas de la primera fase, el patrón de plantación más adecuado.

Figura 5.27. Cargando semillas inteligentes en un dron de la empresa española CO2Revolution.

Este método, según su empresa creadora *CO2Revolution*, permitirá plantar 10.000 millones de árboles en los próximos 10 años, invertir una décima parte del coste y tiempo de realización actuales y recuperar 500 millones de toneladas de CO2 anuales.

Continuando en la tierra, he dejado para el final el sector ganadero, ya que muchos de los conceptos ya explicados son también adecuados para él. Igual que en el caso del cuidado de cultivos o en el de las abejas, es extremadamente importante monitorizar los animales de una granja para poder cuidar su estado de salud, pero también para predecir fallos en los sistemas, prever producciones futuras o conocer su ubicación geográfica.

Las soluciones *IoT* en este ámbito pasan por la colocación de dispositivos en el ganado para poder medir sus constantes vitales, incluyendo procesos digestivos por ejemplo. Además, pueden monitorizarse los ciclos de reproducción de los animales y los partos para hacerlos más seguros y, así, garantizar el éxito de los nacimientos. Los datos que se envían a los técnicos pueden ayudar a detectar problemas específicos de salud o alimentación antes de que éstos empeoren.

Algunas de estas aplicaciones son muy evidentes, y otras no dejan de sorprender por su creatividad. Al menos a mí. Así me pasó con una de las soluciones de le empresa irlandesa **True North Technologies**, llamada *Grasshopper*, que permite medir el crecimiento de la hierba en distintas zonas de una granja. De esta forma, el ganadero sabe dónde conducirlas a la hora de la comida. Aunque la cosa no queda ahí. Con el objetivo de conducirlas de forma remota, pueden configurarse sus collares a modo de valla electrificada virtual para guiarlas al destino, y hacer lo mismo de regreso a casa.

Muchas soluciones están ya en el mercado, otras en fase piloto. Lo que está claro es que el primer sector está muy interesado en estas tecnologías que, aparte de hacer sus explotaciones más productivas, permiten a veces salvarlas del desastre.

Antes de terminar, veremos qué pasa con la industria pesquera, perteneciente también al primer sector, ya que supone una actividad económica muy importante dentro de este.

IoT tiene mucho que aportar en el sector pesquero, ya sea en las actividades de pesca o en las de cría y recolección, en la construcción de buques y barcos de pesca o en su seguimiento, en agua dulce o salada, y en ríos o lagos. Cada día aparecen nuevas aplicaciones para el sector que mejoran no solamente la eficiencia y productividad de las flotas y piscifactorías, sino que también colabora en la mejora de las condiciones laborales de sus pescadores y su bienestar y participa en la supervisión predictiva de todo el sistema, tanto a nivel de mantenimiento como, por ejemplo, de producción futura o de consumo de combustible.

Internet de las cosas contribuye también con todo tipo de sensores a mejorar la eficiencia de los puertos, tanto deportivos como pesqueros, ayudando a quienes son usuarios, pero también a las empresas que los explotan.

Existen cientos de sensores colocados en boyas que facilitan la navegación marítima, además de proporcionar información sobre corrientes marinas o mareas, por ejemplo. Otros se dedican a monitorizar el fondo marino y detectar cambios en su relieve para comunicarlos en tiempo real a los centros de control correspondientes. No solamente del fondo, ya que también se monitorizan las playas para ver si avanzan o retroceden y si será necesario regenerarlas en un corto plazo de tiempo.

Quizás todo lo expuesto hasta este punto no nos sorprenda, si hemos visto las aplicaciones de *IoT* en otros sectores, ya que las soluciones que ofrece *Internet de las cosas* son transversales por norma general. Quizás deberíamos acercarnos a un proyecto muy especializado, que dirige el científico español Dr. Carlos Duarte bajo el nombre *CAASE (Coupled Animal and Artificial Sensing for Sustainable Ecosystems*, algo como *sensorización combinada animal y artificial para ecosistemas sostenibles* en español), gracias al cual se consigue seguir el movimiento y el estado fisiológico de los animales marinos gracias a la lectura de sus niveles de hormonas. Todo ello gracias al avance y la miniaturización de los sistemas de sensores que se incorporan a las especies seleccionadas. Tales sensores, a los que ya llaman *tiritas* o *tatoos* son indoloros, pequeños, biodegradables y, además, envían datos a los sistemas deseados. Según el director del proyecto, tal tecnología permitirá estudiar con mucho detalle el comportamiento de las especies, hasta puntos que por ahora no podían realizarse añadiendo, además, posibilidades como la detección de barcos o aviones hundidos, monitorizar corrientes de agua provenientes de plantas de tratamiento e incluso ofrecer información útil para escuelas de buceo o entidades deportivas que la necesiten para sus competiciones.

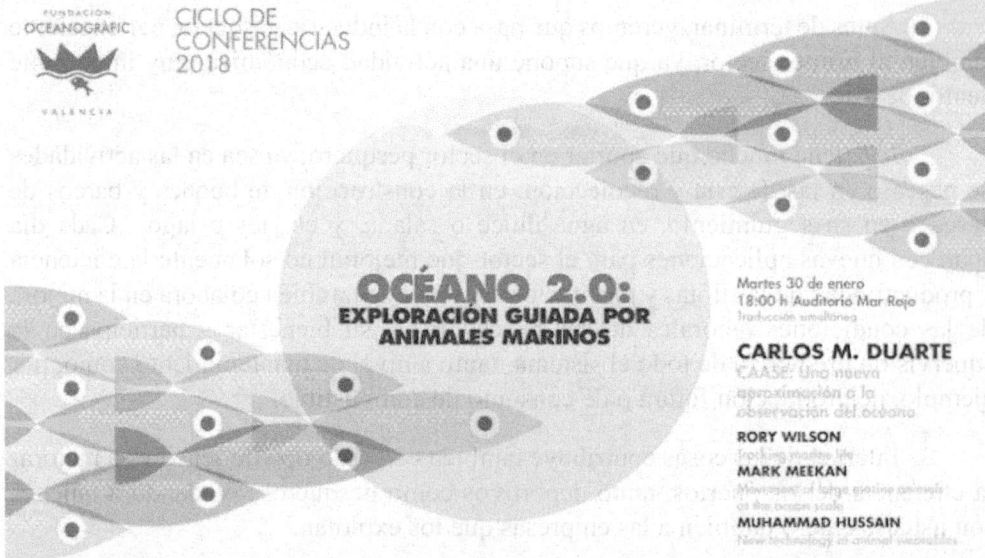

Figura 5.28. Cartel de la conferencia Océano 2.0 del Dr. Carlos M. Duarte en el Oceanogràfic de Valencia, donde se presentó CAASE.

ⓘ Nota

En el ámbito de la acuariofilia, tanto doméstica como profesional, *IoT* aporta también un montón de soluciones que facilitan el trabajo, de forma muy significativa, a los encargados del mantenimiento de estos ecosistemas.

5.1.6 Automóvil

Por si solo, el sector del automóvil es ya una revolución. Sus fábricas han sido siempre las primeras en incorporar los avances en automatización industrial, desde su aparición. Y es que este tipo de plantas de producción han reunido siempre las características necesarias para ser usadas como banco de pruebas para, por ejemplo, la implementación de grandes robots industriales en zonas como soldadura o ensamblaje o el uso de tecnologías inteligentes que ayuden a la conducción.

A nadie se le escapa que el sector compite de forma constante e intenta incorporar en sus productos los últimos avances tecnológicos, invirtiendo grandes recursos en investigación e innovación.

En este momento, el sector se encuentra en distintos *campos de batalla* que en los próximos años van a consolidarse:

El **vehículo eléctrico** que, simplemente, intenta apartar al clásico vehículo que usa combustibles fósiles para su funcionamiento y promete ser más ecológico y eficiente, colaborando en la conservación del medio ambiente. De hecho, la atención actual del gran público está centrada en este tipo de vehículo y, cada vez más, aumenta su presencia en nuestras calles.

Los últimos avances tecnológicos como la inteligencia artificial o ciertas tecnologías *IoT* permiten hablar también de otros tipos de vehículos, a tener en cuenta y que, muy probablemente, con el tiempo se consolidarán en un nuevo producto que incorpore todas sus prestaciones:

El **vehículo conectado**, que permite que nuestro auto realice llamadas al taller ante algún fallo imprevisto o un mantenimiento cercano o, ante un accidente, llame a los servicios de emergencia enviando nuestra posición geográfica. Muchas veces no somos conscientes de que nuestros coches incorporan ya tecnologías que nos abren las puertas a aplicaciones antes impensables como saber dónde hemos aparcado o el estado de salud del automóvil. Estas también facilitan la creación de nuevos negocios de base tecnológica como es el caso del *car sharing* (compartir vehículo), gracias al cual diversos usuarios pueden compartir no simultáneamente un mismo vehículo pagando simplemente por horas o por días.

El hecho de que nuestro vehículo sea capaz de conectarse a la red está modificando la forma de trabajar de otros sectores, como hemos visto en el caso del alquiler de vehículos en el párrafo anterior. Otros, como el sector seguros, están sacando nuevas ofertas adaptadas a estas posibilidades. Un ejemplo de ello es el concepto *paga por como conduces* (*pay as you drive*), que no es más que una modificación del antiguo concepto basado en prejuicios (seguros más caros para conductores jóvenes o descuentos por ser mujer), ya que se basa en las posibilidades de registrar el comportamiento del usuario al volante y, en relación a ello, calcula y cobra la cuota del seguro.

Figura 5.29. Cartel promocional del lanzamiento del seguro Pago como conduzco, resultado de la colaboración de Movistar con Generali seguros.

La capacidad de comunicarse de nuestros vehículos es, inevitablemente, la base del desarrollo de soluciones futuras como el vehículo inteligente o el vehículo autónomo, de las que hablaremos más adelante.

Así, para ordenar y establecer cómo deben ser estas comunicaciones se definieron diversos protocolos.

El protocolo *V2X* (*vehicle to everithing, vehículo a todo*) es el protocolo que permite que nuestro auto esté conectado con cualquier cosa y, de hecho, es el que habilita todas las posibilidades que ofrece *IoT* en el más amplio sentido. De forma particular, el protocolo tiene dos especializaciones que son las siguientes:

V2V (*vehicle to vehicle, vehículo a vehículo*) establece la forma en que dos vehículos se comunican entre sí, con la finalidad de intercambiar información. Esto es muy útil en diversas situaciones, como por ejemplo la proximidad de una ambulancia que necesita que le den paso o un frenazo repentino de un coche que no está dentro de nuestro campo visual. Todo ello permite que reaccionemos con antelación, aumentándose la fluidez para el tráfico en general y nuestra seguridad en particular.

El mundo del transporte puede verse muy beneficiado por protocolos como este. Una de sus aplicaciones es el *platooning* autónomo, que permite que se forme una caravana de camiones y remolques (un típico tren de carretera), con la peculiaridad de que solamente la primera cabina está pilotada por un conductor humano. El resto de caravana no lleva conductor, usa *V2V* y diversos sensores para calcular, en todo momento, las distancias, velocidades y tiempos de frenada de sus compañeros de viaje. Todo ello permite ahorrar combustible por los efectos de la aerodinámica y permite que un mismo conductor lleve mucha más carga.

Figura 5.30. Pruebas de platooning del fabricante Sueco Scania.

V2I (*vehicle to infrastructure, vehículo a intraestructura*) permite que nuestro vehículo se comunique con elementos de la infraestructura de tráfico como pueden ser carteles, señales de tráfico de todo tipo, semáforos, etcétera. Ello añade, a las ya citadas, prestaciones nuevas como que se nos pueda indicar a qué velocidad debemos conducir para que todos los semáforos estén en verde.

ⓘ Nota

Aparte de los dos comentados, otros tipos de comunicación específica son *vehículo a peatón* (*V2P*), *vehículo a red de comunicación* (*V2N*), *vehículo a dispositivo* (*V2D*) o *vehículo a red eléctrica* (*V2G*).

El **vehículo inteligente** añade a lo anterior los beneficios derivados de la inteligencia artificial: tomar decisiones por nosotros, aunque solamente en algunos casos. Y es que en este momento, a las puertas de la segunda década del siglo XXI, es a lo máximo que podemos aspirar, mientras no exista una tecnología de conducción autónoma definitiva y, lo más importante, una regulación específica para ella.

Esta es la solución que muchos fabricantes están adoptando ante la imposibilidad inmediata de fabricar un vehículo autónomo, que no necesite a un ser humano para desplazarse: dar inteligencia, pero no autonomía Así, vemos hoy en día automóviles con sistemas de aparcamiento automático, pilotos automáticos (que no autónomos) que conducen por nosotros en ciertas circunstancias (aunque debamos situar las manos en el volante) o sistemas de frenado o detección de cambio de carril que reaccionan por nosotros.

Observemos que todo ello son aplicaciones de la inteligencia artificial para mejorar la experiencia de la conducción, no para tomar el control de la misma. Aunque algunas empresas aseguran ya disponer de la tecnología para la conducción autónoma, están esperando las leyes que la regulen.

El **vehículo autónomo**, que también se conoce como vehículo autónomo de nivel 5 (que implica la autonomía total), genera más debates en el campo ético que en el tecnológico. De hecho, ya se dispone de tecnologías que permiten la existencia del vehículo que se conduce solo (y también de modelos reales), pero el freno mayor se encuentra en el campo de la regulación, debido sobre todo a problemas de tipo ético que, indirectamente, también repercuten en el campo económico.

Podemos pensar en diversos ejemplos. Uno de ellos es preguntarse quién es el responsable de los daños producidos por un coche autónomo debido a la decisión tomada por la inteligencia artificial que lo pilota: ¿su propietario? ¿el fabricante?

En la misma línea surgen preguntas que más que en el campo económico, entran en el ético. ¿Qué debe decidir un vehículo autónomo, proteger al conductor atropellando al peatón o al revés? Y en el caso de diversos grupos de peatones, ¿debe seleccionar el mal menor, atropellando al grupo de menos individuos y, en ese caso, el conductor debe considerarse uno de ellos también? O en el caso de grupos del mismo número de personas, ¿debe tenerse en cuenta su edad y salvar a los más jóvenes?

Podríamos dedicar mucho tiempo al tema. Es la base de las discusiones éticas y políticas de nuestros legisladores. En este campo cada uno tiene su opinión: desde usuarios que son altruistas y deciden morir, hasta los que preferirían que la decisión viniera programada *de serie*.

Si nos paramos a pensarlo mientras miramos estadísticas como las de 2018 de la *Dirección General de Tráfico*, que arrojan 1827 muertos en accidentes en carretera (más del 90% debidos a errores humanos), quizás veamos que la conducción autónoma puede reducir, y muy drásticamente, las muertes de este tipo, a pesar de los planteamientos éticos expuestos.

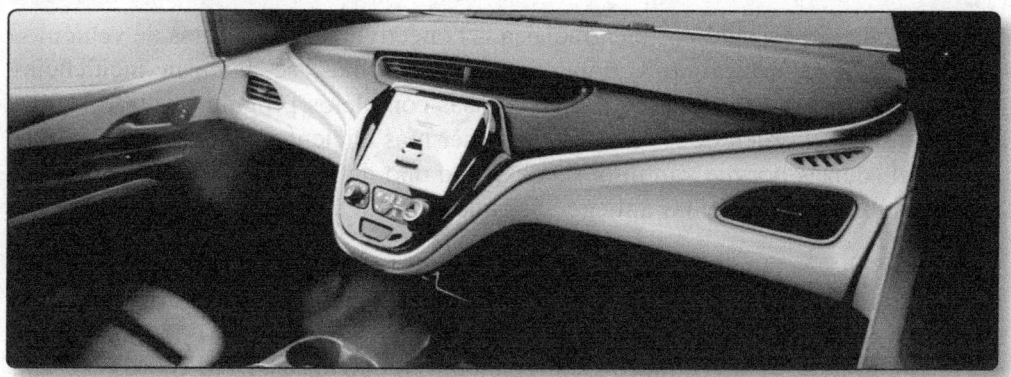

Figura 5.31. El Cruise AV, vehículo totalmente autónomo del fabricante americano General Motors, no dispone de volante ni pedales en su cabina.

ⓘ Nota

En realidad, existen cinco niveles de clasificación para la conducción autónoma, según la intervención en la conducción. El nivel 1, el menor, incluye utilidades como el control de crucero. El nivel 5 supone la conducción autónoma total.

Podría dedicarse un libro entero al mundo de los avances tecnológicos en el sector del automóvil. Un detalle importante a tener en cuenta es que muchas ferias de electrónica a nivel internacional tienen grandes secciones dedicadas al automóvil. Esto es una muestra de la íntima relación entre el sector automovilístico y el de las tecnologías de la información y la comunicación.

Para que el vehículo autónomo sea una realidad cotidiana, no una curiosidad de circuito cerrado, se necesitan ingentes cantidades de datos generados de forma constante y analizados en tiempo real. Sólo entonces será posible la democratización de esta tecnología. Y en ello, el ecosistema de tecnologías *IoT* tiene mucho que ver.

5.1.7 Transporte

Ya hemos hecho referencia en diversas ocasiones al mundo del transporte y cómo las nuevas tecnologías lo han transformado. Si hace unos años enviar un paquete a una capital de provincia era costoso en términos de tiempo y dinero, ahora se nos ofrecen servicios que permiten que los envíos lleguen a su destino en menos de medio día si hablamos de una provincia entera o en una hora si se trata de la misma ciudad.

Todo ello ha sido posible gracias a la conectividad de las flotas de vehículos a sistemas de control central, donde se calculan rutas, se analizan incidencias viarias y se toman decisiones, además de usar complejos programas informáticos que optimizan el orden de las entregas para ser más eficientes. Este sector, junto al industrial (quizás porqué van muy ligados) fue uno de los primeros en aprovechar todo el potencial de *IoT* y las aplicaciones que agilizan la toma de decisiones.

Ya hace mucho tiempo que el usuario está acostumbrado a recibir un mensaje, por parte del transportista, indicando el lugar y estado en el que se encuentra su envío, así como la fecha y hora prevista de entrega. Las facilidades que las plataformas de venta en línea, conjuntamente con los servicios de transporte, han ofrecido a empresas y particulares han provocado un profundo cambio en los hábitos de compra por parte de los usuarios que, difícilmente, tendrá marcha atrás.

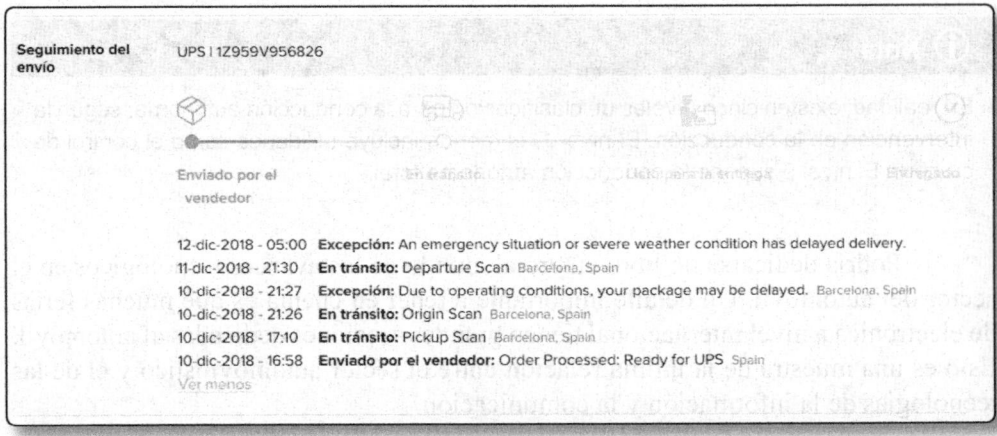

Figura 5.32. Vista parcial del mensaje del servicio de rastreo de paquetes de UPS (United Parcel Service), para un paquete que se envió desde España.

Las ventajas que *IoT* aporta al transporte no se limitan a la localización del paquete y optimización de su envío. Van mucho más allá. Como hemos visto al hablar de otros sectores, la importancia de la predicción es crucial, ya que permite optimizar mucho los recursos disponibles. Así, con una buena gestión del mantenimiento de las flotas de vehículos es posible organizarlas en picos de baja utilización o en turnos de revisión ya previstos, opciones que no deberían influir el retraso de las entregas.

Si a los sistemas se conectan servidores de previsión meteorológica, por ejemplo, se pueden recalcular rutas alternativas en base al uso de otros medios de transporte. Si observamos la *Figura 5.32*, veremos que el paquete enviado sufrió un par de retrasos debido a inclemencias del tiempo. Si estas se hubieran previsto, quizás el paquete se hubiese enviado por otro medio de transporte, no tan afectado por la meteorología.

Este tipo de organización, donde se conjuga previsión meteorológica, mantenimiento programado y optimizado gracias a la predicción, recalculo de rutas en relación al tráfico y otros factores, crea nuevos modelos de negocio como alternativa a los modelos de transporte de mercancías clásicos o internos de las empresas.

Diversas compañías de nueva creación ofrecen sus plataformas tecnológicas y *Bussines Intelligence* para realizar las entregas de producto en tiempos récord. Tales servicios son contratados por todo tipo de comercios que deseen participar en el mundo del comercio electrónico. Este tipo de plataformas de optimización logística significan un verdadero cambio de paradigma en el sector, ya que le aportan una flexibilidad no conocida hasta el momento. Tal es el caso de la barcelonesa *Nektria*.

Figura 5.33. Vista de la página web de Nektria, empresa española que apuesta por la modalidad de software como servicio (SaaS) en el sector logístico.

Para grandes empresas del sector logístico o para aquellas que, no siendo del sector, dispongan de grandes flotas, las ventajas mencionadas en los párrafos anteriores son claramente adaptables y reportaran grandes mejoras en este campo.

Este tipo de empresas suele disponer de sus propias redes de abastecimiento de combustible o de grandes tanques que lo almacenan distribuidos estratégicamente por sus instalaciones o a lo largo de su zona de influencia.

Algunas aplicaciones *IoT* ofrecen soluciones como la *telemetría de depósitos*. Se trata de un sistema que ofrece el monitoreo constante de los niveles de líquido, tiempos de uso, presión y temperatura, entre otros.

Entre los beneficios destacables se encuentra la predicción de desastres como resultado de altas temperaturas, la detección de infrautilización, el aviso de robo, la optimización de operaciones de recarga y muchos más, beneficios que se traducen en una mayor productividad global de estos servicios.

Otro factor crucial en las flotas de transporte es el cansancio de los conductores y los máximos tiempos dedicados a la conducción, que los transportistas deben respetar. Soluciones futuristas incluyen el *platooning*, comentado hace unas páginas, que permitiría que un solo conductor guie un tren de camiones mientras los demás descansan. Existen otras menos sensacionalistas pero que ayudan a cumplir tal fin. Detectores de somnolencia, que analizan al conductor para ver en él sus temidos síntomas, alertas de cambio de carril, tacómetros, etcétera. Otro elemento importante a tener en cuenta, y registrar, es el estilo de conducción de la persona que está al volante, puesto que ello va a influir, y mucho, en temas críticos como el consumo de combustible, además de poder beneficiar a la compañía en el cálculo de sus pólizas de seguro.

Internet de las cosas permite recopilar todo este tipo de información, enviarla a los centros de control de las flotas y proceder, allí, a un análisis muy exhaustivo gracias al cual se podrán tomar decisiones que por un lado mejoren el funcionamiento general de los procesos, pero por el otro influyan en el bienestar de los trabajadores y contribuyan a disminuir sus riesgos laborales en el puesto de trabajo.

ⓘ **Nota**

Los *drones* prometen ser una revolución en el mundo de la logística, aunque su uso en este ámbito está aún en fase de pruebas, debido a los distintos problemas que deben aún superarse, como son las capacidades de carga y la autonomía de vuelo en el ámbito tecnológico y la regulación y normativa de uso del espacio aéreo en el legislativo.

5.1.8 Alimentación

La industria alimentaria puede aplicar, sin lugar a dudas, las soluciones *IoT* descritas hasta el momento para la mayoría de sectores mencionados. Aunque, como es lógico, tiene sus necesidades específicas para cada uno de sus subsectores, como pueden ser:

- ▼ Cadenas de producción
- ▼ Almacenaje y transporte alimentario (refrigerado)
- ▼ Restaurantes y hostelería en general

Desde la producción alimentaria hasta el consumidor, los alimentos deben ser analizados, manipulados, elaborados, almacenados, transportados y expuestos teniendo en cuenta muchos factores en cada uno de estos pasos. Las tecnologías *IoT* prevén cada una de estas situaciones y ofrecen soluciones de todo tipo a las empresas del sector.

En la fase de producción, y sin entrar en el detalle de qué tipo de producto se trate (si se recolecta o por el contrario se elabora usando diversas materias primas), se aplican soluciones *IoT* como las comentadas para la industria manufacturera. Se monitorizan todo tipo de valores que provienen de la maquinaria y el medio ambiente de las infraestructuras productivas con las finalidades ya descritas para esos casos, pero añadiendo sensores específicos programados para reaccionar ante situaciones negativas para los productos. En una panadería, por ejemplo, es de vital importancia monitorizar la temperatura para conseguir la correcta fermentación de las masas. En un almacén de ultra-congelados el foco se centra en que no se rompa la cadena de frio. Observemos que en ambos casos se incide en evitar la pérdida de producto en el caso de que los sistemas de refrigeración fallen.

Un ejemplo del sector alimentación lo encontramos en la empresa **Campofrío**, en su fábrica ubicada en Burgos, que tuvo que ser reconstruida y rediseñada desde cero después de un incendio que la arrasó en 2014. Sus directivos decidieron entonces aprovechar la desgracia para crear una planta mucho más eficiente, sostenible e inteligente, donde se instalaron diversas tecnologías *IoT* comentadas en este libro. El resultado ha sido una de las plantas modelo de la nueva industria 4.0, referente en nuestro país.

Figura 5.34. Campofrío seleccionó Cisco Systems y su solución Cisco Connected Factory para su renovada planta. Fue la primera instalación en territorio Español.

Una de las curiosidades de la nueva fábrica de **Campofrío** es que no planifican su producción en base a las comandas recibidas, lo hacen en base al stock de producto y la predicción de pedidos. En el proceso entran en juego variables como los picos de demanda registrados en sus históricos, las fiestas nacionales y las vacaciones entre otras. Todo un esfuerzo analítico y de *Bussines inteligence* que les permite ser más eficientes y equilibrar la oferta y la demanda.

En cuanto al almacenaje, deben tenerse en cuenta los criterios de temperatura y humedad y, ya que se trata de productos perecederos, la calidad del etiquetaje y los envases, así como las condiciones de atmósfera controlada en los casos donde se requiera.

Posteriormente, en el transporte, debe existir la posibilidad de monitorizar en todo momento la temperatura, el tiempo y ruta del envío y los planes de contingencia en caso de avería para no romper la cadena de frio y asegurar la correcta entrega del producto. Cuando esta se produce, debería poder continuarse la trazabilidad hasta la mesa o el domicilio del usuario para garantizar el estado y buena conservación del mismo.

En hostelería, por ejemplo, se instalan como solución monitores de temperatura en todas las cámaras para conseguir avisar a los propietarios de un corte de luz o de un mal funcionamiento de las mismas. Estas, además, proporcionan informes sobre sus horas de funcionamiento, el mantenimiento, la fluctuación de temperaturas, las veces que se abren y cierran las puertas, el ahorro de energía…

Otras, como la proporcionada por **Schneider Electric** (llamada *Smart Link*), conectan los cuadros eléctricos a dispositivos móviles desde donde se puede interactuar de forma remota con todos los dispositivos eléctricos de los negocios, incluida la iluminación de los locales.

Aunque, como vemos, la mayoría de soluciones terminan con la llegada de los productos a las estanterías o neveras de los establecimientos, se están buscando alternativas para poder analizar la trazabilidad de éstos cuando llegan a nuestros domicilios. Porque de nada sirve analizar todo lo anterior si el producto se nos entrega en casa y, por el camino, ha sufrido algún percance. Lo ideal sería que lo entregado dispusiera de algún tipo de sensor que pudiera informar sobre el trato recibido en la *última milla*, máxime cuando a veces el paquete se entrega al portero o a un vecino o, peor aún, ha sido abandonado a su suerte en la parte trasera de una furgoneta en un tórrido día de verano.

Mientras esperamos la llegada y normalización de todas estas utilidades, muchos fabricantes ya ofrecen un valor añadido a sus productos gracias a *Internet de las cosas*. Hasta no hace nada, cuando descorchábamos una botella de vino, teníamos que conformarnos con leer la añada y, guía en mano, ver de forma muy genérica las características de aquella cosecha sin tener en cuenta factores climatológicos peculiares de la zona de procedencia concreta.

Ahora, la cosa ha cambiado. Algunas bodegas permiten que sus clientes conozcan todos los secretos de su producto a golpe de dispositivo móvil y *código QR*, aunque se están desarrollando otras soluciones. Así, el usuario puede ver desde la procedencia exacta de una uva, su grado de acidez, el tiempo de fermentación y el de permanencia en barrica, hasta los lugares y condiciones de almacenaje, aparte de certificar su autenticidad.

Gracias a códigos como el comentado para el mundo del vino, algunos productos de primera necesidad ofrecen las mismas prestaciones en nuestros supermercados.

¿Acaso nunca hemos pensado acerca de la procedencia de un tomate que tenemos en nuestra ensalada? Los tomates conectados nos darían la respuesta a nuestras dudas.

Un ejemplo de ello lo tenemos gracias a la colaboración de **Barilla**, la empresa italiana fabricante de pasta alimenticia, con la tecnológica **Cisco Systems** para crear lo que han llamado *pasaporte digital* para sus productos, que promueve su calidad, mejora la seguridad alimentaria y conciencia de la necesidad del uso de granjas y cultivos sostenibles.

Así, con capturar el *código QR* impreso en alguno de sus embalajes, el usuario puede resolver sus dudas de inmediato, conociendo detalles como en qué campo se cultivó el trigo, en qué fábrica se manipuló y empaquetó y qué viaje hizo hasta la estantería del comercio donde se compró.

Figura 5.35. Pastas Barilla ha colaborado con Cisco Systems para poner en marcha su proyecto Del campo a la mesa.

Utilidades como esta no solamente benefician a las empresas productoras y a sus clientes. Van más allá porqué pueden concienciar a los consumidores sobre un gran número de problemas sociales. La falsificación de productos, por ejemplo, con las implicaciones sanitarias que ello podría acarrear. La promoción del consumo de productos locales o de producción sostenible o la certificación de la aportación de parte del precio de la compra a causas humanitarias son diversas muestras de ello. También demuestran como la transformación digital de las empresas no solamente se ejecuta en términos de productividad y beneficio económico. El beneficio social es un valor añadido a su implementación.

Según datos de la **FAO** (Organización de las Naciones Unidas para la Alimentación y la Agricultura), un tercio de los alimentos que se producen se desperdician en todo el mundo, lo que la organización cuantifica en 1300 millones de toneladas al año. Tal perdida se produce a lo largo de todo el proceso, no solamente en los hogares de los consumidores.

Ello significa que probablemente se produce mucho más de lo que se consume en realidad, manteniendo niveles de explotación de recursos más altos de lo que en realidad podrían ser. Más agua, más abono, más energía en las plantas de producción o explotaciones agropecuarias, más metros cuadrados en almacenes, más logística sobrecargada en el transporte y más estanterías llenas innecesariamente en los supermercados.

Si se consiguieran reorganizar todos y cada uno de los eslabones del proceso, se reducirían drásticamente las pérdidas de producto, con todo lo que esto significaría. Posibilitaría el racionalizar la sobreexplotación de campos y granjas, ahorrando además en el consumo de agua y energía en general con el uso de la agricultura de precisión. La cadena de distribución sería más racional y eficiente y a los supermercados llegarían la cantidad de productos óptima basada en la predicción y la eficiencia, no en la imagen y la competencia, además del beneficio para el medio ambiente proveniente del ahorro de emisiones de gases nocivos para el calentamiento del planeta, que se generan en todos y cada uno de los procesos comentados.

A veces, cuando uno lee estas cifras, se concentra en pensar acerca de la redistribución del alimento sobrante o con fecha de caducidad próxima hacia bancos de alimentos o fundaciones solidarias. La verdad es que el problema va más allá y nace de la propia sobreproducción que es, en realidad, lo que debería modularse y donde *Internet de las cosas* puede ayudar a hacerlo.

Para terminar, pensemos en las predicciones que hablan del número de habitantes del planeta para 2050. Se prevé que será necesario aumentar la disponibilidad de alimentos en aproximadamente un 60% para abastecer a la futura población mundial cosa que, según voces expertas, haría necesario disponer de otro planeta tierra. Y mientras esto no sea posible, la única solución viable es hacer más eficiente el sistema actual.

Figura 5.36. Cartel de una conferencia de la iniciativa global Save Food de la FAO, en la feria de Milán (Italia) de 2018.

5.1.9 Comercio y Retail

Aunque mucha gente usa ambos términos para definir el concepto de venta minorista, la verdad es que existen notables diferencias entre ellos. Con *comercio* nos referiremos a los pequeños comercios de barrio, comercios de proximidad que disponen de pequeños stocks y que, normalmente, se han especializado en una línea concreta de productos. *Retail* se refiere, pues, a grandes superficies con gran cantidad de productos y marcas, así como promociones constantes y precios más bajos que en los anteriores. Un buen ejemplo son las cadenas de supermercados de alimentación, grandes jugueterías o supermercados dedicados a productos deportivos.

Apuntábamos hace unas páginas el cambio de hábitos que se está observando en el consumidor. Hace pocos años, este debía dirigirse a un punto de venta físico para poder adquirir los productos deseados. Ahora, el cambio de paradigma ocasionado por las nuevas tecnologías permite que el proceso de compra se realice remotamente y la compra se reciba en casa.

El auge del *e-commerce* y la logística eficiente han provocado el replanteamiento del modelo de negocio a muchas empresas (tanto del sector *retail* como del comercio en general) provocando la quiebra o cierre de muchos negocios que no lo han hecho.

Los números hablan. Constantemente aparecen titulares anunciando el cierre de grandes superficies que creíamos indestructibles. En 2018 se rompió el record de negocios cerrados en **Estados Unidos**, llevándose por delante establecimientos como *Toys R Us*, por ejemplo. Y ello no se debe a los efectos de ninguna crisis, es el resultado del cambio de hábitos del que estamos hablando en el que empresas como *Amazon* tienen mucho que ver.

En el mundo de la moda, empresas como *Zara*, del grupo *Inditex*, de la que ya hemos hablado, frenaron de forma significativa la apertura de tiendas físicas en 2018, si comparamos los datos con años anteriores. Por el mismo camino van *Massimo Dutti*, perteneciente al mismo grupo o la sueca *H&M* que solamente abrió 4 nuevas tiendas en el mundo, el mismo año.

Otro ejemplo, esta vez en el sector supermercados, es *Mercadona*, que frenó también la apertura de nuevos establecimientos e inició una prueba piloto para su estrategia *online* en 2018 con la construcción de un nuevo centro logístico al que han llamado *la colmena*, su iniciativa para competir en el mercado digital.

Figura 5.37. La colmena de Mercadona, buque insignia de la estrategia online de la empresa española en Valencia.

En el sector telecomunicaciones, telefónica ha cerrado casi 400 tiendas de las 1600 que tenía en 2014, debido al aumento de ventas en el canal online de la compañía.

La misma decisión están tomando empresas como *Adidas*, *C&A*, *Telecor* o *Victoria's Secret*, como reacción a la caída de ventas en el mundo físico y para potenciar su transición al digital.

En el mundo de la electrónica de consumo, destaca *Media Markt*, que tiene la intención de convertirse en la empresa número uno del *retail* digital en España.

Si nos centramos ahora en el comercio, fuera de las grandes superficies y habitualmente asociado a avenidas comerciales y centros de ciudad, veremos que la cosa es aún peor. Existe una sensación generalizada de pasear por calles donde pueden verse más persianas que escaparates llenos.

Y es que el sector ha tenido diferentes problemas encadenados desde hace ya años. La crisis económica nacida en 2008, el auge de grandes centros comerciales y, ahora, el boom del comercio electrónico. Muchas asociaciones de comerciantes se niegan a verlo y realizan grandes esfuerzos en estrategias que contienen muy buena voluntad, pero que no arrojan resultados. El cliente ya ha cambiado de hábitos y, difícilmente, regresará a los anteriores.

Por ello se hace necesario que la *transformación digital* entre en el sector. No estamos hablando de disponer de una página web, y mucho menos de una versión en línea de la tienda, estamos hablando de mucho más. Un primer e importante paso es impartir formación sobre este tema a los comerciantes y a sus asociaciones. No en el uso de herramientas, que también, sino en entender el cambio para orientar su transformación.

Iniciativas como *Abierto al futuro*, de *Barcelona Activa* (*Ayuntamiento de Barcelona*) ofrecen acciones de formación, consultoría y acompañamiento tanto sobre herramientas específicas como en tecnología digital y estrategias de gestión; desde el despliegue y gestión de sitios web y redes sociales, geolocalización, creación de contenidos, comunicación y márquetin digital, publicidad digital y plataformas de venta en línea hasta la planificación estratégica y su financiación.

Figura 5.38. Cartel publicitario del proyecto Abierto al futuro, de Barcelona Activa.

Otra solución por la que optan algunos comerciantes es aplicar el "*si no puedes con ellos, únete a ellos*". Así, aprovechan toda la infraestructura de las grandes plataformas de e-commerce, como *Amazon* o *Ebay* para ofrecer sus productos y abrirse a los mercados internacionales. De esta forma, no solamente continúan ofreciendo mercancías a sus clientes habituales aprovechando todo el potencial del mundo digital, sino que pueden llegar a nuevos clientes, sin importar dónde se encuentren.

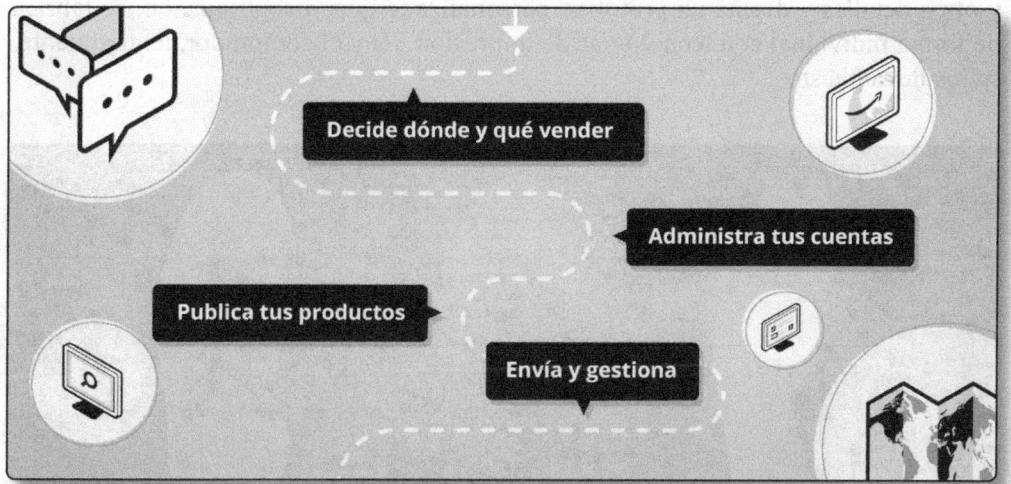

Figura 5.39. Publicidad de Amazon orientada a la captación de comercios para su plataforma.

> ### ⓘ Nota
>
> Es sorprendente, en el mundo de las ventas en línea, ver cómo los clientes puede llegar a los comercios. Antes, éstos debían realizar complicadas labores de investigación hasta llegar a encontrar al vendedor, y más si se trataba de productos especializados o "raros". Ahora, tecleando nuestros deseos en un buscador recibimos, de inmediato, un montón de respuestas que provienen de algún *algoritmo* sabio que tiene en cuenta muchos parámetros. Entre otros, nuestra localización, que puede ser revelada gracias a la dirección de conexión de nuestro PC o al *GPS* incorporado en nuestro móvil y que puede proveernos de las respuestas más correctas en relación a los vendedores más cercanos (o legales, dependiendo del producto y país) a los que podremos "dirigirnos" para cerrar la compra.

El ciclo clásico de la venta puede verse modificado gracias a las nuevas tendencias y al uso de las tecnologías descritas. De forma clásica, se ha dicho siempre que el ciclo de la venta termina cuando el cliente compra. Ahora, los papeles pueden cambiar y ser en la compra por parte del cliente cuando se ponen en marcha los mecanismos necesarios, que pueden incluir la propia fabricación del producto.

Un buen ejemplo de ello son los zapatos personalizados *Quant-u*, que van mucho más allá de permitir que el usuario personalice su aspecto final, aunque también ofrece tal posibilidad. El sistema, usando sensores de todo tipo, analiza la forma de andar del cliente, las diferencias entre sus propios pies, los vicios de carga y otros detalles y diseña un prototipo personalizado que, a continuación, se fabrica de forma individual con tecnologías de impresión *3D* y el comprador, textualmente, se los lleva puestos.

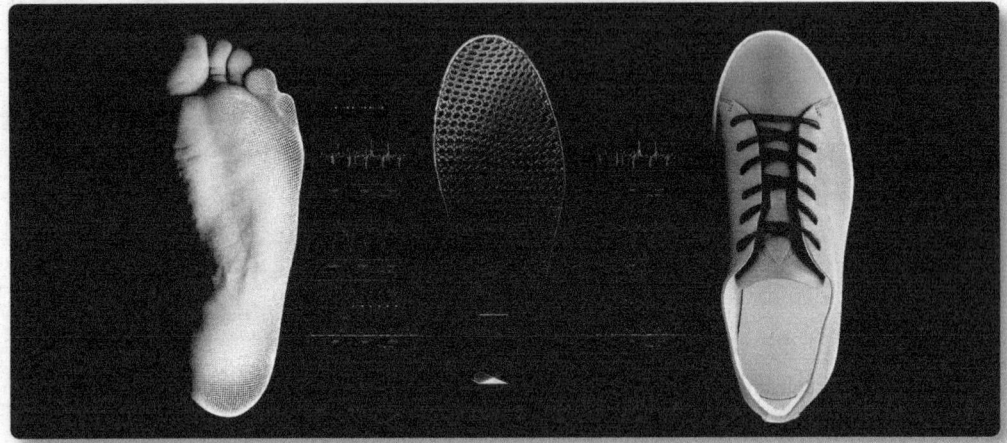

Figura 5.40. Imagen del proyecto piloto Quant-u, del fabricante de zapatos danés Ecco, presentado en el IOTWSC 2018, en Barcelona.

5.1.10 Construcción

El uso de *IoT* en el mundo de la construcción puede abordarse desde muchas ópticas. Desde las constructoras hasta los usuarios finales, pasando por las administraciones públicas, son muchas las formas en que los datos que pueden obtenerse de las construcciones pueden colaborar en hacerlas más eficientes, más cómodas o más seguras, por ejemplo.

Ya vimos en apartados anteriores como la existencia de utilidades que permiten rastrear las herramientas de trabajo o a los propios trabajadores mediante el uso de cascos conectados puede aportarnos muchas ventajas y puede hacernos reaccionar muy rápido ante cualquier situación. En el caso de las herramientas, se evita su pérdida o robo mediante su seguimiento electrónico, llegando incluso a poder desconectarlas remotamente si es necesario. En el caso de los cascos, permiten el monitoreo del personal en la obra, pero también puede observarse si este cumple con las normas de seguridad (que obligan a no quitarse el casco, por ejemplo) o si sus signos vitales son normales.

Más allá de estas posibilidades, *Internet de las cosas* ofrece un amplio abanico de oportunidades para el sector que, además, habilita el crecimiento y estandarización de su aplicación en otros.

La instalación de sensores en carreteras, por ejemplo, permite el despliegue de utilidades como el vehículo conectado y el uso del protocolo *V2I* (vehículo a infraestructura). En edificios, facilita la creación de una red informativa de movimientos sísmicos, aparte de informar de su propia reacción ante tal evento natural y colabora con los servicios de emergencia, pudiendo indicar lugares peligrosos o inaccesibles después de un terremoto. *IoT* ayuda también a hacerlos más sostenibles y energéticamente suficientes. Además, con su uso en ascensores, sistemas anti-incendio y alarmas, iluminación y anclajes de puertas y ventanas, mejora la seguridad de las personas que los habitan. Todo ello contribuye al desarrollo continuado del concepto de ciudad inteligente (*Smart city*).

En la fase de construcción de todas estas infraestructuras pueden usarse materiales más inteligentes, que reaccionan ante distintas situaciones e informan de sus cambios de estado. Toda esta información colabora en el diseño futuro de otras, mejorándolas y permitiendo la existencia del mantenimiento predictivo como parte de su propia función.

En su mantenimiento grietas, goteras, regulación térmica, detección de fugas, detección de incendios, índices de flexibilidad de materiales, vibraciones no deseadas, influencia del viento y un largo etcétera de elementos más permiten realizar actuaciones inmediatas y focalizadas en la solución del problema, no en su detección.

En el día a día, puede analizarse el uso de las edificaciones con distintas finalidades: ver por donde circulan las personas habitualmente, por ejemplo, ayudará a diseñar planes de evacuación más eficientes. Monitorizar las corrientes de aire producidas por sistemas de ventilación puede colaborar en la predicción de la propagación de una infección respiratoria en un hospital. Ver la ocupación de las diversas estancias permite crear patrones de regulación de iluminación y temperatura ambiente más sostenibles.

Las empresas constructoras conocen, desde hace años, soluciones informáticas que, bajo el nombre *BIM* (*Building Information Modeling*, modelado de la información de construcción), ayudan en todo el ciclo de vida de un edificio, ya que permiten producir y gestionar todos los datos de los elementos que intervienen en ella. Tales aplicaciones conservan información que va desde la fase de diseño inicial hasta la demolición del edificio, con datos tan variados como las cantidades de material potencialmente reciclable hasta el número de tornillos usados y su peso. La integración de la sensórica *IoT* en estas plataformas aporta ventajas de incalculable valor añadido para todas las empresas involucradas.

Figura 5.41. Revit y Autocad, dos productos del ecosistema BIM de la empresa Autodesk.

Existen numerosos equipos de investigadores alrededor del mundo que intentan aprovechar las ventajas de la información proveniente de *IoT* para ofrecer soluciones de auto-reparación a las edificaciones. Ante un terremoto o el pequeño movimiento de un terreno, los edificios se agrietan y debe procederse a su restauración. Con la existencia de materiales con sensores incorporados que se auto-reparen, la detección de grietas y su reparación será un proceso automático.

Cristales que cambian de color con la aplicación de luz o temperatura, cemento con propiedades similares u hormigón auto-reparable son proyectos reales que provienen del uso de nanotecnologías y que inciden muy claramente en los costes asociados a la eficiencia energética y el mantenimiento periódico en el sector construcción.

Otros proyectos a nivel internacional están probando tipos de asfalto que se reparan solos y, además, pueden usarse para cargar las baterías de los vehículos que pasen por su superficie. Tales proyectos generan una gran expectativa en los gobiernos, ya que los costes de mantenimiento sólo en el ámbito de las carreteras disparan los presupuestos regionales. Utilidades como estas pueden aplicarse también al parque de puentes, túneles y presas para conseguir, aparte de una mejora en los costes de mantenimiento, un aporte de seguridad extra para sus usuarios.

En el ámbito de las inmobiliarias, encargadas de la supervisión, mantenimiento y comercialización de edificios, *IoT* juega también un papel transcendental. Un sistema de alarma conectado a una central es, desde hace años, un tipo de *Internet de las cosas* al que aún no se había dado este nombre pero que tiene todo lo que hay que tener: sensores de movimiento, de fugas de agua o gas, detectores de apertura de puertas o ventanas, sensores perimetrales que, de forma constante, monitorizan y controlan edificios comerciales y residencias particulares, recogiendo y enviando información de forma periódica a los sistemas de control central.

Dichos sistemas colaboran con estas empresas en la detección, por ejemplo, de la ocupación indebida de todo tipo de edificios (el fenómeno *okupa*) o de la periodicidad en que un bloque de apartamentos es mostrado a futuros compradores, pudiendo predecir el número de ventas futuras. Incluyen, además, utilidades de apertura remota de puertas gracias a las cuales los agentes no deben cargar con grandes volúmenes de llaves, ya que a través de sus teléfonos y claves de acceso pueden abrir cualquiera de los inmuebles.

Gracias a sistemas de información geográfica y a miles de sensores trabajando conjuntamente con sistemas *Big Data* en la nube, se han desarrollado aplicaciones que facilitan la toma de decisiones a los ciudadanos acerca de dónde vivir en relación a sus necesidades, tipología de familia y posibilidades económicas. Estas muestran sobre un plano las viviendas disponibles, sus regímenes de acceso (compra o alquiler), zonas verdes, temperaturas medias, equipamientos públicos (escuelas, bibliotecas), el volumen de tráfico, aparcamiento disponible, entre otras facilidades.

Figura 5.42. BBVA Valora View, la app que incluye funciones para la toma de decisiones sobre la adquisición o alquiler de una vivienda.

5.1.11 Seguros

Igual que en el caso de las *fintech* para el sector financiero, las *insurtech* han irrumpido en el sector asegurador para conducir su disrupción. Y es que la palabra, creada a partir de *Insurance* (seguros) y *technologies* (tecnologías), ya nos deja entrever un enjambre de nuevas posibilidades acordes con la nueva economía venidera.

Cuando hablamos del automóvil ya presentamos uno de los nuevos servicios derivado de las tecnologías *IoT*, el *pay as you drive* (paga como conduces), que permite personalizar el importe de la póliza del automóvil en relación al uso y comportamiento del piloto.

La clave está ahí, en unir dos factores: la individualización por un lado y el análisis de datos por el otro. Este último lo garantizan los sistemas *Big Data* y las distintas disciplinas que engloba la *Inteligencia Artificial*, como el *Aprendizaje automático* (*Machine learning*). Gracias a ambos, las compañías aseguradoras pueden realizar un análisis de riesgos mucho más preciso y detallado para, de esta forma, ofrecer una póliza mucho más acorde a la realidad del bien asegurado.

Pero no solamente de automóviles va el tema. Cualquier cosa que tenga la propiedad de informar sobre su misma existencia y su estado será capaz de generar datos que permitirán acotar mucho más riesgos sobre los bienes asegurados.

Un edificio inteligente, por ejemplo, debería poder informar sobre su estado de envejecimiento. Un domicilio particular sobre la calidad de sus tuberías y los riesgos de fuga o el local comercial de una empresa sobre sus puntos débiles ante allanamientos no deseados. Así, el flujo de datos generado por todos los sensores implicados sustituirá a los peritos tasadores de las correadurías y este, en el fondo, será la materia prima más valiosa para las aseguradoras, que lo usarán para personalizar productos y cuotas, permitiéndolo además de forma coherente con los nuevos hábitos del cliente: inmediatez y deslocalización.

Nuevos métodos de trabajo y nuevos servicios están apareciendo a medida que la transformación digital avanza. El auge de servicios como el *carsharing* (compartir vehículos) en las grandes ciudades hace que el sector asegurador deba reinventarse constantemente ante los nuevos retos que se le presentan. La póliza clásica ya no es viable en la economía colaborativa y debe adaptarse a los nuevos retos para mejorar la experiencia y satisfacción de sus clientes.

Las aplicaciones móviles se vuelven imprescindibles para el sector, para poder ofrecer opciones como el autoservicio (*self-service*), que permite la autoconfiguración y compra de seguros sin la mediación de agente alguno. Además, las *Apps* son herramientas de comunicación directa y ágil con las compañías, cosa que redunda en la fidelización de sus clientes.

Al sector le queda mucho camino por andar, del que no hay vuelta atrás, y las grandes compañías lo saben. También saben que hasta que no exista una generalización masiva del uso de las tecnologías *IoT* no se producirá la disrupción esperada en el sector. Existen demasiados retos aún por superar: la seguridad y fiabilidad de las comunicaciones, la estandarización de los protocolos de comunicación entre vehículos, la gestión segura de la privacidad de los datos de los asegurados, son ejemplos de elementos que frenan el desarrollo de las aplicaciones comentadas.

También debe tenerse en cuenta, a nivel doméstico, la inversión que podría significar la instalación de sensores en un domicilio particular para que resulte atractiva en relación al descuento en sus pólizas. Mientras las edificaciones no se construyan inteligentes desde su inicio y puedan aprovecharse todas sus posibilidades, es el usuario quien debe encargarse de este tema, si así lo desea.

En este sentido, existen muchas soluciones en el mercado para convertir un hogar en un hogar inteligente y conectado que, aparte de ofrecer todo tipo de comodidades a sus habitantes, se conecta con sus aseguradoras para comunicar, en todo momento, eventos que tengan que ver con los bienes asegurados. Sensores de humo, detectores de presencia y de puertas abiertas son elementos que las aseguradoras empiezan a tener en cuenta como fuente inteligente de recolección de datos, aparte de que éstos continúen ofreciendo sus clásicos servicios en el ámbito de la seguridad doméstica

Algunas tecnológicas empiezan a ofrecer sus servicios a las corredurías de seguros y a sus tomadores, conectando sus soluciones con ambas. Así, en el caso de producirse una fuga de agua, por ejemplo, el dispositivo conectado avisa al usuario y a la aseguradora para que se actúe de forma inmediata, sin que los daños vayan a más.

Siendo conscientes de los costes de instalación de sensores inteligentes, algunas empresas como la americana **Roosts Home Telematics** han desarrollado soluciones como la batería inteligente, que convierte detectores de humo o *CO2* en detectores "inteligentes" a bajo coste. Así, el usuario puede aprovechar las instalaciones existentes, añadiéndoles la posibilidad de comunicarse con el mundo.

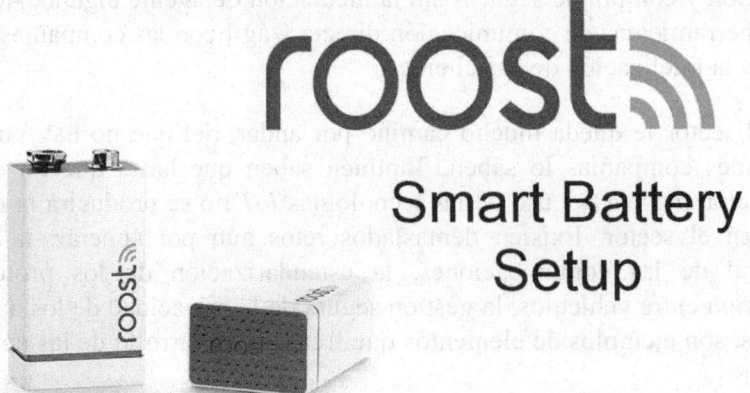

Figura 5.43. La batería inteligente de Roost, capaz de conectarse vía Wifi, aparte de proveer de los clásicos 9v y encajar en un compartimento de baterías estándar.

> ### ⓘ Nota
>
> El sector seguros, igual que el sector de la medicina o las mutuas, funciona muchas veces por recomendación de amigos, conocidos o familiares. Los profesionales del sector, por lo tanto, deben tener en cuenta todos los canales de comunicación con sus clientes, cuidar de su reputación en línea y estar atentos a todas las nuevas tendencias (tanto de comportamiento como tecnológicas) que puedan influir en su mercado.

5.2 CAMBIOS EN LA ADMINISTRACIÓN PÚBLICA Y LOS GOBIERNOS

5.2.1 Conceptos y retos regulatorios

Más allá de la regulación propia del sector, que intenta establecer normativas y protocolos técnicos sobre el uso e interoperabilidad de los dispositivos y tecnologías *IoT*, existe otra barrera que está limitando su crecimiento e implementación masiva. La regulación de los gobiernos.

Un claro ejemplo es el que vimos en la sección dedicada al automóvil: las tecnologías para el vehículo autónomo están listas, pero no las leyes que la regulan. Y más que tratarse de la velocidad de la administración, la cosa tiene que ver con la gran complejidad de los temas que se tratan, aparte de su dificultad técnica.

Al ser estas tecnologías elementos que cambiarán significativamente los modelos de negocio y los hábitos de las personas, la legislación debe tener muchos parámetros en cuenta teniéndose que adentrar, además, en el mundo de la privacidad para establecer líneas rojas sobre lo que es ético y lo que no.

Un primer e importante paso se realizó ya con la implementación del *RGPD* (reglamento general de protección de datos o *GDPR* en inglés), norma que regula la protección, en cuanto al tratamiento de datos personales y a la libre circulación de éstos, de las personas físicas. Pero el reglamento se quedó corto en lo que refiere a los datos relativos a comunicaciones electrónicas consideradas personales. Así, y a nivel de la **Unión Europea**, está sobre la mesa una nueva propuesta de reglamento, conocida como *eprivacy*, que pretende aumentar la seguridad de los servicios digitales y la confianza que los ciudadanos depositan en ellos, en todos sus ámbitos. Cuando este reglamento entre en vigor, afectará a muchos servicios de los que ahora somos usuarios y que deberán actualizar sus políticas de negocio. Como ejemplo tenemos las *Apps* gratuitas, que dependen básicamente de los ingresos provenientes de la publicidad incluida en ellas.

Para el caso que nos ocupa, *Internet de las cosas*, este nuevo reglamento también es muy claro y ha tenido en cuenta todas las partes interesadas, desde la sociedad civil hasta diversos grupos de expertos en el tema, efectuando además estudios externos de evaluación de su impacto.

Puede leerse, en el escrito previo a la consideración número 12 de la propuesta, el texto siguiente:

"Los dispositivos y máquinas conectados se comunican cada vez más entre sí mediante redes de comunicaciones electrónicas (internet de las cosas). La transmisión de comunicaciones de máquina a máquina comporta el transporte de señales a través de una red y, por ende, constituye generalmente un servicio de comunicaciones electrónicas. Con el fin de garantizar la plena protección de los derechos a la privacidad y la confidencialidad de las comunicaciones y promover una internet de las cosas fiable y segura en el mercado único digital, es necesario aclarar que el presente Reglamento ha de aplicarse a la transmisión de comunicaciones de máquina a máquina. Por lo tanto, el principio de confidencialidad establecido en el presente Reglamento también ha de aplicarse a la transmisión de comunicaciones de máquina a máquina."

A nivel mundial, los gobiernos están creando todo tipo de propuestas regulatorias que, en un futuro, se prevé que aparezcan en forma de ley.

El gobierno americano, por ejemplo, está estudiando diversas propuestas de ley, tanto a nivel estatal como federal. Parece ser que la propuesta estatal *Security of*

Connected Devices (seguridad de los dispositivos conectados) fue la primera de este tipo en Estados Unidos, aprobándose en **California** a mediados de 2017. En cuanto sea firmada, pasará a categoría de ley y entrará en vigor a 1 de enero de 2020. Por su parte, el gobierno federal tiene en sus manos la propuesta *Internet of Things (IoT) Cybersecurity Improvement Act of 2017*, orientada a establecer unos estándares operacionales mínimos para los dispositivos *IoT*, aunque por ahora solamente serían de obligatorio cumplimiento para los fabricantes que quieran vender al gobierno Federal.

Como vemos, el legislador se está dando cuenta de que debe de contar con leyes que regulen tanto la fabricación de dispositivos y su seguridad mínima como con las que cuiden de los datos de las personas y su privacidad.

Los gobiernos se enfrentan, pues, a diversos retos que deberán abordar en los próximos años, y para los que deberán crear leyes específicas ante los cambios y las nuevas posibilidades que la tecnología ofrece. Entre ellos, destacaríamos:

Seguridad física

La seguridad física de las personas es uno de los factores más importantes que se presenta como reto ante los gobiernos. Los fallos de seguridad en los sistemas informáticos públicos no se recuperan con el clásico *"apaga y vuelve a encender"*, sino que implican ingente cantidad de recursos de todo tipo y grandes esfuerzos enfocados a restablecer los servicios afectados.

De la administración pública depende nuestra vida cotidiana. Desde el abastecimiento de agua hasta la recogida de residuos tenemos a nuestra disposición un montón de servicios controlados por sistemas electrónicos: transporte público, regulación de tráfico (tanto rodado como aéreo o marítimo), hospitales, escuelas… Nuestra vida y la de nuestros seres queridos está, en muchas ocasiones, en sus manos. Así que es de vital importancia dotar de altos niveles de seguridad a todos los dispositivos involucrados en su funcionamiento para evitar situaciones de verdadero caos, comparables a las de los fenómenos naturales más virulentos.

Si bien, en el mejor de los casos, sistemas operativos y equipos de sobremesa están actualizándose constantemente para incorporar nuevas medidas de seguridad e instalar parches que corrijan nuevas vulnerabilidades, los nuevos dispositivos emergentes *IoT* (y a veces los no tan nuevos también) se encuentran habitualmente fuera de tal práctica, dejando sus *puertas abiertas* a las malas intenciones de los piratas informáticos.

Todo el mundo piensa, por ejemplo, en actualizar el PC que se encarga de realizar las grabaciones de seguridad de un sistema de vídeo de circuito cerrado, pero quizás nadie se acuerda de instalar los parches de seguridad en la propia cámara, cosa que puede tener como consecuencia el acceso de personas no autorizadas a todas sus utilidades.

Este es realmente el gran problema de la seguridad en *IoT*: los piratas informáticos podrían acceder a todo tipo de objetos con finalidades malignas.

Un programa malicioso del tipo *ransomware* (que obliga a pagar por rescatar los datos secuestrados) como fue *Wannacry* en 2017, efectuó un ataque a gran escala afectando a grandes empresas a nivel global, así como a agencias del gobierno como el **CNI** (*Centro Nacional de Inteligencia*), en España, o el **National Health Service** (servicio de salud nacional), en el Reino Unido. En aquella ocasión, aunque creó un caos mundial, se trató *solamente* de secuestrar datos para liberarlos a cambio de *bitcoins*, pero… ¿y si lo que se secuestra son las compuertas de la presa de una central hidroeléctrica? Esta vez, el rescate podría contarse en vidas humanas.

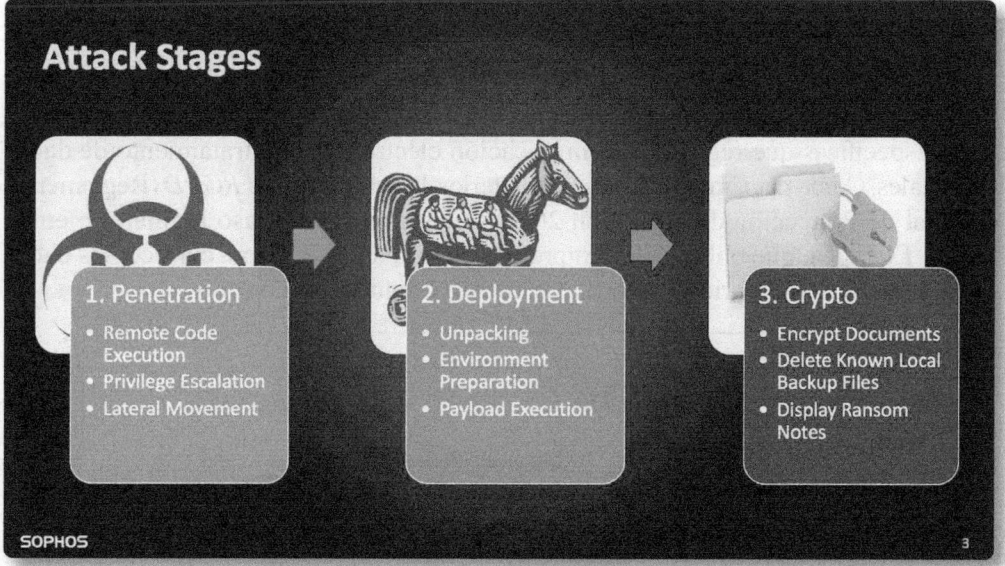

Figura 5.44. Etapas de la infección de Wannacry, publicadas por la empresa de ciber-seguridad británica Sophos.

Encontraríamos muchos ejemplos donde un nivel bajo de seguridad en las tecnologías *IoT* podrían comprometer a las personas: tomar el control de un vehículo conectado, *hackear* un robot colaborativo en una cadena de producción para producir daño físico a los trabajadores de una compañía, desviar o estrellar un avión comercial, proporcionar datos erróneos en las lecturas de temperatura de una central nuclear, entre muchos más.

Es imprescindible, pues, que los gobiernos regulen todos estos aspectos y es normal, también, que algunos fabricantes esperen a ver las normas para diseñar sus productos alineados con ellas. Quizás la espera que todo ello provoque redundará en la seguridad del futuro mundo conectado.

Privacidad

La privacidad es otro aspecto que se tiene muy en cuenta en el momento de desarrollar leyes e implementarlas. Por culpa del auge de las nuevas tecnologías y la aparición de nuevos hábitos de comunicación, como los proporcionados por las redes sociales en general o por aplicaciones como *WhatsApp* en particular, estamos expuestos todo el tiempo a los ojos de los demás y constantemente bombardeados por todo tipo de ofertas comerciales. Y en esta superpoblación digital se esconden todo tipo de perfiles: comerciales, estafadores, depredadores de diversa índole, de los que debemos protegernos a toda costa. Muchas compañías de *ciberseguridad* se esfuerzan en detectar el máximo número de amenazas posibles, aunque siempre existe la posibilidad de que aparezca una nueva, no prevista.

Para intentar colaborar en la ordenación de tal caos, los gobiernos han diseñado leyes específicas que regulan la comunicación electrónica y el tratamiento de datos personales. Como decíamos en la sección anterior, la aplicación del *RGPD* (Reglamento General de Protección de Datos) en 2018 fue un importante paso regulatorio en la **Unión Europea**, que obligó a las empresas a administrar de forma correcta los datos que poseían de los usuarios y la forma en que se comunicaban con ellos.

Figura 5.45. Sede del parlamento europeo, en Bruselas.

En el plano de los datos personales, que residen en todo tipo de archivos informáticos en sistemas de empresas y administraciones, todos tenemos muy claro el porqué de la regulación. Tenemos derecho a la privacidad y los demás no tienen por qué saber acerca de nuestra salud, personal o financiera. Además, mucha de esta información, dependiendo de en qué manos caiga, podría ser perjudicial para nosotros mismos. ¿Qué compañía aseguradora haría una póliza a un enfermo terminal, si supiera que está en tal situación?

Internet de las cosas, en este sentido, lo empeora todo mucho más. Una cosa es que en un PC de una clínica se encuentre una ficha con los datos de nuestra última revisión médica y éstos puedan ser pirateados, y otra bien distinta es que un *hacker* pueda monitorizar nuestra respiración, ver los latidos de nuestro corazón o, algo más terrorífico aún, pueda piratear nuestro marcapasos para provocarnos anomalías cardíacas.

Es imperioso, pues, que se creen normas regulatorias desde los gobiernos que obliguen a los fabricantes a disponer de altos estándares de seguridad para sus dispositivos conectados, protegiendo así al máximo y en lo posible, la seguridad física y la privacidad de los usuarios.

Algunas voces expertas hablan de que las propuestas de ley americanas, por ejemplo, son muy genéricas y un poco laxas en sus exigencias y no abordan todas las implicaciones de *IoT*. Existen importantes discusiones sobre el tema y muchos puntos de vista distintos. En todo caso, si se mira por ejemplo la propuesta de ley del estado de California, puede verse en su primer apartado la frase: *"El fabricante de un dispositivo conectado debe equiparlo con funciones de seguridad razonables"*. Después, se dedica a enumerar en diversos puntos qué funciones pueden incluirse bajo el ambiguo nombre "razonables". Entre ellas, que el dispositivo disponga de una contraseña única distinta a la de los demás, aunque se trate de la misma marca y modelo.

Mucha gente recuerda la época en que se te instalaba un *router* en casa y este venia de fábrica con un nombre de usuario y contraseña idéntico para todos los clientes de aquella operadora. Usuario: *admin*, contraseña: *admin*. Con los dos valores, un usuario malintencionado podía colarse en la red interna de una empresa o particular y hacer potencialmente lo que quisiera. Y es que a veces, los fabricantes se esfuerzan en ofrecer a sus usuarios muchas prestaciones en sus equipos y ofrecerlas de la forma más amigable posible, cosa que provoca que nos lleguen con muchas utilidades activadas que pueden significar un agujero en la seguridad global del dispositivo.

En alguna parte he leído que quizás la solución no esté en añadir más opciones de seguridad, sino eliminar o desactivar las opciones inseguras. El ejemplo del *router* muestra muy claramente un problema de seguridad, que se hubiera eliminado con la creación de un usuario y contraseña únicos para cada aparato individual, cosa que en la actualidad ya es una práctica común.

Las propuestas de ley están repletas de recomendaciones de este tipo, orientadas a que los fabricantes las tengan en cuenta en el momento de diseñar sus dispositivos o protocolos.

ⓘ **Nota**

En el ámbito de la privacidad, se discuten mucho los temas éticos y morales, como los relacionados con la salud de las personas, pero también los de su comportamiento. En Singapur, por ejemplo, el gobierno ha instalado cámaras que filman a quien fuma en lugares prohibidos o a quienes tiran basura desde lo alto de los edificios, así como contadores que contabilizan las veces que los mayores de una residencia van al baño. ¿Serían posibles leyes de este tipo en nuestra sociedad?

Otras cuestiones

En los dos puntos anteriores se ha hablado del papel del legislador ante dos situaciones muy concretas: las que atañen a la seguridad física de las personas y las que tienen que ver con su privacidad y datos personales. Más allá de estas, existen otras cuestiones que deben tenerse en cuenta ante ciertas tecnologías que pueden poner en riesgo cosas menos materiales, como puede ser nuestro derecho al trabajo, por ejemplo.

En 2017 entró en el parlamento Europeo la propuesta de una Eurodiputada acerca de robótica y derecho civil. El texto, aprobado, contiene recomendaciones destinadas a la *Comisión sobre normas de Derecho civil sobre robótica*.

Ante el progreso actual de la tecnología, y principalmente motivado por los nuevos tipos de dispositivos disponibles en el mercado (drones, coches autónomos, cobots…) existe incertidumbre y, por qué no, miedo, acerca de las consecuencias de su cotidianeidad y su efecto en la sociedad actual. En un momento en el que parece que Europa lidera en este campo, existe un vacío legal sobre las responsabilidades derivadas del uso de los robots, pero también de cualquier otra tecnología que incorpore funciones de *Inteligencia artificial*, ya que esta es muy superior a la que nunca ha existido, encontrándonos en el punto donde pueden tomarse decisiones autónomas sin necesidad de la intervención humana.

Encima de la mesa nos queda una cuestión inquietante, que pertenece más al mundo de la filosofía y la ciencia ficción, y que plantea diversos escenarios sobre cómo podría ser nuestro futuro si esta nueva inteligencia superara la humana y adquiriera consciencia de sí misma.

No estamos en este punto, aunque sí en el momento adecuado de pensar en ello y, tal y como ya se está haciendo en el parlamento Europeo, crear las bases jurídicas para llenar este vacío legal. Se trata de una tarea complicada y no solamente se trata de discutir sobre la ética del coche autónomo que debe decidir sobre el mal menor, ya que su intención es también regular la interacción social entre humanos y máquinas (pensando principalmente en *robots*), su comportamiento, su privacidad, etc. En la propuesta, de 2017, de la Eurodiputada *Mady Delvaux* puede leerse el término *persona electrónica*, con estatus jurídico propio, con sus derechos y obligaciones y, como no, con el dilema sobre si debe o no atender obligaciones fiscales. ¿Deben pagar impuestos los robots que realizan tareas sustituyendo a los seres humanos?

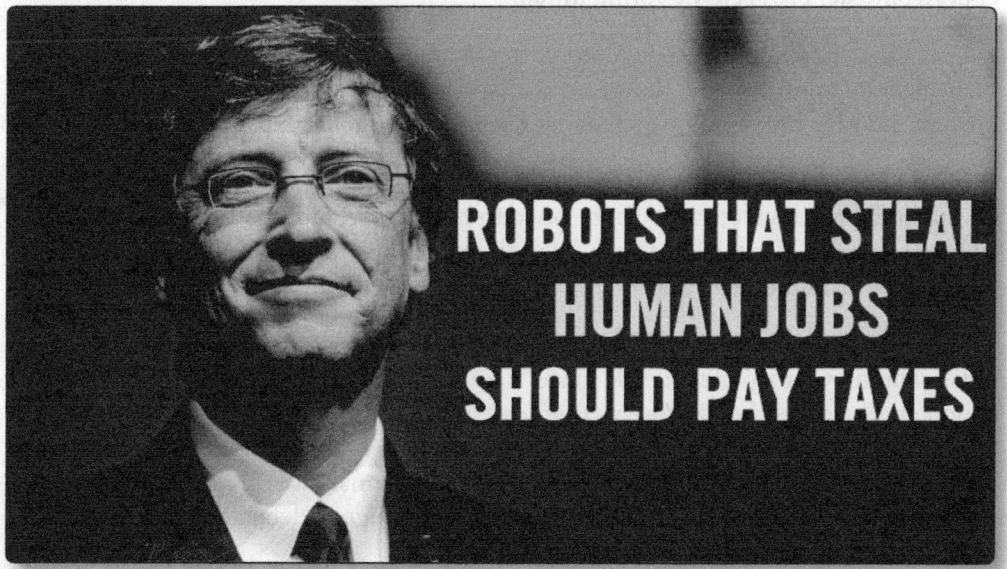

Figura 5.46. Bill Gates, fundador de Microsoft, partidario de que los robots que sustituyan a los humanos paguen impuestos.

5.2.2 Inversión en IoT pública y sostenible

Dicen que después del sector industrial, el de las administraciones públicas va a ser el segundo en volumen a nivel de adopción e inversión en tecnologías *IoT*. Aunque existe un reconocido retraso en su implementación, los gobiernos siguen reduciendo sus costes gracias a ellas. Una de las principales explicaciones para este retraso es que los responsables se encuentran con tecnología anticuada que, generalmente, debería renovarse para ser usada en nuevos proyectos *IoT*.

A principios de 2019, los números indican que un 42% del sector público ha realizado alguna acción en el ámbito *IoT*, y que uno de cada tres responsables tecnológicos reconoce que el personal relacionado tiene una comprensión casi nula del tema. Estos números sugieren la falta de formación como el mayor impedimento para el avance de *Internet de las cosas* en el sector público, aunque un 71% de los implementadores informan sobre el ahorro en costes como uno de los beneficios destacables.

Cuando se habla de formación como carencia, se debe aclarar que dicha formación no pertenece solamente al ámbito técnico, ni mucho menos. A veces el problema viene de la falta de visión de sus responsables, que no son capaces de ver el horizonte del proyecto de forma nítida.

Así, a menudo no se valora correctamente el volumen de datos a tratar o bien el mantenimiento de los propios dispositivos, valores imprescindibles para presupuestar los proyectos y que, de no hacerlo, conducirían a su fracaso.

Los técnicos pueden presupuestar perfectamente el importe de una inversión en maquinaria y conectividad, pero olvidarse de la escalabilidad del proyecto y de sus nuevas necesidades a corto plazo, cosa que demostraría muy rápidamente la no validez del conjunto, abocándolo al fracaso, probablemente.

Además, debe tenerse en cuenta que muchas ciudades, sin importar su envergadura, ya disponen desde hace tiempo de dispositivos y soluciones que, aunque no bajo la etiqueta *Internet de las cosas*, generan datos de forma constante que pueden ser aprovechados ahora para integrarlos en soluciones de monitoreo, control, y predicciones de todo tipo (mantenimiento, consumos, picos de demanda…). En estos casos se dispone de los sensores y conexiones adecuadas, pero no de las herramientas de análisis de datos necesarias.

Es posible, pues, que formulando las preguntas correctas a los flujos de datos existentes, o planteándolas de forma distinta, a la vez que informándose acerca de la infraestructura técnica existente en una administración pública, se puedan obtener los resultados que se buscan sin nuevas inversiones en tecnología. Es importante observar que, a veces, las administraciones *pecan* por invertir de nuevo en lo que ya se invirtió, ante las aparentemente apasionantes perspectivas de *lo nuevo* que, en el caso de *IoT*, no lo sería tanto.

Las soluciones en este ámbito para los gobiernos son muchas, muy variadas y, generalmente, aportan grandes ahorros a las arcas públicas a corto (y a veces muy corto) plazo de tiempo. La inversión en ellas está más que justificada. En todos los casos se plantean soluciones sostenibles, tanto a nivel de inversión económica, no comprometiendo el futuro de la economía de la comunidad, como a nivel medioambiental, ya que colaboran en la prevención del cambio climático aportando soluciones mucho más ecológicas para el medio que, además, usan de forma mucho más equilibrada las fuentes de energía disponibles.

ⓘ Nota

De hecho, los gobiernos (sean locales, regionales o estatales), deben diseñar sus políticas desde dos puntos de vista, si pensamos en el ratio inversión / beneficios provenientes de la implementación de las tecnologías *IoT*. El punto de vista *empresarial*, por un lado, que tendrá en cuenta rendimiento, productividad y costes, como si de una empresa privada se tratara, y el del propio gobierno: cuidar y mejorar la calidad de vida de sus ciudadanos.

Hoy por hoy, las aplicaciones *IoT* más extendidas en el sector público son las relacionadas con las *ciudades inteligentes* (*smartcities*), que incluyen un amplio abanico de soluciones *inteligentes* que abarcan todo el espectro de necesidades asociadas a ellas y que más notables se hacen cuanto más grandes son las urbes. Entre otras:

▸ Regulación de tráfico
▸ Parking
▸ Iluminación
▸ Abastecimiento de aguas
▸ Servicios de emergencia

Debemos observar que las *smartcities* son temas de competencia del gobierno local, pero existen muchos más ámbitos competenciales en los que *Internet de las cosas* está influyendo, a nivel regional o estatal:

▸ Playas y litoral marítimo
▸ Control de incendios
▸ Recogida, selección y reciclaje de residuos (si bien este puede relacionarse con un solo municipio o con un grupo de ellos)

A nadie se le escapa que la tecnología es capaz de brindar soluciones a todas las problemáticas asociadas a los espacios públicos y su mantenimiento y preservación. El problema se encuentra, habitualmente, en la envergadura de los proyectos en relación al tamaño de sus presupuestos.

En el ámbito del turismo, crear una red de boyas capaz de enviar lecturas constantes acerca de las corrientes marítimas en una zona y predecir qué influencia van a tener en la cantidad de arena de una playa no es un reto insuperable, como tampoco lo es medir la calidad de la arena de nuestras costas o la potencia de los rayos *UVA* en verano. La tecnología existe y, de hecho, se está aplicado ya en nuestro país en iniciativas como el proyecto **Destinos Turísticos Inteligentes** de la **Comunitat Valenciana**.

Figura 5.47. Imagen del proyecto valenciano Destinos turísticos inteligentes, basado en la monitorización ambiental de una zona turística usando tecnologías IoT.

En cuanto a obras públicas y mantenimiento, instalar sensores de vibración en un automóvil y enviarlo a recorrer las carreteras para analizar el estado del pavimento, o instalarlos en el pavimento mismo, tampoco es un reto. La información que se desprendería de ello ayudaría a las autoridades a tomar la decisión más adecuada acerca de dónde actuar de forma más urgente.

Siendo realistas: a veces, y aunque exista la solución técnica, su aplicación dispara los costes de una forma desorbitada, haciendo que se torne inviable desde el punto de vista de los presupuestos públicos.

Ahora bien, ¿no existen terceras vías? Pues en muchas ocasiones si, y así lo han visto y entendido algunos de los gobiernos más avanzados, en materia tecnológica, de la unión europea. Después de analizar las costosas soluciones a los problemas relacionados con el mantenimiento de las vías públicas, que van desde la instalación de sensores en los pavimentos hasta el envío de flotas dedicadas, se ha encontrado una solución mucho más viable y lógica. Un pacto entre el sector público y el privado de la logística y los transportes, para poder usar datos generados por flotas de camiones, que simplemente hacen su recorrido cotidiano, y así crear un mapa detallado del estado de las carreteras para tomar las decisiones más adecuadas acerca de su mantenimiento.

Imaginemos que a un camión se le incorporan sensores de vibración que registran de forma constante el estado del firme. Dicho registro se envía a un centro de control donde se almacenan todos los datos y se ubican en un mapa gracias a un sistema de información geográfica. El resultado es muy claro, dicho mapa mostrará los puntos donde más urge realizar una actuación. En este caso, obtenemos una doble ventaja: el gobierno ahorrará en inversiones innecesarias y la empresa de transportes creará un nuevo canal de negocio vendiendo, simplemente, flujos de datos que se generan en el día a día de su trabajo habitual.

Quizás este ejemplo pueda verse un poco lejos de la cotidianeidad de las ciudades. La verdad es que existen muchas soluciones que están naciendo a raíz de nuevos productos y servicios derivados de la transformación digital de las compañías.

Una de ellas proviene de los servicios de compartición de vehículos. Tanto automóviles como motocicletas y bicicletas empiezan a ser usadas por minutos por cada vez más ciudadanos que, por ahorro o por concienciación medioambiental, encuentran en ellos una salida a sus necesidades. Tal actividad, que podría encontrarse descrita perfectamente en el apartado dedicado a los cambios en el comportamiento humano, puede servir también como fuente de información al gobierno municipal para su planificación futura.

Si cada uno de estos medios de transporte dispone de servicios de geolocalización, por ejemplo, es muy fácil analizar los desplazamientos, tiempos de uso y destinos favoritos para, de esta forma, diseñar estrategias de gobierno acordes a las costumbres de sus ciudadanos, pudiendo programar así futuras zonas verdes, aparcamientos especializados o puntos de información turística mucho más alineados con la realidad que con las suposiciones de un equipo de gobierno municipal.

Si bien el futuro pasa por el uso de todo tipo de vehículos compartidos (y a ser posible, eléctricos y sostenibles), la verdad es que se anda corto de regulación sobre el tema. Barcelona, por ejemplo, hace tiempo que ofrece a sus ciudadanos y turistas el servicio público *Bicing*, aunque este carece de algunas de las ventajas asociadas a los servicios ofrecidos por empresas netamente digitales, como *Donkey Republic*. La falta de normativa sobre el tema ha traído muchos quebraderos de cabeza al gobierno municipal y muchas protestas de los vecinos, aunque parece ser que, ante la llegada de muchas más operadoras de todo tipo (incluso de alquiler de patinetes), pronto se verá una salida lógica al tema. Una vez más, la tecnología existe pero la regulación tarda.

Figura 5.48. Una de las típicas bicicletas naranja de Donkey Republic, con la Sagrada familia de
Barcelona como telón de fondo.

> **ⓘ Nota**
>
> Aplicaciones como las descritas serán mucho más habituales y factibles en el momento
> en que se instauren los estándares tecnológicos definitivos para la industria y las
> normativas y regulaciones gubernamentales correspondientes.

5.2.3 Internet de la política

Obviamente, y de la misma forma que la voluntad del servicio público es
velar por el bienestar de sus ciudadanos, también es su obligación cuidar de su
seguridad e integridad física, como hemos comentado con anterioridad.

Aunque, antes, hemos hablado de ello haciendo referencia a su protección
individual, como personas, y no al concepto de comunidad, estado, nación o al
propio gobierno. Todos sabemos que los grandes avances tecnológicos provienen de
la inversión en investigación y desarrollo en el campo de la defensa militar (Internet,

por ejemplo, es fruto de ello), así que no debería extrañarnos que el uso de tecnologías *IoT* no sea una excepción a esta norma.

La totalidad de las tecnologías expuestas en este libro son usadas, o susceptibles de serlo, en acciones militares y de espionaje de todo tipo. Seguimiento de vehículos, de personas, escuchas telefónicas, acceso a cámaras de seguridad, todo tipo de telemetría incrustada en todas partes…

Aunque no es nada nuevo, ya que lo estamos viendo constantemente en películas y series policíacas, la democratización y crecimiento de todas estas tecnologías, así como su bajo coste, abre las puertas a los servicios de inteligencia para diseñar todo tipo de aplicaciones dentro de las funciones que se le han atribuido. En el caso del *CNI* (*Centro Nacional de Inteligencia*) español, vemos en su apartado primero: *"Obtener, evaluar e interpretar información y difundir la inteligencia necesaria para proteger y promover los intereses políticos, económicos, industriales, comerciales y estratégicos de España, pudiendo actuar dentro o fuera del territorio nacional"*. Es obvio que con *IoT* aumentará de forma exponencial la potencia tecnológica de todos estos organismos oficiales, y deberemos preguntarnos muchas veces: ¿hasta qué punto estamos dispuestos a sacrificar nuestra privacidad a cambio de seguridad?

Algunos proyectos pueden resultar aterradores, como el *polvo inteligente* (*SmartDust*), que se creó con muy buenas intenciones pero que está amparado por la agencia gubernamental americana *DARPA* (agencia de investigación de proyectos avanzados de defensa), cosa que permite pensar en su uso para aplicaciones de todo tipo en el ámbito militar.

Este proyecto, desarrollado por la universidad americana de *Berkeley*, plantea desarrollar una red masiva de sensores de escala milimétrica, con capacidades de comunicación e inteligencia informática, dotados además de fuente de alimentación solar. Es decir, un montón de granos de arena con capacidades de comunicación que podrían funcionar como un cerebro colectivo, al más puro estilo de un enjambre de insectos.

Las aplicaciones de tales sensores *nanométricos* son muy diversas, tanto en el campo militar como en el de protección civil y producción industrial. He aquí algunos pocos ejemplos:

▶ Monitoreo de movimientos sísmicos y climatología, tanto en la tierra como en otros planetas

▶ Monitoreo de plantas químicas y nucleares

▶ Análisis de almacenamiento de armas o productos peligrosos

▶ Controles de inventario y calidad

Sus costes de fabricación son extremadamente bajos, con lo que su uso no tendría que ser ningún problema para nadie. Aun así, y encontrándose en fase totalmente inicial por las dificultades que plantea la miniaturización de según qué sensores, plantea serias dudas en el campo ético y de la privacidad humana, por muchas ventajas que pueda proporcionar en el ámbito industrial.

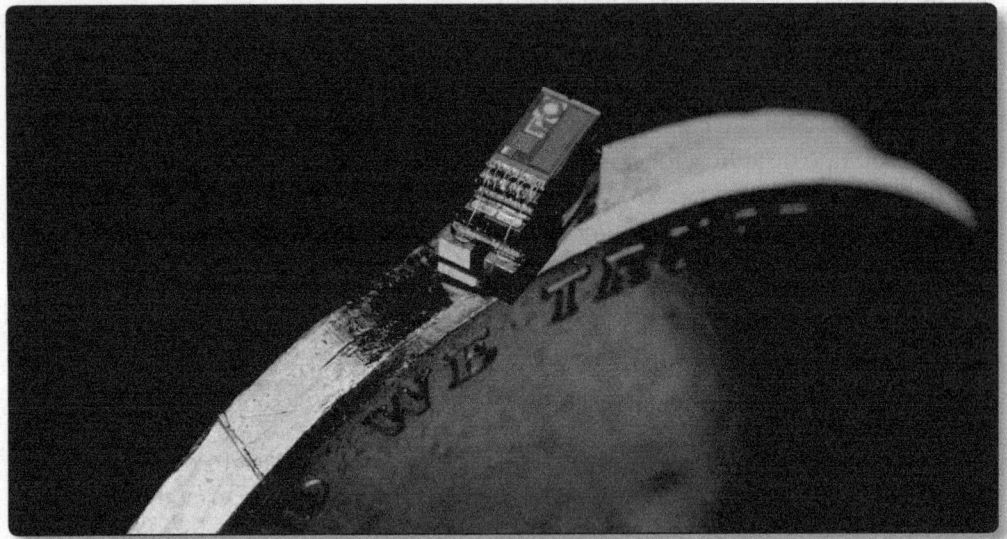

Figura 5.49. Una mota de polvo inteligente en el filo de una moneda de dólar americana.

Aplicaciones más clásicas y menos enigmáticas de los dispositivos conectados en el ámbito de la vigilancia de las personas son los de control telemático de presos o maltratadores, que monitorizan en todo momento su ubicación para evitar fugas o que se acerquen a sus víctimas.

En el otro lado de la moneda están los gobiernos que desean controlar, por razones políticas, étnicas o religiosas, los movimientos de sus ciudadanos. China ha sido siempre un país que ha instaurado fronteras electrónicas a sus habitantes, denegándoles desde siempre el acceso completo a Internet e instaurando todo tipo de técnicas para tener el mundo digital bajo su control. Dichas barreras digitales se han ido complementando con todo tipo de tecnologías que les han permitido monitorizar, en todo momento, los movimientos poblacionales de las distintas etnias de su territorio.

A finales de 2018 *HRW* (*Human Rigths Watch*, el observatorio de los derechos humanos), denunció en un informe la situación de la minoría islámica *uigur* que vive en las regiones del noroeste de la **República Popular China**. En él, y aparte de la descripción de todo tipo de vejaciones y adoctrinamiento hacia esta etnia, se habla del uso de alta tecnología para su control, a través de códigos QR con diversas finalidades, cámaras de vigilancia y seguimiento, sistemas de reconocimiento facial, de voz y otros tipos de sensores biométricos.

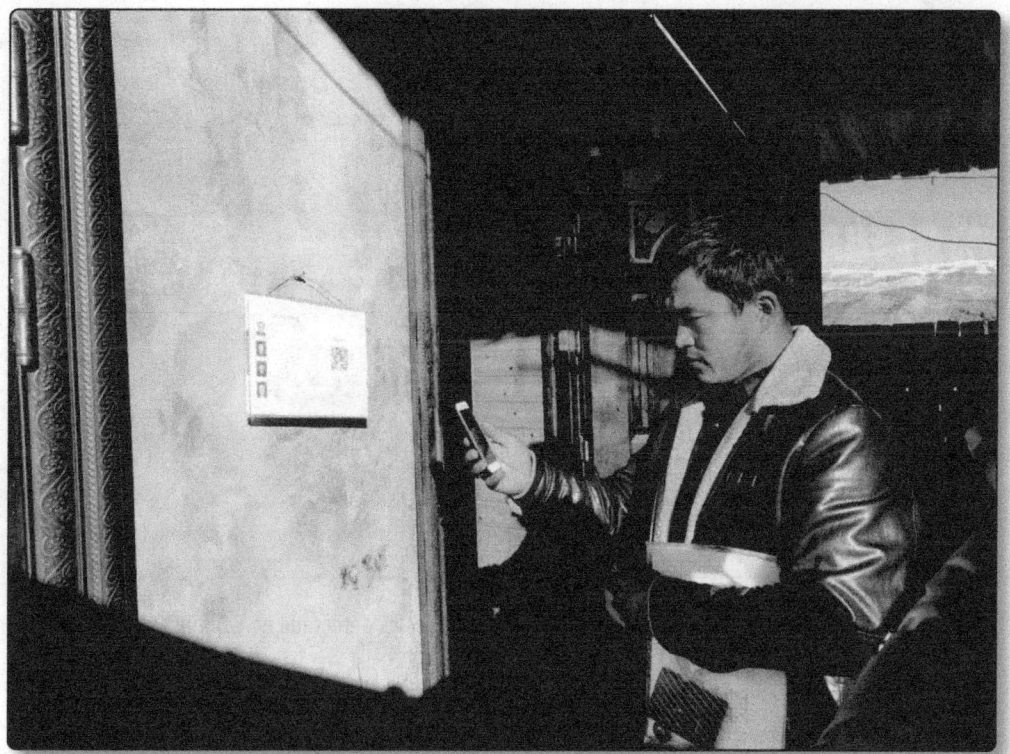

Figura 5.50. Un oficial del gobierno chino escanea el código QR de una vivienda para acceder a la información personal de sus habitantes, en Xinjiang.

Por último, otra función regulatoria de los gobiernos es la de modular los impuestos de los ciudadanos. Es decir, establecer las correspondientes tablas tributarias en ámbitos tan dispares como el impuesto de circulación de vehículos o el de retención sobre las personas físicas.

Aquí, *Internet de las cosas* puede tener mucho que decir. Antes, controlar el catastro era una ardua tarea para quienes debían realizarla, ya que no solamente se trata del registro administrativo de bienes inmuebles, sino también de sus características especiales, base para el cálculo de los impuestos inmobiliarios. Así, se debían realizar inspecciones presenciales de todo tipo de edificios, fincas, pisos… para comprobar la concordancia con lo declarado.

El uso de *drones* (e imágenes por satélite) ha hecho aflorar una gran cantidad de inmuebles irregulares, invisibles hasta el momento con las técnicas clásicas. Así, se han detectado todo tipo de cerramientos, patios, garajes y piscinas no declarados, que los contribuyentes han tenido que normalizar tras recibir una notificación oficial.

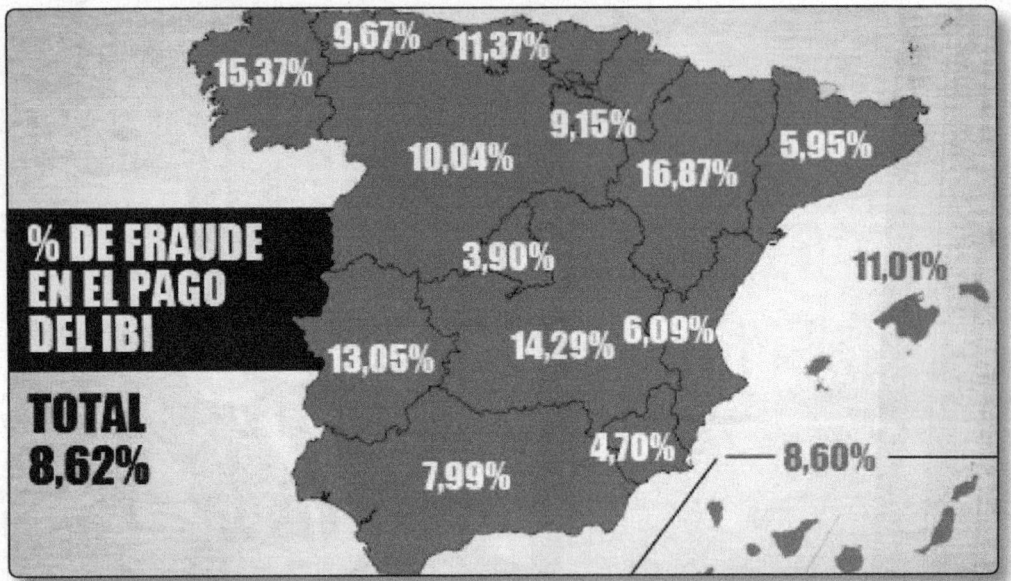

Figura 5.51. Mapa del fraude en el impuesto de bienes inmuebles detectado en España en 2016 gracias al uso de drones.

Otras tecnologías *IoT* son útiles en el tema impuestos, aunque no solamente para la detección de fraude, sino para la regulación de éstos de una forma más democrática, quizás.

En el próximo apartado hablaremos de la recogida selectiva de residuos. Si el sistema es inteligente, puede llegar a saber de qué forma recicla un ciudadano o hasta qué punto no lo hace. A partir de ahí, el legislador tiene la oportunidad de premiar o castigar en función del comportamiento de cada uno, aumentando o disminuyendo las cargas tributarias en relación a ello, tras el análisis exhaustivo de los datos recogidos por los sensores del sistema.

5.2.4 Smartcities

Las *ciudades inteligentes* (*smartcities*) son, con diferencia, la solución que más están impulsando *IoT* en el sector público y, de hecho, ya hace mucho tiempo que sabemos de su existencia. Quizás se hace más evidente su vínculo con las tecnologías que nos ocupan, cuando analizamos el concepto con mayor detalle.

Existen distintas definiciones formales de *smartcity* y, tratándose de un concepto relativamente nuevo, está en constante revisión. En todo caso, y de forma genérica, se refiere al concepto de convertir a una ciudad en más eficiente y sostenible como resultado del uso de diversas tecnologías que contribuyen a ello, y que no necesariamente son tecnologías relacionadas con *Internet de las cosas*. Dicha conversión, contrariamente a lo que muchos piensan, no solamente está ligada a las nuevas posibilidades que la tecnología ofrece, se trata de un cambio también en la actitud de los ciudadanos y los niveles de calidad de los servicios públicos ofrecidos, desde la educación a la salud.

Dicha eficiencia y sostenibilidad, ya pensando en términos *IoT*, está orientada a mejorar la calidad de vida en general, a través de la recolección masiva de datos, su análisis y la toma de decisiones en base a ellos, cuidando además de la privacidad y seguridad de las personas. Dicha mejora influye en actividades tan cotidianas para una ciudad como pueden ser:

- ▼ Gestión del tráfico en general
- ▼ Gestión del aparcamiento
- ▼ Gestión de la energía
- ▼ Ciudades verdes (monitorización medioambiental)
- ▼ Recogida de residuos
- ▼ Protección civil

A la larga lista de servicios públicos gestionados por un gobierno local, susceptibles de mejorar con la incorporación de prestaciones inteligentes, deben sumarse las posibilidades ya descritas que ofrecen todo tipo de empresas del sector privado (coche compartido, bicicletas, comercio inteligente, transporte de mercancías…).

Veamos distintas aplicaciones ya disponibles en muchas ciudades de nuestro entorno que, muy probablemente, habremos usado en más de una ocasión.

Nota

Aunque no se ha mencionado de forma específica, el despliegue de servicios de conectividad como *wifi* en las ciudades es fundamental para el avance de los que detallaremos a continuación. Ya hace años que algunas se han equipado para dar servicio a sus infraestructuras, haciéndolo extensivo de forma omnipresente a sus ciudadanos.

Tráfico

El sector del motor es siempre uno de los primeros en incorporar soluciones tecnológicas orientadas a mejorar la seguridad de los ocupantes de los vehículos, en primer lugar, pero también su comodidad y, en general, la experiencia como conductor o pasajero según hablemos de transporte privado o público. Desde el punto de vista de su regulación, la administración tiene en cuenta las necesidades de todos.

En al ámbito del transporte público, como autobuses y metros, hace ya mucho tiempo que se usan soluciones de telemetría que permiten saber a qué hora llegará el próximo convoy o con cuánto retraso llegará un autobús. Con la incorporación de teléfonos inteligentes en nuestras vidas, los ciudadanos podemos instalar aplicaciones en nuestros móviles que van a informarnos, al detalle, de las horas de llegada, trayectos, retrasos e incidencias en la red. Además, muchos de estos vehículos incorporan ya servicios de conectividad abiertos para que el viajero no pierda su vínculo con el mundo digital, otra característica de la ciudad inteligente, que ofrece conexión omnipresente a sus habitantes.

Desde hace ya unos años, las grandes ciudades usan soluciones de metro *sin conductor*, como el *metro automático* en **Barcelona**, que circula con un sistema de conducción automática que permite su funcionamiento sin personal a bordo. Los trenes se localizan, controlan y programan desde el *Centro de Control de Metro*, donde se centraliza el flujo de datos proveniente de la sensórica instalada a lo largo de toda su infraestructura.

Figura 5.52. Èrica, el autobús autónomo que se probó en diversas ciudades catalanas a finales de 2018.

Por el mismo camino van los autobuses, aunque estos están sujetos por ahora a las limitaciones regulatorias descritas ya en el apartado del vehículo autónomo. Algunas ciudades han puesto en marcha proyectos piloto en circuitos relativamente cortos o cerrados al tráfico en general, aunque esto está cambiando rápidamente. El concepto de autobús autónomo puede permitir, además, la personalización de las trayectorias y la adaptación a ellas. Es decir, puede cambiar el clásico *voy a la parada de autobús más cercana* por un *salgo de casa, que me viene a buscar el autobús*. Esto es especialmente interesante en poblaciones con núcleos disgregados, grandes urbanizaciones y ciudadanos con movilidad reducida.

En el transporte privado, las nuevas generaciones de vehículos conectados e inteligentes (autónomos en el futuro), permiten la interacción con la ciudad con el fin de encontrar aparcamiento rápidamente, localizar el vehículo, seleccionar las mejores rutas al destino, sortear embotellamientos y, porque no, descubrir enclaves culturales interesantes. Como se describió en el apartado dedicado al motor, protocolos como *V2X* (vehículo a todo) ofrecerán un sinfín de posibilidades que mejorarán y cambiarán, muy notablemente, el tráfico de las ciudades.

En el ámbito del transporte en general, las ciudades deben disponer de centros de control de tráfico, desde donde se monitorizan flujos, se identifican incidencias y se toman decisiones sobre su regulación. Para ellos, cualquier avance tecnológico que signifique mejorar el flujo de información y reaccionar más rápido es bienvenido. La velocidad de reacción puede ser vital para situaciones críticas como prevenir un gran embotellamiento o permitir que un servicio de emergencias llegue a su destino lo más rápidamente posible.

Internet de las cosas, junto con *Big Data* y la *Inteligencia artificial* jugarán un papel trascendental en el control del tráfico de las ciudades del futuro, ya que habilitarán soluciones que ya apuntábamos en apartados anteriores, como la comunicación de vehículo a vehículo o de vehículo a infraestructura.

Ante una incidencia, como un accidente de tráfico, una manifestación o la caída de un árbol, se prescindirá del ser humano para reconfigurar, automáticamente, señales de tráfico, rutas alternativas y sincronización de semáforos, gracias a la *inteligencia* del entorno.

El tráfico, además, puede ser una rica fuente de información para otras áreas municipales. Pueden usarse contadores de vehículos para planificar el crecimiento sostenido de inversiones según la demanda existente en una vía, por ejemplo, o usar criterios medioambientales que restrinjan la circulación en ciertas áreas, cuando los niveles de polución sean elevados.

No solamente debemos pensar en el tráfico clásico de vehículos. En grandes ciudades existen centros de control orientados a regular el tráfico aéreo, el rodado, el de transporte público como metros y autobuses, el de tranvías, el de bicicletas y el marítimo, por ejemplo. Pensemos también en las posibilidades que pueden obtenerse interconectándolos todos y analizando todos sus datos en tiempo real, *datos en movimiento* que permitirían optimizar, aún más, estos servicios públicos y, a la vez, ser fuente de datos para todo tipo de servicios digitales existentes, y venideros.

Un ejemplo de ello lo encontramos en algunas ciudades americanas que, más allá de ver como una amenaza los servicios de transporte privado como *Uber*, los han entendido como un complemento al transporte público, transformándolos en sus socios. Así, y a base de *Apps*, pueden usarse sus servicios interconectados para acceder a estaciones fijas, o para finalizar un trayecto en la periferia, donde el autobús o el metro no llegan. Todos transportan pasajeros, pero no todos van al mismo lugar. Soluciones como éstas también se plantean en las mesas de los gobiernos regionales de zonas rurales o con poca densidad de población, ya que las inversiones en infraestructura de transporte no son justificables en ellas pero si, quizás, opciones que unan la suma de todas.

Todas estas posibilidades empiezan a conocerse bajo una nueva etiqueta, *MaaS* (*Mobility as a Service*, movilidad como servicio), de la que ya introdujimos alguna de sus características cuando describimos servicios como el vehículo o la bicicleta compartida. Se trata de no comprar, simplemente pagar por acceder a la movilidad, cuando y donde se necesita, por el tiempo necesario. Este cambio de modelo no solo es positivo para el ciudadano y su economía, también lo es para el tráfico y el medio ambiente de las ciudades. Si además se añaden las posibilidades que brindan los flujos de datos en tiempo real de los centros de control, se acelerará enormemente el cambio de modelo en el sector de la movilidad.

Figura 5.53. El servicio Helsinki Region Infoshare ha hecho accesibles los datos públicos de la región para ser usados en todo tipo de nuevos servicios a la comunidad.

Aparcamiento

La gestión inteligente del aparcamiento es otra de las características destacables de las ciudades inteligentes. Aparte de las soluciones descritas en el apartado anterior, que dejan entrever complicados flujos de datos orientados a la gestión y coordinación global del tráfico, existen soluciones muy concretas dedicadas a la resolución de problemas muy cotidianos: buscar aparcamiento.

Hace tiempo que los conductores hemos visto aparecer, dentro de los grandes *parkings* de las ciudades, todo tipo de indicadores y paneles que facilitan la búsqueda y localización de una plaza libre. Desde un simple led de color que indica el tipo de plaza y si está disponible o no, hasta paneles con flechas indicadoras que avisan del número de sitios libres más cercanos, estas soluciones nos hacen más fácil la tarea de aparcar nuestro vehículo.

Este concepto, usado en el interior, sirve para ilustrar lo que puede pasar si se aplica en el exterior, con todos los beneficios que ello conlleva: reducción del tiempo de aparcamiento, ahorro de combustible, menos emisiones contaminantes y menos desgaste psicológico para quien está al volante.

Además, que los conductores encuentren una plaza libre contribuye también a la pacificación del tráfico, ya que se forman menos embotellamientos debido a la baja velocidad de los conductores que están *a la caza* del aparcamiento. Diversos estudios apuntan que un 30% del tráfico de las ciudades son vehículos buscando estacionamiento, con una media que roza las 100 horas anuales dedicadas a esta tarea, por conductor.

Para el *Smart parking* se usan tecnologías de geolocalización en las dos direcciones: la del vehículo y la de la plaza libre más cercana. Así, en la pantalla del móvil o en el sistema de navegación del vehículo, se traza la ruta más óptima a ella facilitando la llegada al conductor. De forma complementaria, una vez estacionado el vehículo, el usuario puede pagar remotamente por el tiempo exacto de permanencia en la plaza y usar el mismo sistema de localización para regresar a ella.

A nivel internacional, muchas grandes ciudades están empezando a desplegar proyectos piloto de *parking* inteligente, con las propiedades descritas en los párrafos anteriores, aunque tendremos que esperar aún algún tiempo para que todo ello sea una realidad cotidiana y perder tiempo buscando aparcamiento pase a la historia.

Mientras tanto, existen soluciones imaginativas que contribuyen a reducir el tiempo de búsqueda y, por ende, a descongestionar el tráfico y reducir la contaminación atmosférica. Dichas soluciones vienen de la mano de las empresas que gestionan los servicios públicos de aparcamiento (los *parquímetros*), ya que en realidad son las propietarias de la información crucial: cuántos usuarios han pagado por aparcar y cuándo y dónde lo han hecho.

Con estos datos, ofrecen una App que informa acerca de las probabilidades de encontrar plaza en la zona deseada, haciéndolo de dos modos: uno, en tiempo real, que indica el número de plazas disponibles (que no su ubicación exacta) en el área de destino seleccionada y otro, en forma predictiva, mostrando en base a un histó-

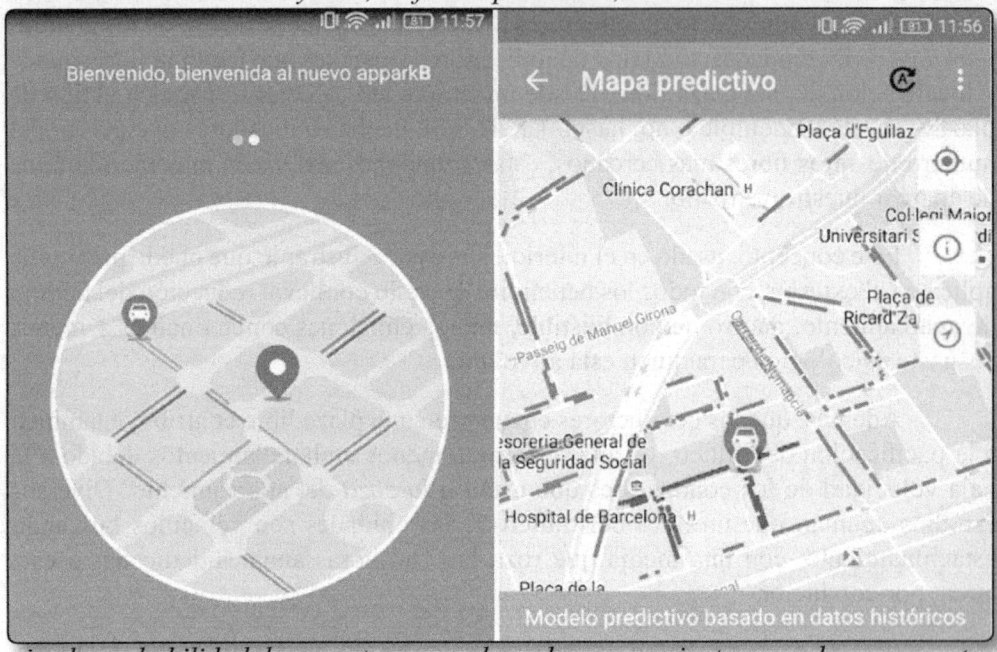

rico la probabilidad de encontrar una plaza de aparcamiento a una hora concreta.

Figura 5.54. Capturas de pantalla de la aplicación ApparKB, de la empresa Barcelona Serveis Municipals, S.A., del ayuntamiento de Barcelona.

Ciudades verdes

El ahorro en costes energéticos siempre ha sido una preocupación para los gobiernos municipales, puesto que gran parte de los presupuestos se destinan a ellos.

Los más tempranos ejemplos de tal preocupación se han plasmado en los últimos años en acciones como la substitución del alumbrado público por luces del tipo *LED*, con consumos mucho menores y, además, menos contaminantes.

Figura 5.55. Imagen del ayuntamiento de l'Estany, en la provincia de Barcelona, primero de Europa en usar tecnología LED en todo el sistema de alumbrado público.

Las tecnologías *IoT* pueden mejorar, aún más, la eficiencia y los costes energéticos de las arcas públicas. Ya vimos en otros ejemplos como la monitorización y gestión inteligente nos permiten obtener flujos de datos en tiempo real acerca de los recursos deseados. Desde su ritmo de fabricación o producción hasta su almacenamiento y consumo, pasando por la predicción de todo ello, podemos controlar los procesos de extremo a extremo.

Todo ello permite reconfigurar, de forma ágil y en tiempo real, los esfuerzos dedicados al mantenimiento y al abastecimiento predictivo, por ejemplo. Pero planteémonos otras situaciones que, hoy mismo, son fuente de gasto energético que podríamos optimizar.

Conduciendo por las calles de una ciudad, de madrugada, podemos ver que muchas están iluminadas de forma innecesaria, dado que nadie está paseando por ellas, provocando un despilfarro energético que es muy fácilmente solucionable con el uso de sensores de presencia.

Si cada farola del alumbrado público dispusiera de un sensor de este tipo, y estuvieran conectadas entre ellas, la situada al principio de la calle se pondría en marcha al detectar la entrada de alguien en ella y, automáticamente, se activaría para alumbrar su camino. La sensórica de la farola analizaría la velocidad de su paso y, mediante protocolos de comunicación al estilo de los descritos para los vehículos conectados, comunicaría a las farolas vecinas todos los datos recogidos. De esta forma, el ritmo de encendido, apagado y atenuación se sincronizaría con el del viandante. Todo ello significaría un importante ahorro energético, puesto que solamente se usaría energía cuando fuese necesaria.

En el ejemplo no solamente hablamos de ahorro energético. También, como beneficios colaterales, disminuimos la contaminación lumínica de la ciudad, hecho muy beneficioso para los aficionados a la astronomía, pero también para quienes desean descansar lo mejor posible, ya que es bien conocida por todos la mala relación entre iluminación y conciliación del sueño.

Igualmente, carteles luminosos de todo tipo llenan las calles de nuestras ciudades, desde los publicitarios a las señales de tráfico, el despilfarro energético es constante. *IoT* podría contribuir permitiendo que se encendieran y apagaran automáticamente, en relación a si hay alguien que pueda verlos o no. Del mismo modo, semáforos e iluminación en pasos de cebra podría activarse ante la presencia de tráfico rodado.

La optimización y uso de la red de alumbrado público genera un gran interés, y no solamente a los gobiernos en el ámbito del ahorro de costes. Fabricantes de todo tipo han puesto su vista en ella, con la esperanza de poder usarla con otros fines distintos al alumbrado de las calles.

Y es que, si lo pensamos detenidamente, una farola puede tener muchas utilidades, aparte del hecho de sostener la bombilla, función para la que se creó. Entre otras:

- ▶ Ubicar cámaras de seguridad, cuyas filmaciones podrían aclarar muchos accidentes o sucesos inexplicables

- ▶ Instalar detectores de presencia (para activar luces o para detectar vandalismo y robos, por ejemplo)

- ▶ Colocar cámaras de visión inteligente, para que las *inteligencias artificiales* detecten plazas de *parking vacías*

- ▶ Instalar detectores de químicos, humo y temperatura, para la detección de incendios o fugas de productos nocivos

- ▶ Situar antenas de todo tipo, pero principalmente las que dan soporte a tecnologías *IoT*.

Como vemos, las posibilidades son enormes y los fabricantes lo saben. Empresas que tiempo atrás se dedicaban de forma exclusiva a la fabricación de lámparas, ofrecen ahora un enorme *portfolio* con todo tipo de soluciones acoplables a la infraestructura interminable de postes, que *ya* están instalados en las ciudades.

Pero no todo es simple. Para desarrollar tales soluciones y que sean aplicables, topamos de nuevo con los problemas de estandarización, prácticamente inexistente aún en el campo de los dispositivos conectados, así como con los de interoperabilidad entre ellos. Ante la gran avalancha de protocolos y sistemas de comunicación, así como la heterogénea morfología de sensores y su rápido crecimiento se nos plantea un gran problema de compatibilidad que debe ser solucionado.

Y no es un problema puntual. A lo largo de los próximos años, descubriremos para nuestras amigas, las farolas, nuevas funciones que quizás ahora ni soñamos. Estas probablemente requerirán de la instalación de un nuevo sensor, de la actualización de uno antiguo o de la substitución de un software por una versión más moderna. Si la ingeniería de hoy no se pone de acuerdo, podemos encontrarnos en un futuro con el problema de tener que substituir una luminaria completa, por falta de compatibilidad con la nueva.

El *Consorcio Zhaga*, en el sector de la iluminación, pretende estandarizar los diversos elementos de la industria *LED*, desde módulos de iluminación hasta soportes, pasando por las luminarias clásicas para, así, asegurar la compatibilidad futura del creciente número de soluciones y aplicaciones relacionadas con las nuevas tendencias en ciudades inteligentes. Muchas grandes empresas del sector, como *OSRAM*, *Phillips* o *Legrand* están siguiendo ya sus especificaciones.

Nueva especificación
ZHAGA Book18

"IoT en luminarias de alumbrado exterior"

Figura 5.56. El consorcio Zhaga contribuye a la estandarización en el mundo de la iluminación a través de especificaciones recogidas en sus Books.

La inteligencia *IoT* puede ser aplicada en muchos ámbitos para conseguir una ciudad más ecológica. En el campo de los suministros, pueden aplicarse criterios como los ya mencionados con anterioridad, pero pensados para la red de abastecimiento urbano.

La red de alcantarillado, las fuentes municipales, el riego de zonas verdes o las bocas de extinción de incendios pueden ser elementos a monitorizar con tecnologías *IoT* que permitan desplegar el mantenimiento predictivo, la regulación bajo demanda, la monitorización de depósitos o la predicción de consumo. Todo ello con la finalidad de conseguir una red de abastecimiento de aguas mucho más eficiente que, además, permita ahorrar a las arcas municipales.

Los mismos criterios podrían ser aplicados a cualquier red municipal. El gas para el caso de edificios municipales, pero también los depósitos estáticos de almacenamiento y distribución de combustible para el parque móvil urbano, por ejemplo.

Las empresas del sector industrial, fabricantes de todo tipo de grifería, bombas, contadores, etcétera, están realizando esfuerzos muy grandes para dotar de sensórica a todos sus productos y, de esta forma, deducir dónde hay una fuga o detectar la presencia de objetos extraños en la red. Aún con este esfuerzo, se esperan muchos más avances que permitan optimizar inversiones, consumo y mantenimiento. Uno de estos esfuerzos se centra en el desarrollo de las *tuberías inteligentes*. Si bien muchas soluciones hablan de ello, la mayoría se centran en el uso de sensores que detectan el flujo de un líquido o gas que pasa a través de ellos para interpretar, si las lecturas son irregulares, la existencia de una fuga en el sistema. Conseguir que una tubería sea inteligente, y no los sensores colocados en sus extremos, es un reto importante que no solamente beneficiaría a las ciudades; a los domicilios de sus habitantes también y, muy probablemente, a las aseguradoras que destinan millones a reparar daños colaterales debidos a las fugas de agua en las comunidades de vecinos.

En una ciudad inteligente que tenga voluntad de ser verde, deben tenerse en cuenta muchos más elementos que contribuyen al bienestar de sus ciudadanos y a la salud medioambiental. Tales elementos pueden ser, sin limitarse a ellos, sistemas de medición de la calidad y polución del aire, calidad y contaminación de las aguas de la red pública, o de un río o del mar, si la ciudad dispone de ellos…

En cuanto a medición de la contaminación del aire, por ejemplo, muchas grandes ciudades basan la regulación del tráfico en la activación de planes de restricción de la circulación, cuando se detectan niveles altos en las lecturas de sus redes de vigilancia medioambiental. Dichas redes analizan diversos componentes como pueden ser el ozono, dióxido de nitrógeno, dióxido de azufre y monóxido de carbono, aparte de las partículas en suspensión, conocidas como *PM10* (*Particulate*

Matter), elementos de un máximo de 10 micras (milésima parte de un metro), entre los que se encuentran hollín, polen, cemento, arsénico, plomo, altamente perjudiciales para la salud.

Los niveles altos de contaminación provocan la activación de planes municipales de acción que incluyen, por ejemplo, la restricción del tráfico en ciertas zonas de la ciudad, o su regulación en base a criterios como matrículas pares e impares, por ejemplo, o la categoría del vehículo en base a su distintivo ambiental.

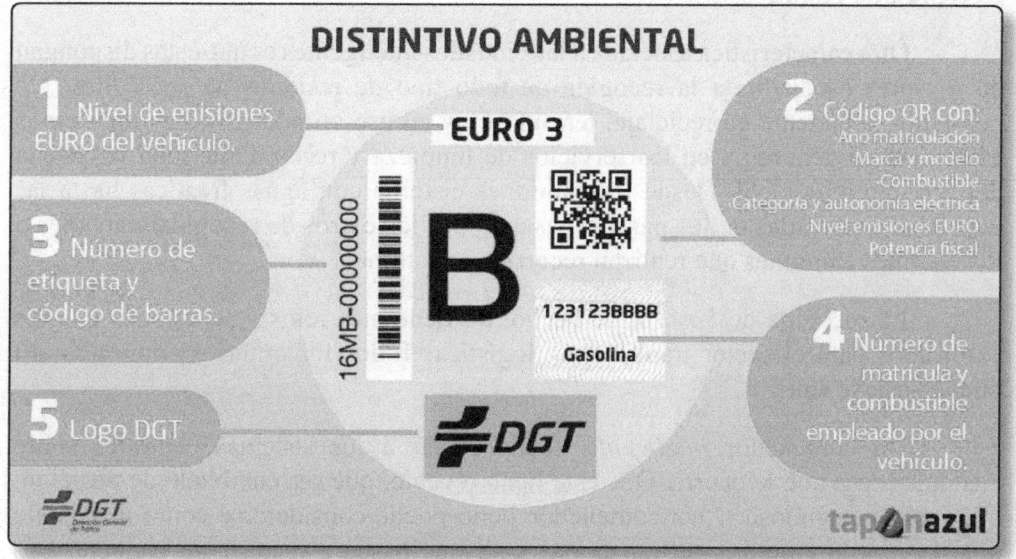

Figura 5.57. Distintivo ambiental de la Dirección General de Tráfico.

Este distintivo permite circular a los vehículos menos contaminantes, mientras que restringe la circulación a los demás. Además, con la clasificación según el impacto en el medio ambiente, pueden activarse otras medidas como el ahorro fiscal para sus propietarios, por ejemplo, mientras se beneficia al entorno.

IoT ofrece también soluciones para medir la calidad y los niveles de contaminación de las aguas urbanas. No solamente estamos hablando del agua para el consumo humano, existen también sensores dedicados a monitorizar el agua de los ríos, que permiten detectar niveles de productos tóxicos en ellos, que pueden provenir de fugas accidentales o de vertidos industriales incontrolados. Lo mismo ocurre con el agua del mar. Ciertos sensores pueden detectar la presencia de este tipo de vertidos en él.

Otro tipo de contaminación que puede convertirse en un problema es la contaminación acústica de las ciudades. Mediante la instalación de sensores de ruido (medidores de *decibelios* básicamente), los gobiernos municipales pueden hacerse una idea muy clara sobre el mapa de qué zonas de la ciudad son más ruidosas, a qué niveles y en qué franjas horarias. Así, pueden tomarse decisiones como por ejemplo los horarios de abertura de locales nocturnos, o la instalación de amortiguadores de sonido en las calles más transitadas.

Recogida de residuos

Otra característica asociada a las ciudades inteligentes es que estas dispongan de sensores asociados a la recogida de todo tipo de residuos de sus calles. No pensemos solamente en reciclaje, término muy en uso en nuestros días. Pensemos en *basura* en general, y en los servicios de limpieza y recogida de toda la cadena del servicio municipal. Desde los camiones cisterna con aguas freáticas hasta las papeleras enclavadas en los paseos, pasando por los carros de recogida manuales o los enormes camiones que realizan recorridos nocturnos.

La recogida de *basura*, de hecho, no tiene más retos y soluciones que los explicados para el sector transporte y logística. Todos los criterios expuestos allí pueden usarse aquí.

Un contenedor *inteligente* puede avisar a los sistemas centrales sobre cualquier cosa que le ocurra. Que esté lleno o vacío, que sea cambiado de posición, que está quemándose... Un contenedor lleno puede considerarse como un cliente que llama a la empresa de transportes para que pasen a recoger un paquete. Los camiones de recogida acudirán o no en función del estado del contenedor, adaptando por lo tanto su ruta a la demanda de éstos. Así se ahorra tiempo y las rutas son más eficientes, reconfigurándose de forma constante a lo largo del tiempo.

Igualmente, las papeleras pueden avisar sobre su estado y pedir que los carros individuales acudan a vaciarlas. Los camiones-depósito de aguas de limpieza pueden ser llamados por sensores del pavimento acerca de vertidos peligrosos o, porque no, cámaras instaladas en las farolas pueden realizar el mismo cometido.

Además, una vez entregados los residuos en su destino final, pueden empezar ahí los procesos de separación y reciclaje de materias, con criterios *IoT* explicados en la sección dedicada al sector industrial como, por ejemplo, visores de inteligencia artificial que reconozcan el tipo de residuo y lo separen.

Actualmente, en muchos puntos de nuestra geografía, están poniéndose en marcha iniciativas de recogida selectiva (llamada también *puerta a puerta*). El sistema está creando cierto malestar entre los vecinos, dado que corre la voz de que los contenedores disponen de un *chip* que detecta el tipo de residuo que contienen y pueden imponer una sanción a sus dueños.

Esto no es así. Quizás en un futuro lo sea, pero por ahora nada más lejos de la realidad. Aunque es cierto que los contenedores están identificados con un código *QR*, la función de estos es asociarlos con una dirección física del municipio. En primer lugar por si se extravían o roban y, en segundo, para que un *educador municipal* pueda ayudar a las personas que hacen un uso incorrecto de su función. En este momento el contenedor no se conecta ni monitoriza nada, ni tan solo informa de su ubicación ni estado.

Quién sabe si en un futuro la recogida de basuras encontrará un nuevo modelo, gracias a la transformación digital, y tendremos que reescribir sus utilidades, más allá de la recogida de residuos. Hoy en día, los consistorios también tienen que pensar en la privacidad de las personas y, algunas cosas como la basura, dicen mucho de los ciudadanos como para ponerse a analizarlas.

Por ahora, diversos proyectos *IoT* están entrando en el mundo de los residuos, ya sea con contenedores que simplemente avisan si están llenos, o con otros más evolucionados que ayudan a reciclar e incorporan lectores de tarjeta y pantallas táctiles.

Figura 5.58. Presentación de contenedores inteligentes, en la comarca del Bages, con lectores de tarjeta para ser usados.

Protección civil

En el ámbito de la protección civil, *IoT* ofrece también muchas soluciones, que van desde la predicción y prevención hasta la cooperación en momentos de crisis. Los incendios forestales, por ejemplo, no representan solamente un peligro para los bosques. En muchas ocasiones, poblaciones y ciudades están pegadas a ellos, con el potencial riesgo que esto supone. Ya hemos visto que en la prevención de incendios, algunas tecnologías *IoT* pueden ser muy efectivas. Pero... ¿cómo pueden ayudar tras la detección de un incendio?

De innumerables formas. En principio, los sensores de temperatura, humedad y CO_2, entre otros, detectarían la presencia de un incendio forestal y avisarían a las autoridades de ello. Estas pondrían en marcha el plan de emergencias de protección civil. Anemómetros conectados enviarían lecturas de velocidad y dirección del viento para establecer una previsión del avance de las llamas, mientras drones equipados con cámaras térmicas despegarían en su dirección.

Sobre un mapa, generado por un sistema de información geográfica (*GIS*), se mostraría, en tiempo real, el alcance del incendio, las hectáreas quemadas, la dirección de avance y demás datos que permitirían a las autoridades al mando tomar las decisiones más adecuadas acerca de la evacuación de la población, si es necesario.

En la ciudad, los detectores de PM10 reconfigurarían las señales de tráfico para guiar a los habitantes a ubicaciones más seguras, cortando la circulación donde fuera necesario en coordinación con el centro de mando, que marcaría las rutas de evacuación disponibles.

Sistemas como el descrito van a ser muy habituales en nuestras ciudades del futuro más inmediato. De hecho, existen ya muchas implementaciones parecidas que permiten la coordinación de los distintos actores implicados, reduciendo en buena parte los riesgos asociados a las situaciones de emergencia. Estas implementaciones nacen de planes directores y proyectos desarrollados por pueblos, ciudades y comarcas que, preocupados ante posibles situaciones de crisis, buscan soluciones prácticas y efectivas ante ellas.

A nivel internacional, existen todo tipo de organizaciones cuya intención es ayudar a las ciudades a ser más *resilientes* (es decir, a saber recuperarse ante circunstancias de crisis), proponiendo y colaborando en la puesta en marcha de diversos tipos de proyectos que ayuden a ello. Un ejemplo americano es el movimiento *100 Resilient cities*, creado por la *Fundación Rockefeller* que ayuda a las ciudades a estar preparadas y reaccionar ante todo tipo de incidentes, tanto naturales (terremotos o inundaciones), como sociales (altos índices de desempleo o transporte público ineficiente).

En España también existen estos tipos de actividad. Un ejemplo lo encontramos en la comarca de **La Garrotxa (Girona)**, donde el *Consorcio Sigma* ha desarrollado el proyecto *Resiliència* con el objetivo de disponer de unos servicios básicos que sepan responder a las situaciones descritas proponiendo actuaciones concretas para garantizar la continuidad y seguridad de los servicios en escenarios de riesgo y emergencia.

Una de estas actuaciones se ha traducido en la instalación de sensores de temperatura, humedad, CO_2 y CO en los bosques de la comarca, así como sensores de ultrasonidos para la detección de flujos de agua para la prevención de inundaciones y crecidas inesperadas del caudal de los ríos. Aparte, también han sido instalados sensores de polución en distintas ubicaciones.

Figura 5.59. Vista aérea de un volcán extinto, en la Zona volcánica de La Garrotxa (Girona).

Esto son solamente ejemplos sobre cómo puede ayudar la tecnología que nos ocupa ante emergencias civiles. En los próximos años veremos florecer montones de nuevas soluciones que vendrán a redundar en nuestra seguridad y bienestar, apoyadas en las tecnologías de *Internet de las cosas*. Fenómenos como *tsunamis*, *terremotos* y *huracanes* no serán erradicados de nuestras vidas, pero podremos acceder a un nivel de predicción y prevención muy superior al que hemos tenido hasta ahora.

Nota

Hemos hablado de distintos aspectos que afectan a la gestión de las ciudades desde el punto de vista *Smart*. Existen muchos más, pero los mencionados lo han sido porqué ya representan una actividad normal en el día a día de las ciudades, algo que ya podemos palpar en ellas.

Barcelona como ejemplo de ciudad inteligente

En una encuesta realizada por *SmartCitiesWorld*, en colaboración con *Phillips Lighting*, donde se buscaba entender e identificar las actitudes y percepciones clave alrededor de la implementación de infraestructuras para ciudades inteligentes, se realizó un *ranquing* de las tres mejores *smart cities* del mundo. **Barcelona** fue una de ellas, quedando en tercer lugar.

Entre otros motivos, la ciudad fue ganadora por tener la voluntad de aceptar y promover los cambios asociados a las ciudades inteligentes, y hacerlo además con entusiasmo.

En un plano más tangible, muchas iniciativas han conseguido que hoy en día Barcelona sea la primera capital europea en innovación y se vea desde el exterior como una ciudad ideal para vivir o trabajar. Comentemos algunas, teniendo en mente que para que una ciudad sea *Smart* no necesariamente todo debe tener relación con la tecnología:

▶ La creación de la actual *Red ortogonal de bus* ha mejorado de forma notable el transporte público en la ciudad, reduciendo los tiempos medios de viaje e instalando más intercambiadores con otros sistemas de transporte público, así como carriles *bus* y preferencia semafórica, junto con accesibilidad adaptada a personas con movilidad reducida. También se han instalado pantallas interactivas que facilitan información acerca del transporte y permiten la descarga de aplicaciones desde ellas.

▶ La implementación del *Bicing* en toda la ciudad, a nivel municipal, y la autorización a otras operadoras, tanto del mundo de la bicicleta como del vehículo o la motocicleta compartida, han permitido el inicio de un cambio de mentalidad en los ciudadanos y el poder pensar en opciones como la movilidad como servicio *MaaS*, explicada anteriormente .

▶ La instalación de soluciones de aparcamiento inteligente, tanto en el ámbito público como en el privado, están colaborando en los planes futuros de pacificación del tráfico. También se están instalando sistemas de semáforos inteligentes.

▶ Se aplican acciones para el reciclaje de residuos y el uso de contenedores y sistemas de recogida inteligentes.

▶ La ciudad realiza una gran apuesta por el uso de sistemas de energía sostenible e incorpora, en sus recursos propios, vehículos eléctricos de servicio público. Además, para los ciudadanos, existen algunos puntos de recarga gratuitos.

▶ Existe una gran red de sensores de todo tipo esparcidos por la ciudad, que alimentan los centros de control de diversa índole y que, además, son consultables de forma pública.

▶ El Ayuntamiento de la ciudad facilita sus trámites por vía telemática y ofrece conexión libre a internet en todo su término municipal.

▶ Barcelona dispone de un proyecto estratégico relacionado con la innovación, en el distrito 22@, desde donde se impulsan sectores tecnológicos y proyectos como el de las *Smart cities*, convirtiendo así la ciudad en un polo de atracción de nuevas inversiones que provienen de grandes empresas del sector *TIC*.

▶ La ciudad es capital mundial del móvil, hospedando el *Mobile World Congress*, entre otros grandes eventos de nivel internacional como son el *Smart City Expo World Congress* y el *Internet of things Solutions World Congress*.

Como vemos, la suma de ciertas iniciativas en diversos ámbitos es la que convierte una ciudad en inteligente. Observemos que los puntos anteriores cumplen con las premisas para que esto ocurra: existe sostenibilidad para las necesidades de instituciones, empresas y habitantes y existe tanto a nivel económico como en los niveles operacionales, sociales y ambientales.

Como última curiosidad, antes de cerrar este apartado, veamos un proyecto muy interesante llamado *Sentilo*. Se trata de una plataforma de sensores y actuadores de código abierto, que permite ser instalada y usada en muchas ciudades. Barcelona la desplegó y, ahora, pueden consultarse en línea los diversos sensores repartidos por la ciudad. No solamente eso, sino que puede usarse la interfaz de aplicación para programadores (*API*) para leer los valores de los dispositivos desde cualquier aplicación externa, desarrollada por nosotros, o desde plataformas en la nube donde añadamos el sensor deseado, de los disponibles en la ciudad.

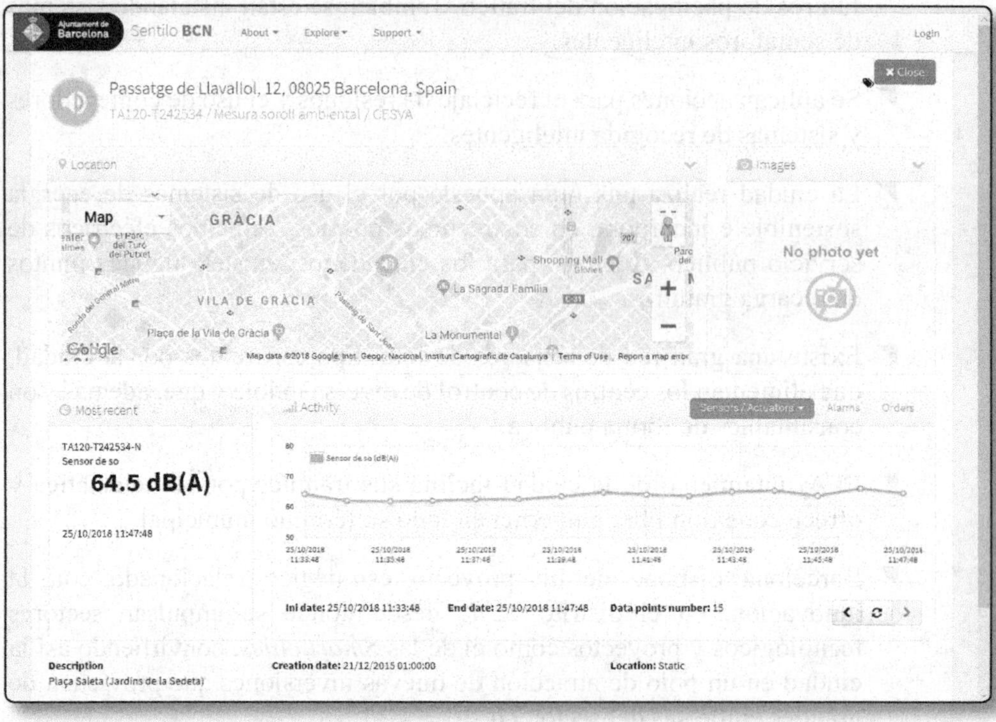

Figura 5.60. Captura de la actividad de un sensor de ruido, instalado cerca de la Sagrada Família, en Barcelona, gracias al proyecto Sentilo.

5.3 CAMBIOS EN EL COMPORTAMIENTO HUMANO Y EN NUESTRO HÁBITAT

Hemos hablado hasta el momento sobre cómo el uso de tecnologías *IoT* está cambiando los entornos empresariales y las administraciones públicas. Si bien estos cambios nos afectan como personas, intentémoslo ver ahora desde un plano más humano, desde el otro lado de la historia. Es obvio que la mejora de la productividad y la eficiencia repercute positivamente en las cuentas empresariales y en las arcas públicas, pero lo bueno es que no solamente lo hace en ellas, ya que su aplicación puede beneficiar también a las personas individualmente, a las sociedades y al medio ambiente en general.

5.3.1 Nuevos hábitos

El ámbito doméstico será el último eslabón en la implementación de este tipo de tecnologías, cuando los demás ya lo hayan hecho. Aun así, vemos ya en el mercado aplicaciones de todo tipo pensadas para irrumpir en nuestros hogares, y hacerlo pronto. Se ha abierto una nueva etapa para el control y la supervisión del hogar, conocida anteriormente como *domótica*, en la que predominarán los dispositivos conectados entre ellos y con los propietarios, pero también con todo tipo de servicios externos, que son los que dotarán de *inteligencia* al sistema.

Pensemos, por ejemplo, en un sistema de calefacción con control remoto que el usuario puede activar y regular desde su teléfono móvil o PC de sobremesa. Ello no supone ninguna novedad y, de hecho, hace muchos años que estos dispositivos están funcionando. Ahora bien, más allá de la comodidad, pocas ventajas más podemos mencionar de tal utilidad. Le falta *inteligencia*, en el sentido de poder decidir, sin consultar los deseos del usuario, acerca de qué temperatura seleccionar, por ejemplo. En este tipo de posibilidades reside la potencia de *Internet de las cosas*. Nuestro sistema de calefacción debería poder analizar nuestro estilo de vida, horarios y hábitos, nuestra forma de vestir e incluso de alimentarnos y, con este perfil como usuarios, conectarse a un sistema de predicción meteorológica para disponer de todos los datos posibles que le lleven a la decisión final. Qué temperatura seleccionar, en que habitaciones, con qué antelación y hasta qué momento.

Esto no es ciencia ficción. Unas cuantas secciones atrás hablábamos de la compra por parte de **Google** de la empresa **Nest Labs** (fabricante de termostatos para el hogar, entre otros dispositivos) como parte de su estrategia empresarial. Algunos de sus productos, como el **Nest Learning Thermostat** empiezan a incorporar alguna de las utilidades descritas, que permiten un ahorro de energía más inteligente.

De igual forma, las personas tenemos la oportunidad de colaborar en el ahorro de energía y, por consiguiente, en beneficiar al medio ambiente. El ejemplo de los contadores eléctricos instalados durante estos últimos años por parte de las compañías eléctricas es una muestra de ello. Si bien ya comentamos las ventajas para las empresas de distribución, para los usuarios también se reservan algunas. Con tales dispositivos pueden ajustarse las pautas de consumo del cliente, ya que se consigue registrar su perfil horario con lo que este puede adaptar el uso de los electrodomésticos a las horas de menor coste, generando así ahorro. Este control se realiza de forma remota, desde un PC o un dispositivo móvil, pudiendo además ver un histórico de consumo o prever el importe de la próxima factura, con lo que se genera más estabilidad en la economía doméstica. Además, el sistema informa en todo momento de los precios vigentes en el mercado.

Las personas incorporamos tecnología a nuestras vidas prácticamente sin darnos cuenta de que lo es. Nadie se pregunta, cuando conduce un vehículo o usa un teléfono móvil, qué hay detrás de todo ello. Y de hecho, eso es lo importante para saber que un avance tecnológico ha llegado para quedarse.

Cuando un cambio de modelo arraiga en una sociedad, la vuelta atrás ya no es posible. Existen numerosos ejemplos de ello, probablemente ya descritos con anterioridad, que han modificado particularidades de nuestro día a día, adaptándolas a las nuevas posibilidades. Algunos nos afectan de forma puntual, como por ejemplo el pago de impuestos en línea o la visualización de películas en plataformas de *streaming* como *Netflix* o *HBO*, pero otros lo hacen globalmente, como sería el cambio de modelo de compra de bienes al de pago por su uso o el cambio del comercio clásico por el electrónico.

Casi nadie entiende ya a las personas que se dirigen a las agencias de viajes para planear unas vacaciones. Ahora se planean ante una pantalla y todas las gestiones se realizan electrónicamente, desde Internet. Para entrar en un espectáculo cualquiera, enseñamos la pantalla de un teléfono móvil porque compramos la entrada con anterioridad. De igual forma, pagamos una cena acercándonos al terminal de pago, sin necesidad de firmar ningún recibo.

Las pantallas táctiles han cambiado para siempre el uso de nuestros dedos, ya que han nacido gestos concretos que nos permiten usarlas, que antes carecían de sentido alguno.

Fabricantes de ropa incorporan en sus tejidos elementos para que podamos usarlos a modo de interfaz con nuestros dispositivos móviles. Pagamos el parquímetro a distancia y a nadie le extraña escuchar a alguien pedir la clave *wifi* junto con su café. Somos parte activa en la vida de los negocios en los que consumimos, puesto que nos hemos convertido en prescriptores o críticos de sus servicios gracias a *Apps* de todo tipo, con las que también pedimos un taxi, alquilamos un apartamento o, porque no, intercambiamos nuestra casa con otros que piensen como nosotros gracias a servicios como *GuesttoGuest*.

Figura 5.61. El proyecto Jacquard, fruto de la colaboración entre Levi's y Google, permite usar una cazadora tejana como interfaz con nuestro móvil.

Las grandes empresas del comercio electrónico, como *Amazon*, también intentan facilitarnos el proceso de compra a través de gestos tan simples e inocentes como pulsar un botón, con la finalidad de generar una nueva pauta de comportamiento humano en el proceso de compra de artículos de primera necesidad o de compra repetitiva.

Su proyecto, *Dash Button*, proporciona al usuario un pequeño botón que puede pegarse en cualquier lugar y que, con una sola pulsación, realiza todo el proceso de compra en línea del artículo deseado.

Figura 5.62. Amazon Dash button, el botón de compra automática de Amazon.

En este caso, el dispositivo tiene capacidades de comunicación inalámbrica con el *router* de acceso a Internet del domicilio, que a su vez conecta con los servicios de **Amazon** donde se cierra el proceso de venta y se envía el producto al usuario.

Otros proyectos, igual que en el caso de la ropa de **Levi's** y **Google** y del botón de **Amazon**, intentan aprovechar las habilidades de nuestro cuerpo para incorporar en él todo tipo de dispositivos y chips que permitan interactuar, de forma consciente, con otros dispositivos. No se trata solamente de emitir información como en el caso de los *wearables* o el casco inteligente, se trata de usar nuestras extremidades o aprovechar gestos para interactuar con los sistemas, tal y como lo haría un ratón o una pantalla táctil. Es el caso de *Skinmarks*, proyecto de la universidad alemana de **Saarland** que, con la ayuda de **Google**, ha desarrollado un tatuaje al más puro estilo *calcomanía desechable* que permite a sus portadores interactuar con dispositivos como teléfonos, tablets o el televisor y así, acariciando el dedo índice, conseguir resultados como subir el volumen del televisor.

Otro elemento tecnológico que ha cambiado nuestras vidas es el *GPS*. Como hemos visto a lo largo de todas las páginas, los servicios de telemetría basados en la ubicación de los dispositivos han sido la base del desarrollo de muchas nuevas utilidades, principalmente en el campo de *Internet de las cosas*. Raro es el automóvil que no incluya, de una forma u otra, un sistema *GPS* que permite al usuario conocer su ubicación y, lo más importante, diseñar la ruta a su destino. En muchos casos, el mismo dispositivo permite localizar al vehículo en caso de robo o, simplemente, con finalidades de trazabilidad de ruta remota.

Mucha gente ha abandonado el antiguo hábito de consultar mapas en papel o, simplemente, preguntar a la gente de la zona. Confían ciegamente en los consejos de su *navegador*, siguiendo sus indicaciones de forma precisa.

Estos artilugios no siempre han sido tan útiles como ahora. Las primeras aproximaciones a lo que ahora conocemos ofrecían aparatosos accesorios que se colocaban con ventosas en el cristal del coche y, por lo tanto, no estaban integrados en él. El mayor problema que tenían es la obsolescencia de sus mapas, puesto que no existían los sistemas de actualización dinámica tal y como los conocemos ahora. El usuario, en el mejor de los casos, debía encargarse de conectar el aparato a un PC y a *Internet* para obtener las últimas actualizaciones cartográficas. Muchos de ellos no lo hacían, por desconocimiento técnico o desidia, motivo por el cual se terminaba poseyendo un sistema que muchas veces indicaba rutas erróneas o inexistentes.

La llegada de la conectividad móvil mejoró mucho el servicio. En ese momento, los navegadores se conectaban por su cuenta y recibían actualizaciones de *software*, pero también los mapas más recientes, con lo que se mejoraba mucho la experiencia del usuario.

Entonces, los fabricantes de vehículos se dieron cuenta de que la integración de sistemas de navegación en los cuadros de mando era ya un hecho inevitable, y empezaron a aparecer sistemas propietarios (que los hacían incompatibles con otras marcas y servicios) que añadían la potencia del *GPS* a las prestaciones habituales de todo automóvil. En algunas versiones, éstos se conectaban por radio a los servicios de información de tráfico del país, mostrando retenciones, accidentes y demás incidencias de las vías.

Ahora, hemos hecho algún paso más. Muchos fabricantes han entendido la importancia de los *smartphones* y han sabido integrarlos en sus productos. Un teléfono móvil tiene muchas ventajas, si lo comparamos con la tecnología cerrada y propietaria de los fabricantes de coches. Dispone de conexión continua, tiene un sistema operativo que se actualiza de forma constante y automática y, además, incorpora un sistema *GPS* que, aparte de recibir datos sobre su ubicación, es capaz de informar continuamente y de forma anónima acerca de su propia localización. Es decir, de forma bidireccional. Así pues, ¿por qué no aprovechar estas características?

La respuesta a la pregunta anterior es que muchos automóviles incorporan ya tecnologías que permiten que el usuario proyecte la pantalla de su móvil en la de su vehículo. Así, tanto la potencia de geo-posicionamiento y conectividad como las versiones más recientes de los mapas incluidos en el teléfono se aprovechan en la conducción, creando así un conjunto mucho más eficiente y útil para quien está al volante. Al permitir la proyección de la pantalla, el usuario puede acceder a otras aplicaciones del móvil, como por ejemplo *Youtube* u otros sistemas de entretenimiento.

Figura 5.63. Android Auto, una de las utilidades que permiten integrar nuestro móvil en un vehículo.

A priori, puede parecernos que estas utilidades tienen poco que ver con *Internet de las cosas*, pero no es así. Debemos tener en cuenta una frase escrita en los párrafos anteriores, en relación al *GPS*, e insertada con total intencionalidad: *"...es capaz de informar continuamente y de forma anónima acerca de su propia localización..."*. Si nos paramos a analizarla, veremos que incluye claramente la capacidad de *enviar información* del propio dispositivo, hecho que por definición hace referencia a *IoT*.

Pero... ¿de qué sirve que nuestro sistema envíe actualizaciones periódicas sobre su posición? El ejemplo más claro viene de la mano de **Google**, una vez más. Su aplicación *Google Maps* es, con diferencia, la más usada a nivel internacional. A finales de 2018, contaba con aproximadamente 160 millones de usuarios únicos. Su competidora más cercana, *Waze*, se situó en los casi 26 millones.

Los usuarios de *Google Maps* nos sorprendemos cada vez que comprobamos la exactitud con la que se indica un accidente o una retención de tráfico o la previsión del tiempo de llegada al destino calculada en base a ello. Pues no es magia, ni ningún complicado sistema tecnológico. *Google* aprovecha, simplemente, los millones de mensajes que sus dispositivos *Android* envían cuando están encendidos. De esta forma, la empresa recopila los datos para crear históricos de tráfico y patrones horarios, dándose cuenta gracias a ello de situaciones anormales como retenciones o accidentes puntuales. Observemos pues, que los millones de dispositivos conectados enviando información telemétrica han contribuido a la creación de un servicio de gran utilidad, que pocos dejan de usar una vez lo han probado. Con anterioridad a ello, la única posibilidad de acceder a información parecida, aunque no tan fiable, era *comprarla* a las empresas o instituciones que tenían desplegados sistemas de radar en las carreteras, como agencias de transporte o empresas públicas.

En el ámbito turístico, nuestra forma de viajar también ha cambiado gracias a las tecnologías. Más allá del cambio de comportamiento de los consumidores del sector turismo, que ahora se dirigen a Internet en lugar de presentarse en una agencia de viajes, o usan gafas de realidad virtual para explorar su próximo destino, existen muchos servicios que *IoT* ofrece a los viajeros para mejorar su experiencia global.

Ya desde el momento de la salida de nuestro domicilio, los sistemas conectados pueden avisarnos acerca del retraso de un avión o de problemas de tráfico en la carretera, ofreciéndonos rutas alternativas en relación a nuestra ubicación. Soluciones de equipaje conectado permiten que siempre lo tengamos localizado, además de facilitar el trabajo a las compañías aéreas. Al aterrizar en nuestro destino, podemos usar aplicaciones móviles para ver qué servicio de transporte nos queda más cerca. A nuestra llegada, ya sea a un apartamento o a un hotel, nuestro teléfono se conectará de forma discreta a la red informática y nos informará acerca de la disponibilidad de la habitación y los servicios contratados. Si aún no está lista, pueden ofrecernos un servicio de bar de bienvenida o, simplemente, invitarnos a esperar en una sala donde la misma aplicación va a conducirnos. Desde esta, también, podremos abrir y cerrar las puertas de la habitación, así como regular la climatización y seleccionar, a la carta, lo que deseamos ver en el televisor. La ventaja de todo ello es que el sistema puede recordar nuestros deseos para reproducirlos, en otras ocasiones, si accedemos a otros hoteles de la misma cadena. O quizás, en un futuro, cualquier hotel reconozca nuestro perfil turístico y se adapte a él.

La verdad es que el sector turístico está haciendo grandes esfuerzos para aprovechar la tecnología *IoT* en beneficio del servicio hacia sus clientes. Saber dónde se encuentran los carros de la limpieza para que no entorpezcan las actividades de los huéspedes o reconocer la posición de las bandejas de comida para deducir si ya se ha cenado o no son pequeños ejemplos de su potencial en el sector. Este se encuentra en plena fase de transformación. Hasta el momento, los servicios que se encuentran ya en funcionamiento en grandes cadenas hoteleras incluyen utilidades que permiten interactuar con las funciones básicas del hotel.

Una experiencia turística asociada al uso de un dispositivo *IoT* es la *Magic Band*, de **Disney**. Se trata de una pulsera que se asocia al usuario en el momento de realizar la compra de las opciones lúdicas de sus parques. Gracias a ello, los lectores diseminados por el complejo son capaces de detectar su presencia y actuar en relación a las opciones contratadas. Así, con ella se consigue abrir la puerta de la habitación del hotel, acceder rápidamente a atracciones o realizar compras sin necesidad de nada más. Como valor añadido, y pensando en los más pequeños, con la pulsera puede accederse también a sorpresas personalizadas a lo largo de la estancia en el parque.

Figura 5.64. La Magic Band de Disney, un dispositivo IoT para personalizar las estancias en sus complejos.

Ya hablamos, en su momento, del sector salud y las ventajas que *Internet de las cosas* puede ofrecer en este ámbito. Desde el punto de vista del usuario, puede ayudar al cambio de hábitos, tornándole más saludable en campos como el deporte o la dieta o, simplemente, monitorizando sus constantes vitales. Que los usuarios acepten el uso de tecnología para visitarse a distancia es en algo en lo que se está trabajando y que presumiblemente llegará con la democratización de la conectividad de alta velocidad, bajos tiempos de espera (latencia) y gran fiabilidad.

Por ahora, los dispositivos de monitorización de personas mayores o de bebés, en el ámbito de la salud, son los que más entrada han tenido en nuestros hogares.

En lo personal, los *wearables* del tipo pulsera o reloj también ayudan a tener localizados a nuestros seres queridos. Personas mayores, pero también niños y mascotas usan, cada vez más, dispositivos de geo-localización para facilitar el ser encontrados, en caso de pérdida o de rapto. De igual modo, deportistas de todo tipo usan estos artefactos a modo de baliza de seguridad, para facilitar su rescate en caso de emergencia. Gestos tan simples como el envío de la ubicación mediante un *WhatsApp* a nuestros familiares, cuando paseamos, o andamos buscando setas por el bosque, han ahorrado más de un susto, o tragedia, a muchas familias.

IoT está entrando, de forma tímida pero imparable, en el ámbito de lo privado, ayudando en un montón de tareas domésticas. No solamente facilitando el proceso de compras básicas, como en el ejemplo del *Dash Button*, sino cuidando de nuestro hogar, y de nosotros, en todo momento.

Algunos termostatos son ya capaces de comunicarse con otros electrodomésticos de la casa, para apagarlos en caso de ser necesario (debido a un olvido o emergencia). Diversos sistemas de detección velan por las fugas de agua, gas, inundaciones o cortes de corriente, así como de entradas no autorizadas o de roturas de cristales, avisándonos a nosotros y a los servicios de emergencias, si es necesario, y cortando los suministros en los casos que sea imprescindible.

La primera ola de electrodomésticos conectados ya está llegando a las tiendas de la mano de fabricantes como **Siemens** o **Bosch**. Gracias a su tecnología, los usuarios podremos echar un vistazo a la nevera, textualmente, para ver qué tenemos en ella mientras compramos. Podemos adaptar su temperatura a nuestro gusto, situarla en modo ahorro si vamos de vacaciones o recibir un aviso si nos hemos dejado la puerta abierta.

Igualmente, podemos interactuar con elementos como el horno o las placas de la cocina, consultando si están encendidos o apagados y cambiando su estado cuando lo necesitemos. Aparte de la seguridad, esta utilidad permite dejar la comida en el interior del horno, por ejemplo, y ponerlo en marcha remotamente cuando preveamos que falta poco para llegar a casa.

No olvidemos las prestaciones de ahorro energético. Este tipo de electrodomésticos disponen de la capacidad de sincronizarse con gestores de energía (como las aplicaciones explicadas cuando hablamos de los contadores eléctricos inteligentes), para ponerse en marcha cuando la tarifa sea más económica. Interesante aplicación para los lavavajillas, por ejemplo. Hablando de estos últimos, algunos modelos disponen de contadores de pastillas para que, cuando estén cerca de agotarse, nos envíen un mensaje al móvil.

Las aplicaciones futuras, según los expertos, incluirán la toma de decisiones acerca de la compra automática de consumibles (como las pastillas para lavavajillas que acabamos de comentar) o de los productos que deseemos, que pedirá la propia nevera, cuando detecte un *stock* mínimo. Veremos lavadoras de ropa o secadoras que leerán las etiquetas para decidir qué programa activar o cafeteras a las que pediremos el café desde la cama, o nos lo prepararán al gusto y personalizado por el solo hecho de acercarnos a ellas.

Además, los electrodomésticos conectados permiten opciones como activar a distancia la seguridad para niños, comprar accesorios en línea o permitir que el servicio técnico acceda a ellos de forma remota, cosa que ahorra más de un susto en la factura, por culpa de los desplazamientos. También se integran con los ahora famosos *asistentes virtuales*, como *Alexa* en el caso de **Amazon** o *Assistant* en el de **Google**. El concepto es muy simple. Al más puro estilo de *Siri* en **Apple** o *Cortana* en **Microsoft**, estos asistentes no son solamente capaces de buscar información, sino que pueden interactuar con el mundo real, hablando simplemente con ellos: "*Alexa, pon en marcha el lavavajillas*". Tanto **Amazon** como **Google** ofrecen dos dispositivos físicos para interactuar con sus asistentes, en sustitución del móvil o PC, llamados *Amazon Echo* y *Google Home*.

Figura 5.65. Amazon Echo y Google Home Mini, asistentes virtuales que permiten el control de dispositivos IoT.

> **ⓘ Nota**
>
> Las posibilidades explicadas en el apartado de electrodomésticos conectados tienen como raíz **Home Connect** , un sistema creado por las grandes marcas de electrodomésticos que tiene como objetivo compatibilizarlos con otras marcas y permitir su control a distancia, entre otras opciones. Esta aplicación puede instalarse desde las tiendas de *Apps* de nuestro móvil para probar sus funcionalidades en modo demostración.

5.3.2 Empleo, educación y formación continua

Si la tecnología crea o destruye ocupación es una pregunta que genera apasionados debates y, por qué no, discusiones entre sus defensores y detractores. No pensemos solamente en la tecnología de hoy día, que también, sino en la tecnología en general, remontándonos como mínimo a los inicios de la primera revolución industrial, donde los obreros se organizaban para destruir y sabotear las primeras máquinas que asomaban por las fábricas.

Una respuesta exacta a tal pregunta no existe. Todos tenemos nuestra opinión formada, que seguro vamos a defender, pero debemos andar con cuidado con estos temas porque estamos hablando del puesto de trabajo de las personas, base del sustento de las familias y, por ello, se trata de un tema delicado que debe ser tratado con mucha sutileza y pedagogía.

Lo que sí está claro, y cualquier economista ratificará, es que en las últimas décadas se ha aumentado la productividad de los negocios en todo el planeta. El problema es que esta siempre iba a la par con el índice de ocupación de la población y, ya desde los primeros años del nuevo milenio, las líneas se han separado. La productividad ha continuado subiendo, mientras que la ocupación no lo ha hecho con el mismo ritmo.

Nos encontramos ante una curiosa paradoja: la tecnología crea ocupación y a la vez, la destruye. Podemos pensar, a modo de ejemplo, en la robótica y la inteligencia artificial, tecnologías que permiten la existencia de ciertos tipos de robots sustituyendo personas en sus puestos de trabajo. Vemos que ha existido ocupación para las personas que han creado las máquinas y desocupación para las que han sido sustituidas por ellas.

En este caso debemos pensar: ¿cuál es el balance final? A priori parece que, continuando con la tendencia, las máquinas desplazaran a las personas de forma inexorable. Aparentemente. Si escuchamos a especialistas de todas las partes interesadas, veremos que la cosa no es tan simple ni tan irremediable. Está muy claro que las máquinas desplazan a las personas en sus puestos de trabajo, pero prestemos atención: no solamente lo hacen en nuestra moderna era de las tecnologías de la información. Así pasó en las primeras fábricas, las máquinas desplazaron la mano de obra humana. También fue así en el campo, con la entrada de elementos tan a simple vista inofensivos como los tractores o los sistemas de riego automáticos.

Desde los tiempos más remotos, la automatización de procesos ha destruido ocupación aunque, por otro lado, ha creado de otro tipo. Podríamos decir que de más calidad o que implica trabajos menos duros para el ser humano. Porque de hecho, normalmente, las máquinas han sustituido a los humanos en las tareas más duras, peligrosas y repetitivas, permitiéndoles dedicarse a otras que requieran más de sus capacidades.

Pero continuamos pensando: ¿cómo queda el balance? A parte de éste, que puede ser positivo o negativo, debemos pensar en otro factor también muy importante: estamos hablando de personas que son desplazadas de sus puestos, y que a veces no pueden reincorporarse en el mundo laboral por diversos motivos. Entre ellos, la edad o la falta de formación específica.

Según el informe *The Future of Jobs Report 2018*, del *World Economic Forum* que se celebra anualmente en **Davos**, **Suiza**, los números son positivos y alentadores, con matices. Las nuevas tecnologías asociadas a la cuarta revolución industrial, que prefiero llamar revolución 4.0 ya que no solamente pienso que influya en la industria, crearan nuevos puestos de trabajo y mejorarán de forma muy notable la calidad y productividad de los existentes.

Los matices del informe hacen referencia a los puestos actuales, a las personas que ahora tienen trabajo y se sienten amenazadas ante la posibilidad de que las sustituyan por un sistema automático. Para estos casos, probablemente numerosos en los momentos de transición, el informe subraya que es crítico que las empresas tomen un papel activo en la reubicación de su personal, adaptándolo y mejorando sus perfiles y competencias para facilitar que acceda, dentro de la misma empresa, a puestos que aporten un mayor valor añadido.

Esta es su recomendación y la tendencia que en él se señala. Podemos pensar que tales propósitos son propuestas de buenas intenciones que se escriben para que queden bien sobre papel, pero que en realidad nadie las sigue. No es así. En cuanto investigas un poco, te das cuenta de algunas cosas muy sorprendentes como, por ejemplo, que la productividad de una empresa aumenta cuando sitúas robots a trabajar codo con codo con las personas, comparado con si los robots o las personas trabajan solos, por separado.

Es necesario conocer y disponer de muchos datos para formarse una opinión bien fundamentada. Aún no estamos en el punto donde los robots pueden realizar *cualquier trabajo*. A menudo, por fácil que nos parezca a los humanos, puede tornarse imposible para un robot retirar el envoltorio a un caramelo, por ejemplo. Partiendo de esta base, debemos pensar que si esto es así, también es cierto que un robot no puede hacer todo lo que hace un humano, motivo por el que aún no puede sustituirlo al 100%, sino que simplemente puede realizar algunas tareas que él hace. Otro factor a tener en cuenta es que quizás no sea justificable la inversión en un determinado tipo de robot, comparado con los costes de la tarea que tiene que realizar. Quizás nunca sea amortizable.

También podemos acceder a cifras, que muchas veces provienen de los mismos sindicatos, que evidencian claramente que la automatización de ciertos puestos de trabajo aumenta la productividad y no solamente mantiene la plantilla existente, sino que muchas veces la aumenta también, destinando a los trabajadores desplazados y a los nuevos a tareas más valoradas dentro de la misma empresa.

Puede verse en el informe de **Davos** que los avances tecnológicos se entienden como inclinaciones positivas que facilitarán el crecimiento de los negocios. Además, casi todos los elementos que pertenecen a la lista de tendencias y que, se afirma, impactarán de forma positiva en el crecimiento de los negocios son tecnológicos (inteligencia artificial, Big Data, cloud…), frente a las tendencias que afectarán negativamente, donde casi todo son elementos que tienen poco que ver con la tecnología (política, edad de la población, cambio climático…).

Un estudio distinto al del fórum económico lo encontramos en la consultora *Deloitte*, que basándose en el censo de Inglaterra y Gales, afirma que la tecnología ha creado más ocupación de la que ha destruido, entre 1871 y 2011. Aparte de describir diversos ejemplos a lo largo de los años, el estudio llega a la misma conclusión, que la tendencia actual nos lleva a ver que los trabajos se desplazan de la agricultura y la industria hacia otros que impulsan más la creatividad, los servicios a las personas, los pequeños comercios… Es decir, trabajos que están más en línea con las capacidades inherentes al ser humano, dejando el trabajo *pesado* a las máquinas que puedan hacerlo.

Un factor común de las fuentes consultadas, ya sean empresariales, técnicas o sindicales, es que todas coinciden en que lo más importante es la formación de las personas y en que es necesario realizar importantes reformas en el sector educativo y de la formación continua, en el mundo laboral y en el mundo de la colaboración público – privada, principalmente en temas como la formación en las empresas y la transferencia del conocimiento por parte de las universidades.

Una cifra interesante es la que se desprende del estudio de **Davos**: entre 2018 y 2022, como mínimo un 54% de la plantilla de las empresas necesitará formación de reciclaje, y un 35% lo requerirá en ciclos de un máximo de 12 meses de duración.

No se trata de una visión futurista, es una realidad que debe afrontarse lo más rápidamente posible ya que, si no lo hacemos, podemos agravar temas que nos afectan como sociedad: paro, trabajo precario, diferencias sociales, pobreza… Aunque es cierto que si revisamos la historia veremos que con cada avance tecnológico se ha producido un *shock* en el mercado laboral, también lo es que este ha sido temporal. Esta vez, con la potencialidad que tienen las nuevas tecnologías para *robar* puestos de trabajo, la sociedad tendrá que esforzarse para que esta temporalidad no devenga permanente.

En mi opinión, la tecnología crea ocupación, *y mucha*. Como hemos visto, esta ni se crea ni se destruye, sigue el principio de la materia: se transforma. La ocupación pasa de unos perfiles a otros dependiendo de la sociedad y de las tecnologías que en ella conviven. Solamente debemos preocuparnos para que, en esta transformación de la ocupación, nadie quede excluido.

5.3.3 Medio ambiente

Aunque quizás no nos hayamos dado cuenta, ya hemos hablado en muchas ocasiones sobre cómo las tecnologías asociadas a *Internet de las cosas* están colaborando en la preservación del medio ambiente. Casos como los drones para la replantación de árboles, los sensores térmicos y de CO_2 para la detección de incendios forestales, los edificios inteligentes con sistemas energéticos más eficientes o los medidores de calidad de aire para la regulación del tráfico son una muestra de ello.

También lo son algunos sistemas que ayudan al ser humano a ser menos despistado o perezoso. Se desperdicia energía por todas partes: nos olvidamos de apagar un sistema de calefacción o aire acondicionado cuando salimos de una sala o lo ponemos a toda potencia pensando que así será mejor, nos olvidamos una luz encendida toda la noche cuando vamos a dormir, llegamos a casa y alguien se olvidó de apagar el televisor, dejamos un grifo abierto mientras nos limpiamos los dientes o para que el agua salga a la temperatura deseada, activamos un lavaplatos o la secadora a media carga… En fin, la energía se despilfarra de forma consciente e inconsciente a cada segundo de nuestras vidas. A las acciones anteriores, atribuibles a la desidia o despiste de los humanos debemos sumar las situaciones fortuitas: roturas de cañerías indetectables, fugas energéticas o interruptores y termostatos que no cierran los circuitos.

Sea como sea, la mayoría de estas acciones pueden evitarse mediante el uso de sistemas *IoT*. Termostatos inteligentes para los casos de climatización, detectores de presencia para las luces y electrodomésticos activos indebidamente o detectores de fugas de todo tipo son dispositivos que aportarían la solución a este despilfarro.

Uno de los objetivos que se persigue para ayudar en la mitigación del cambio climático es la eficiencia energética que, precisamente, es uno de los aspectos relevantes que aportan las tecnologías *IoT*, desde los edificios inteligentes a los electrodomésticos conectados. Se ha cifrado en un 16,5% la reducción del cambio climático para el 2020 gracias al uso de estrategias tecnológicas.

De forma general, pues, vemos que la introducción de estas soluciones en nuestras vidas va a ayudar, de forma indirecta, al medio ambiente.

De forma más específica, *IoT* incide en escenarios muy concretos que intentan atajar problemas del planeta como la extinción de las especies. En este ámbito son numerosos los proyectos que se están llevando a cabo a nivel mundial y que abordan diversas cuestiones:

▼ Conservación de la biodiversidad

▼ Caza furtiva y tráfico de especies

▼ Extinción de la fauna salvaje por desplazamiento de otras especies

▼ Restauración ecológica

Todas las acciones realizadas tienen en común el uso de la tecnología de sensorización para obtener todo tipo de datos y realizar un gran número de acciones correctoras.

Mediante los sensores se monitoriza a los animales (y también insectos, como vimos en el apartado dedicado a las *abejas*), obteniendo datos esenciales sobre sus patrones de comportamiento y constantes vitales. Así, pueden detectarse factores naturales como períodos de celo, variaciones de peso, embarazo y parto, comportamientos migratorios pero también externos como enfermedades y estrés.

La detección del estrés es muy útil para la erradicación de la caza furtiva o el tráfico de especies. En África, por ejemplo, se utiliza esta técnica junto con la geolocalización para preservar las colonias de rinocerontes. Con tecnologías análogas en nuestro país, se ha conseguido revertir el descenso de la población del *lince ibérico*, al borde de la extinción, y se está incidiendo en la recuperación de especies más amenazadas aún, como el *visón europeo*.

Figura 5.66. El visón europeo a quién la alianza entre Telefónica y la Fundación Fieb intentan salvar.

Ya vimos también el papel fundamental de los drones en la replantación forestal, colaborando en la restauración ecológica del planeta. Cada vez son más las iniciativas gubernamentales que los incluyen en sus planes de futuro.

Otra aplicación sorprendente para estos artefactos no tripulados, más allá de plantar semillas, es la posibilidad de *plantar nubes*. Todos conocemos los efectos devastadores de la sequía en el planeta. Esta técnica intenta modificar el comportamiento de las nubes para que actúen de forma beneficiosa para el medio ambiente, disipando la niebla y mitigando los efectos del granizo por ejemplo, o generando lluvia más abundante en forma de precipitaciones suaves o nieve.

La combinación de tecnologías *IoT*, *Big Data* e *Inteligencia artificial* con esta posibilidad abre un gran abanico de posibilidades para el control de desastres naturales generados por las grandes lluvias e inundaciones. Cabe decir que muchas de las técnicas se encuentran, aún, en fase piloto o se han testeado de forma puntual en algunos lugares del planeta.

> ### ⓘ Nota
>
> Muchos científicos hablan de la extinción *antropogénica*; es decir, de la extinción causada por la acción del ser humano en el medio ambiente en lugar de la extinción por causas externas a él, como sería la llegada de otra era glacial o el choque con un meteorito. Por ello es de vital importancia conseguir que sea el mismo ser humano quien provoque la reversión de tal devastador efecto. El uso de la tecnología en general, y de *IoT* en particular, puede colaborar de forma muy significativa a ello.

En términos que tienen mucho que ver con la acción humana encontramos uno que, actualmente, está en la mente de muchas sociedades: el concepto de **Economía circular**. Como definición muy generalista, tiene como objetivo la reducción de la entrada de materias primas y la reducción de los residuos finales, en todos los escenarios. Así, se promueve la fabricación de bienes y prestación de servicios de forma sostenible, reduciendo su propio consumo, el de la energía para crearlos, el tiempo empleado y los residuos producidos.

El modelo actual, del que se está intentando salir, se centra en *fabricar*, *usar* y *tirar*. En un modelo circular el foco se sitúa en *reducir*, *reparar*, *reutilizar* y *reciclar*, modelo conocido como el *modelo de las R*. Es un nombre aún no oficial, ya que se habla de 3, 4, 5 o 6 *R*, que añaden conceptos como *regular* o *revalorizar* a las *R* anteriores. En todo caso, observemos que se transita de un modelo no sostenible a uno que prima la reutilización y la eficiencia.

De hecho, todo ello tiene mucho que ver con el cambio de paradigma en el consumo del ser humano. Ya hablamos en secciones anteriores sobre el concepto de pago por uso en lugar de compra. Se está transitando de un modelo de compra a uno de pago por servicio, definido con el nombre *XaaS* (*todo como servicio*). Este modelo representa, también, la promoción de la economía circular. Si tomamos como ejemplo el caso de una bicicleta, nos daremos cuenta de que es mucho más sostenible pagar por su uso que no poseerla en propiedad. La misma bicicleta sería mucho más eficiente: solo se fabricaría una vez y daría servicio a más personas, a cualquier hora. Un modelo así es una pesadilla, probablemente, para los fabricantes de bicicletas, pero es un respiro para el medio ambiente. Por ello se está intentando incidir mucho en el pensamiento y la visión de los empresarios. El fabricante debe cambiar, enfocando su estrategia a ofrecer sus productos como servicio, en vez de aumentar el número de unidades vendidas.

Diversas encuestas muestran que, hace pocos años, los empresarios rechazaban la idea del cambio de modelo de venta de bienes a prestación de servicios. Ahora, las mismas encuestas marcan un cambio de tendencia, evidenciando que el interés de la industria tiene en cuenta todas estas nuevas posibilidades, asociadas a la eficiencia y sostenibilidad, además de satisfacer las nuevas demandas del cliente.

La palabra *sostenible* es una palabra de moda y, a veces, parece que forme parte del vocabulario de *marketing* obligatorio en cualquier agencia de comunicación. La verdad es que la palabra vende, y por una muy buena razón. Ser sostenible, se entienda en el escenario que se entienda, se refiere al hecho de consumir un recurso por debajo del límite de generación del mismo. En estos momentos, el ser humano sobrepasó ya el límite de consumo de recursos naturales disponibles en el planeta. Ahora necesitaríamos **1,7 planetas tierra** para satisfacer nuestro propio ritmo de consumo.

Existe una curiosa iniciativa para la concienciación global acerca de este hecho: el *Overshoot Day* (*día del sobrepaso*). Es el día del año en que el consumo de recursos naturales por parte del ser humano sobrepasa la capacidad de regeneración terrestre para ese mismo año. En 2018 se situó en el día 1 de agosto, la fecha más baja desde que empezó su registro en 1970. Un sitio web dedicado permite conocer nuestra huella ecológica individual, diciéndonos dónde se situaría este día si todo el mundo actuara como nosotros: *http://www.footprintcalculator.org/*.

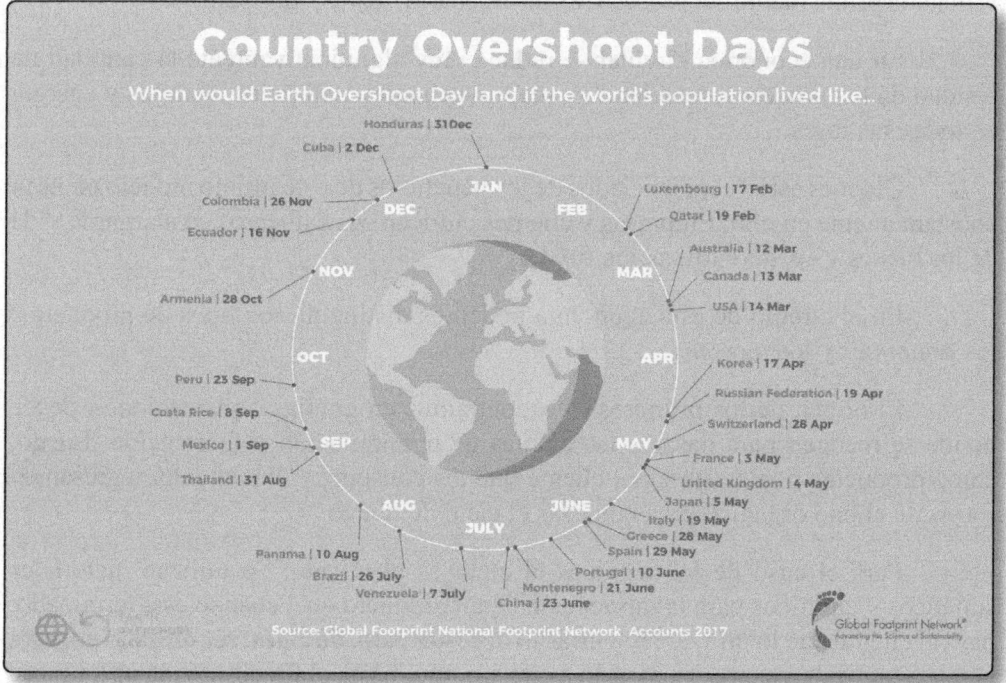

Figura 5.67. El Overshoot Day desde el punto de vista de los países. Proporcionado por Global Footprint Network.

El modelo de economía circular está íntimamente ligado al uso de las nuevas tecnologías y especialmente al de *Internet de las cosas*. Su aplicación ha aumentado de forma muy notable la eficacia de los negocios permitiendo impulsar los objetivos de sostenibilidad, marcados ya en muchas industrias como objetivos estratégicos empresariales para el futuro inmediato.

Debe quedarnos claro de qué forma ocurre todo esto: la recopilación masiva de datos arroja luz sobre el uso de los recursos y así se dispone de mucha más información en tiempo real, cosa que permite su rápida interpretación y facilita la toma de decisiones. De esta forma las empresas y la sociedad en general pueden responder de forma efectiva a los retos que la sostenibilidad nos depara.

Uno de los más importantes es conseguir que el crecimiento se desvincule de los daños ambientales, que son una amenaza tanto para las empresas como para las personas. Así se optimizan recursos y se va hacia un mundo más sostenible. Observemos que un proceso de fabricación que extrae materia prima virgen, la usa para fabricar un producto y después de su ciclo de vida el usuario la tira, es un sistema finito. Cuando se acabe la materia prima, se terminará la producción empresarial y el usuario se quedará sin producto, añadiendo también el daño ambiental producido extinguiendo la materia prima fuente del proceso. Es un escenario donde todos perdemos.

En una economía circular se reduce muy significativamente la cantidad de residuo de los procesos, reciclando y reaprovechando materiales, tiempos y energía en todas sus fases.

Quienes están concienciados de los beneficios de este último modelo piensan constantemente en ello. Empresas y clientes enfocan sus esfuerzos en alargar la vida de los bienes y en su reutilización final.

En el círculo de esta economía podemos distinguir dos tipos de productos: los *orgánicos* y los *técnicos*.

El origen de los primeros lo encontramos en granjas o plantaciones, desde donde se recogen para pasar a las plantas de manipulación y fabricación. Luego, como productos finales, pasan al cliente que los consume y, finalmente, regresan en forma de abono orgánico para empezar el ciclo de nuevo.

Para el caso de los técnicos el ciclo es el mismo. Se utilizan materiales sintéticos y químicos para la fabricación de un producto que, cuando está terminado, pasa al cliente que lo utilizará mientras lo necesite para, después, ser reusado por otra persona que, a la vez, podrá pasarlo a otra y a otra, hasta el fin de su vida útil. En ese momento, el producto se reciclará para volver a ser usado como nueva materia prima en el proceso de fabricación.

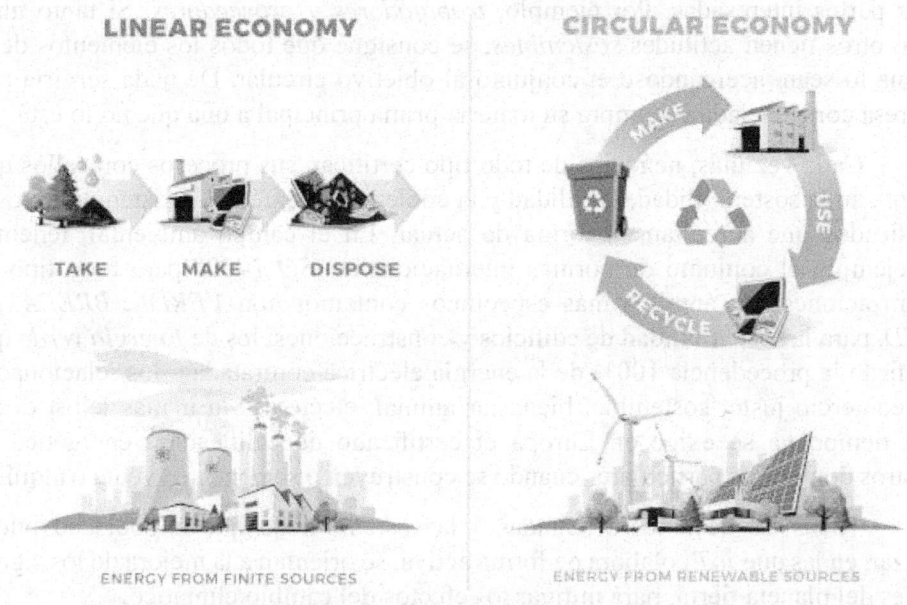

Figura 5.68. Visión gráfica comparativa de las economías linear y circular.

Para que los dos círculos descritos anteriormente sean realmente útiles y efectivos, deben establecerse sistemas tecnológicos en todas las fases de los procesos para, así, garantizar tanto la productividad con el mínimo impacto ambiental como el regreso de la mayor parte de la materia prima al principio del proceso.

Absolutamente todo lo visto hasta ahora es útil para el objetivo de la economía circular. Así pues, todas las tecnologías 4.0 son en realidad sus aceleradores, ya que permiten niveles de sostenibilidad y eficiencia no logrados con ninguna otra tecnología hasta el momento.

Estoy de acuerdo en que se ha descrito un mundo ideal en las explicaciones de los párrafos anteriores. La economía circular es una realidad, pero para llevarla a cabo debe contarse con la colaboración de todos. Clientes concienciados y empresas concienciadas. En mi opinión, el cliente concienciado con la demanda en la mano es el mejor estímulo para que una empresa cambie de política, en cualquier tema. No satisfacerla podría poner en peligro la viabilidad del negocio, como también podría hacerlo la extinción de la materia prima para el proceso de fabricación. Así pues, se crea un nuevo círculo de dependencias donde la demanda del cliente provoca la reacción de la empresa, que adapta sus sistemas, que satisface al cliente…

Con la adaptación de las empresas no me refiero solamente al hecho de instalar tecnologías como lo serían plataformas IoT. Me refiero a que la adopción del pensamiento circular debe provocar que la empresa exija el mismo comportamiento a sus partes interesadas. Por ejemplo, *trabajadores* y *proveedores*. Si tanto unos como otros tienen actitudes *sostenibles*, se consigue que todos los elementos de la cadena lo sean, acercándose el conjunto al objetivo circular. De nada serviría una empresa concienciada si compra su materia prima principal a una que no lo está.

Cada vez más, negocios de todo tipo certifican sus procesos con sellos que garantizan la sostenibilidad, la calidad y la eficiencia energética. Existen numerosos certificados que acreditan su forma de actuar. En el campo ambiental, tenemos por ejemplo el conjunto de normas internacionales *ISO 14000* para todo tipo de organizaciones. En ámbitos más específicos contamos con *VERDE*, *BREEAM* o *LEED*, para la sostenibilidad de edificios y construcciones, los de *Energía verde* que certifican la procedencia 100% de la energía eléctrica contratada o los relacionados con comercio justo, sostenible, bienestar animal, etcétera. Sin ir más lejos, desde hace tiempo ya se exige en Europa el certificado de calificación energética de nuestros domicilios particulares cuando se construyen o se ponen en venta o alquiler.

Todas las acciones orientadas a la sostenibilidad que la sociedad pueda realizar, en las que *IoT* colabora de forma activa, se orientan a la mejora de los signos vitales del planeta tierra, para mitigar los efectos del cambio climático.

La **Nasa** es uno de los más importantes expertos en ciencia del clima y, con proyectos como *Eyes on the Earth*, pone a disposición de todo el mundo gran cantidad de datos para su análisis: niveles de gases de efecto invernadero, niveles de ozono en el antártico, aumento del nivel del mar, mapas de temperatura terrestre, localización de erupciones volcánicas e incendios forestales… todo ello con el objetivo de que estos ayuden tanto en la concienciación como en el diseño de políticas de corrección por parte de gobiernos y administraciones públicas.

Figura 5.69. Con Eyes on the Eart, podemos obtener datos e imágenes provenientes de los satélites de la Nasa.

No podemos terminar este apartado sin antes hablar de la energía. Esta, imprescindible y vital para cualquier actividad social de nuestro siglo, es también una de los culpables del cambio climático. El uso de energías *sucias*, es decir, energías en las que los procesos de extracción o producción, distribución y consumo afectan negativamente al medio ambiente, colaboran muy activamente en su rápida degradación.

Aunque en el plano energético podemos ubicarnos en distintos escenarios y realizar un análisis desde el punto de vista de las empresas productoras, de las distribuidoras, de las usuarias y de los ciudadanos en general, debemos centrarnos aquí en el beneficio medioambiental del conjunto. En la categoría *energía* entran todas las empresas que se dedican a tal labor, sin importar del tipo de energía que se trate. Así, podemos pensar en centrales hidroeléctricas, eólicas, solares, térmicas o nucleares, pero también en explotaciones mineras de todo tipo, explotaciones petroleras en desiertos o en alta mar… Algunas de las ventajas que *IoT* ofrece y puede ofrecer al sector, desde el punto de vista de la producción son:

▼ Reducción de costes. Los contadores inteligentes son una muy buena muestra de ello, puesto que realizan su tarea de forma precisa, económica y automática, sin necesidad de presencia humana.

▼ Mantenimiento predictivo y mayor eficiencia en las actuaciones

▼ Nuevos modelos de negocio

Es de vital importancia para el planeta eliminar el uso de las energías sucias y potenciar el de las limpias. Esta frase, tan obvia y simple, describe uno de los mayores retos a los que se enfrenta la sociedad actual.

No nos detendremos a enumerar las ventajas del uso de energías *limpias* ni sus características, puesto que ello se escaparía a los objetivos de este libro, pero sí que realizaremos una asociación entre la generación, distribución y uso de la energía e *Internet de las cosas*, ya que van muy ligadas a un nuevo escenario que está cambiando la distribución y almacenamiento energético, aplicando un concepto distinto al del modelo usado en las últimas décadas: las *Smart grids* o *redes inteligentes*. Hablemos a continuación de su aplicación para el caso de la energía eléctrica.

Una *red eléctrica inteligente* se basa en combinar las ventajas *TIC* con la automatización y control inherente al sistema eléctrico clásico, en todas sus fases, con el objetivo de aportar *inteligencia a la red* para asegurar un sistema sostenible, eficiente, seguro y de calidad. Además, permite que el usuario final participe de forma activa en el proceso.

La finalidad de todo ello es equilibrar de forma correcta oferta y demanda entre productores y consumidores. Los grandes problemas de la red eléctrica clásica han sido siempre los picos de consumo y los cortes de suministro derivados, por ejemplo, de fenómenos meteorológicos. La consecuencia de ambos supone un coste elevado tanto para las eléctricas en la fase de producción (pues se asegura el cubrimiento de la demanda con un exceso de producción para atenderla) como para los usuarios en sus facturas periódicas, ya que estos sobrecostes se imputan en ellas.

La inclusión de sensores con el objetivo de monitorizar consumos (*contadores inteligentes*) ha permitido a las productoras realizar previsiones de demanda futura y a los usuarios controlar mucho más los picos de tarifas para, de esta forma, adecuar sus hábitos a los momentos de menos demanda. Este gesto permite ahorrar en la factura, pero también permite pacificar la demanda en horas punta. Además, la introducción de estas tecnologías permite también que el usuario produzca y venda a las compañías su propia energía, proveniente de sistemas de energía solar o eólica, por ejemplo. Así, el sistema funciona en dos direcciones en vez de hacerlo como siempre, de forma unidireccional. Este nuevo modelo facilita resultados como:

- ▶ Alcanzar objetivos medioambientales

- ▶ Integrar en el sistema energías renovables

- ▶ Ofrecer opciones de almacenamiento

- ▶ Soportar la generación distribuida (descentralización de la producción)

- ▶ Permitir la conexión de vehículos eléctricos, demanda creciente en la actualidad

- ▶ Dar una mejor respuesta a la demanda

Todo ello se traduce en un ahorro de energía, en la reducción de costes, así como en el incremento de la usabilidad y la transparencia del sistema.

Muchas de las características de una *Smart grid* se basan en el comportamiento de las redes informáticas inteligentes. En una red de datos, de forma muy resumida, el flujo de éstos toma el camino más corto (sea en términos de velocidad, costes o distancia) desde el origen donde se producen hacia su destino final. La característica más relevante del sistema es que si en el proceso de comunicación se produce un corte de ruta, el mismo sistema recalcula vías alternativas para que el flujo pueda continuar su camino y llegar al destino.

Este comportamiento, en una *Smart grid*, es el mismo. El sistema debe gestionar de forma automática las incidencias de la red, analizándolas y respondiendo en consecuencia.

La traducción práctica de ello sería que, ante la caída de un elemento de la red eléctrica, que hubiese dejado sin electricidad a una manzana completa de una ciudad, el sistema reaccionaría de forma automática reconduciendo dinámicamente el flujo eléctrico por rutas alternativas, limitando así las interrupciones en el suministro y restaurando el servicio rápidamente.

Uno de los elementos clave para la expansión de las redes eléctricas inteligentes han sido los contadores inteligentes. Fijémonos que por definición se trata de objetos *IoT*, ya que tienen capacidades de monitorización de consumo, pueden comunicarse y pueden actuar, cortando el suministro si se detecta alguna incidencia, como el exceso de potencia.

ⓘ Nota

Otra palabra que encontraremos a menudo cuando leamos sobre energía y medio ambiente es *descarbonización*. Se refiere a la transición de la sociedad hacia modelos *bajos en carbono*, donde la energía eléctrica tiene un papel muy importante, dado que es la que mejor puede incorporar energías renovables. Así, se ha acuñado el término *electrificación de la sociedad* o *electrificación de la economía*, en referencia al uso masivo de la electricidad en substitución a otras energías, como las de origen fósil, para todo tipo de usos.

Hemos visto pues que la aportación de las redes eléctricas al medio ambiente pasa por distintas fases, para conseguir el objetivo perseguido. A estas se las conoce como las 3 D:

- **D**igitalización: es decir, la introducción de conceptos y elementos que provienen de las *TIC*.
- **D**escentralización: cambiar el modelo donde las grandes centrales producen energía y la distribuyen por otro que genere menos impactos ambientales y sea más cercano al consumidor. Por lo tanto, generación de energía distribuida.
- **D**escarbonización: eliminación de energías sucias e incorporación masiva de renovables.

La industria de la producción y distribución eléctrica no ha cambiado prácticamente nada en muchas décadas. Lo que se describe aquí significa una disrupción en los modelos clásicos, acercándonos a nuevas formas de entender el consumo, mucho más sostenibles y alineadas con la nueva economía, de las que seguro tendremos que aprender como aprendieron a no usar cerillas, en su momento, los usuarios de la luz eléctrica de **Edison**.

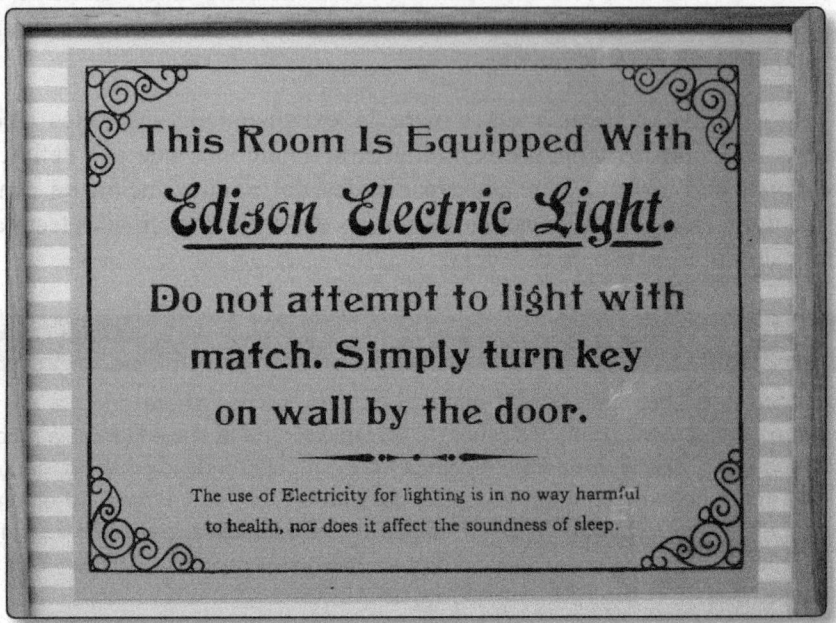

Figura 5.70. Cartel situado en las habitaciones del primer hotel que usó energía eléctrica. Se pide a los clientes que no intentan encender las luces usando cerillas.

5.3.4 Tercer mundo y países en vía de desarrollo

Las nuevas tecnologías han traído progreso, pero siempre se han considerado, también, una barrera social para acceder a él. Términos como la *brecha digital* toman más sentido cuanto más avanzan estas. En una sociedad donde Internet y el acceso a contenidos digitales marcan su funcionamiento, se hace más evidente la distancia entre quienes tienen acceso y quienes no, ya sea en el interior de sus fronteras, fuera de ellas o por motivos simplemente políticos.

Uno de los aceleradores del progreso y de estos profundos cambios ha sido, sin duda alguna, el acceso a la conectividad del ser humano. A Internet también, claro, pero por debajo de la gran red siempre tiene que existir un sistema para conectarse a ella.

Por ello es importante que la conectividad sea omnipresente. Sin conexión no existe evolución y los países en vías de desarrollo lo saben, como también lo saben las grandes multinacionales tecnológicas.

Hemos hablado de nuevas herramientas que están cambiando el mundo, y la gran mayoría lo están haciendo basándose en el uso de nuevas tecnologías, tanto de la información como de la comunicación. A nivel económico, las multinacionales del sector han encontrado un gran mercado en los países desarrollados, pero nunca han dejado de pensar en los que se encuentran en vías de desarrollo y en el tercer mundo. Existen millones de usuarios potenciales en el planeta, deseosos de integrarse en la economía digital. Solamente se debe llegar a ellos.

Las ventajas que las tecnologías *IoT* traerían a estos países son análogas a las descritas para los países desarrollados y podrían significar un gran y rápido avance para estas economías. Aunque mucha gente cree que con la exportación de infraestructuras y recursos humanos donde exista carencia de ellos se facilitaría el desarrollo en cualquier ámbito, la verdad es que los costes de todo ello harían inviable su aplicación. En su lugar, se apunta a que el mundo digital pueda ser la solución. Este, conocido también como *tercer entorno* (el primero es el *rural*, el segundo el *urbano* y el tercero el *virtual*), ofrece un gran número de posibilidades a tener en cuenta:

▶ Es virtual y, por lo tanto, no depende de infraestructuras físicas. Así, mediante simulaciones, puede transferirse conocimiento de todo tipo para ser aplicado en cualquier campo. Puede experimentarse antes de aplicar y puede aprenderse a manejar complejas situaciones sin vivirlas en realidad.

▶ Da acceso a toda la información y conocimiento atesorado por la humanidad, cosa que facilita y acelera enormemente la formación y la investigación: *"antes que uno, probablemente en el mundo alguien lo habrá probado ya."*

▶ Permite la comunicación con expertos de todas las áreas, de cualquier parte del mundo, tanto en tiempo real como no, que pueden conducir operaciones técnicas de todo tipo a distancia, sin necesitar que los usuarios locales tengan formación específica en la materia tratada.

El entorno virtual podría favorecer, y de hecho favorece, el desarrollo de ámbitos tan diversos como son la *medicina*, la *educación*, la *agricultura*, la *gestión de recursos y energía* o el *comercio*. No de una forma diseñada específicamente para estas sociedades en desarrollo, si no de la misma que en los países desarrollados.

Así pues, podemos estar de acuerdo en que debemos centrar los esfuerzos en conseguir que la conexión a Internet esté presente en cualquier lugar del planeta como factor primario de desarrollo de cualquier sociedad, de igual forma que se centran los esfuerzos en alimentar y dar cobijo a la población.

Sin conexión, *Internet de las cosas* y las posibilidades que brinda a las sociedades no existirían. *IoT* es la mayor oportunidad de desarrollo global, que puede mejorar la vida de millones de seres humanos y acelerar de forma muy notable el acercamiento a los **Objetivos de desarrollo de Naciones Unidas**. Esta es la afirmación textual que se encuentra en un informe realizado por la *ITU* (*Unión Internacional de Telecomunicaciones*, ente de **Naciones Unidas**) y **Cisco Systems**, en 2016.

El mismo informe destaca que el aumento de la demanda de tecnologías *IoT* en el mundo desarrollado ya ha facilitado la creación de los dispositivos necesarios, compatibles con las economías en desarrollo. Así, ya se tiene *disponibilidad* de ellos, siendo además económicos y fáciles de reemplazar. Son *asequibles* porque los costes de investigación y desarrollo ya han sido soportados en las economías del primer mundo y son *adaptables* y *escalables* porque no requieren normalmente de expertos tecnológicos, además de estar diseñados para funcionar en condiciones extremas en términos meteorológicos y de falta de energía, por ejemplo.

> ⓘ **Nota**
>
> Según otro informe de la misma *ITU*, de 2018, solo un 49,2% de la población mundial tiene acceso a la red. Eso son más de 3.700 millones de personas alrededor del mundo que no tienen acceso a ella.

Figura 5.71. Los 17 objetivos de desarrollo sostenible de Naciones Unidas.

A nivel global, diversos proyectos liderados por grandes empresas tecnológicas están acercando la conexión a lugares de todo el mundo para democratizar el acceso a la red. Estos proyectos se centran en superar retos técnicos, aunque también debemos pensar en que se deben superar barreras políticas, muy fuertes en algunos países. Veamos las características básicas de cada uno de ellos:

▼ **Loon**, proyecto impulsado por **Google**, propone el lanzamiento de globos aerostáticos a la estratosfera. Cada globo cubre un área de 40 kilómetros de diámetro y ofrece velocidades parecidas a las de la telefonía móvil de tercera generación (*3G*).

▼ **Internet.org**, proyecto liderado por **Facebook**, pretende hacer que Internet sea más accesible y económico en todo el mundo, proporcionando sistemas de conexión y creando alianzas con operadoras de telecomunicaciones en los países de destino.

▼ **Aquila**, también encabezado por **Facebook** y relacionado con el proyecto anterior, intenta hacer llegar la conectividad a través del uso de *drones* y conexiones *láser*.

▼ **O3B** (*Other 3 billion*), proyecto participado por **Google**, la **Sociedad Europea de Satélites**, el banco **HSBC** y el operador **Liberty Global**, tiene la intención de proporcionar conexión a 3.000 millones de personas usando satélites.

▼ **Wireless Reach**, de **Qualcomm**, es una iniciativa que tiene como objetivo la aplicación de tecnologías inalámbricas avanzadas como motor de transformación en el mundo entero, no solamente en los países en vías de desarrollo o en el tercer mundo, sino en todo tipo de comunidades desfavorecidas.

▼ **Watly**, proyecto muy ambicioso nacido a raíz de una *startup*, promete el acceso a agua potable, electricidad y conectividad en cualquier parte del mundo, gracias a un sistema auto-sostenible que incorpora todo tipo de tecnologías, entre ellas diversas del mundo *IoT*. Se encuentra en una fase avanzada de desarrollo y ya se ha realizado alguna prueba piloto en **Ghana, África**.

Figura 5.72. El proyecto Watly ha recibido numerosos premios y reconocimientos a nivel internacional.

6

LO IMPORTANTE ES... ¿LA CONEXIÓN?

Imaginemos una situación donde un paciente está en su domicilio y depende su vida de un monitor cardíaco que, conectado con el servicio de emergencias médicas, registra toda la actividad de su corazón. Si la conexión de extremo a extremo no es totalmente *fiable*.... ¿qué asegura que el paciente continúe vivo?

Quizás no sea necesario que seamos tan dramáticos. Con el ejemplo se quería hacer énfasis en la importancia de disponer no solamente de conexión, sino de conexión confiable que garantice totalmente las comunicaciones en aplicaciones críticas. Y es que un pequeño retraso puede ser decisivo en el momento de salvar vidas, o de regular el tráfico, o de activar los servicios de extinción de incendios, por ejemplo.

Vivimos en una sociedad donde damos por sentada la conectividad. No entendemos los entornos sin ella, de la misma forma que no entendemos entornos sin electricidad hoy en día. Pero acceder a la conectividad, no solamente a Internet sino conectividad como término genérico es más bien complicado en según qué entornos y, tengámoslo claro, no cubre toda la superficie del planeta, ni del país, ni tan solo de la provincia o comarca donde vivimos.

Es cierto que en las zonas urbanas la conexión telefónica móvil, por ejemplo, es normalmente del 100% en todos sus rincones. Pero no hace falta alejarse mucho de estas para darse cuenta de que la señal se debilita hasta perderse. Así pues, la ubicuidad de la conexión es una utopía que en un futuro quizás se convierta en realidad, pero que hoy en día no lo es.

Nuestros dispositivos saltan de red en red, mientras nos movemos, ávidos de conectividad. Pasan de redes de datos móviles de un operador a redes wifi de nuestra confianza para que no perdamos ni un segundo de conexión con el mundo digital.

Observemos que una de las características de *IoT* es, precisamente, la habilidad de conectar objetos con otros objetos, con personas y a través o no de Internet. Sin conexión no tienen sentido las aplicaciones *IoT*, su propia existencia se ve comprometida. Así pues, nos encontramos ante el pilar más importante en el que se basa *Internet de las cosas* porque si no hay conexión, no hay *IoT*. Más adelante, podemos precisar detalles como la calidad, velocidad y fiabilidad de la conexión, pero debemos estar de acuerdo en que sin conexión no tenemos nada. Sin seguridad tendríamos un *IoT* inseguro y con altos consumos de energía tendríamos un *IoT* poco sostenible… pero en definitiva tendríamos *IoT*.

> **ⓘ Nota**
>
> Muchas veces creemos que para poder hablar de *IoT* es necesario que exista conexión física con *Internet*. No es cierto. Debemos pensar en que *Internet de las cosas*, aun llamándose así, describe objetos que pueden comunicarse entre ellos, y eventualmente con Internet, con la finalidad de transmitir datos y de que estos sean analizados en otro lugar para tomar decisiones y activar otros procesos a consecuencia de estas. Todo ello puede producirse en un sistema cerrado, sin necesidad de salida a Internet. Por lo tanto, algunas soluciones explicadas en este libro pueden ser reproducidas de forma aislada, sin que sea obligatorio disponer de una puerta de acceso a la red de redes.

Cuando nos planteemos la instalación de alguna solución *IoT*, deberemos tener en cuenta un montón de parámetros y condiciones a analizar antes de tomar la decisión final. Todos ellos tienen que ver con conectividad, seguridad y consumos energéticos ya que, habitualmente, las soluciones *IoT* suelen incluir sensores expuestos a condiciones extremas, realizando tareas críticas y con difícil acceso físico a ellos.

Es posible que cuando alguien nos hable de una solución de estas características pensemos simplemente en un dispositivo fijo, un cable o una antena y unos pequeños pasos de configuración más. Si bien esto puede ser así en entornos domésticos y en pequeñas empresas localizadas en zonas urbanas, cuando hablamos de industrias no convencionales, grandes y dispersas muchas veces, la cosa cambia sustancialmente.

Puede ser, por ejemplo, que interese monitorizar la ubicación de una vagoneta de transporte en una mina, de forma constante. En este caso tenemos algunos desafíos que superar. La conexión no puede ser por cable, deberá ser inalámbrica, pero analizando muy bien qué tipo de tecnología debemos adoptar, puesto que la vagoneta posiblemente deba recorrer algunos tramos del recorrido bajo tierra.

Otro problema sería la energía. Más allá del consumo, el acceso a ella. Tampoco podemos enchufar con cable porque se trata de un elemento móvil. Así, tendremos que disponer de un plan energético para suministrar potencia al sensor de ubicación, y además deberíamos hacerlo con criterios de bajo consumo y sostenibilidad.

En este escenario es posible que la seguridad sea lo menos trascendental, pero siempre debe tenerse en cuenta ya que existen muchos incidentes ocurridos con anterioridad en los que se demuestra que un *hacker* se ha introducido en un sistema a través de un sensor desprotegido.

Empecemos por el principio. Antes de entrar de lleno en las tecnologías y protocolos de conexión útiles para *IoT*, repasaremos algunos conceptos sobre redes que van a sernos útiles en el momento de inclinarnos por una u otra solución. En primer lugar, una obviedad: existen redes cableadas y redes inalámbricas. Las primeras pueden ser útiles y factibles en casos de instalaciones físicas que se realicen en entornos controlados, como por ejemplo el interior de una fábrica o un domicilio particular. Como norma general, aportan una gran fiabilidad y su tiempo de respuesta es el más rápido. Pero no siempre es posible contar con una conexión por cable, por muchos y variados motivos. La distancia, por ejemplo, o su ubicación física. Para ello, entonces, deben emplearse otras tecnologías que permitan la conexión de todo tipo de dispositivos y objetos.

> ### ⓘ Nota
>
> Algunos responsables de la toma de decisiones relacionadas con inversiones *IoT* en sus organizaciones, consideran prudente esperar a que se imponga algún estándar de comunicaciones y, así, asegurarse el éxito de los proyectos. Lo malo es que parece ser que esto no ocurrirá, debido precisamente a la heterogeneidad de los escenarios posibles donde puede ser necesaria una solución *IoT*. Así, mientras unos esperan, otros ya están sacándole el máximo partido al tema.

6.1 CLASIFICACIÓN DE LAS REDES

Desde el punto de vista de las redes y la conectividad, estas pueden clasificarse en diversos tipos, dependiendo de sus características. Mucha gente habla de denominaciones basadas en distancia, y de hecho es así, pero a veces la frontera entre unas y otras se superpone con la aparición de tecnologías que permiten transportar las señales más lejos y con más velocidad.

Así pues, basándonos en los criterios clásicos de denominación de redes, nos queda la división siguiente:

▶ **PAN**: Personal Area Network, red de área personal. Se trata de aquellas redes formadas por dispositivos alejados pocos metros entre ellos. Un *Smartphone* conectado con un altavoz *Bluetooth* o una terminal bancaria de pago por proximidad serían un ejemplo de ello. A veces, si los dispositivos son *wearables*, pueden llamarse de red de área corporal (*BAN, Body Area Network*).

▶ **LAN**: Local Area Network, red de área local. Una de las más típicas ya que permitió compartir recursos en las primeras redes empresariales, antes de que pudieran conectarse a Internet. Se trata de redes formadas por dispositivos que pueden abarcar zonas que cubren un domicilio particular, una pequeña oficina o un edificio o un grupo de ellos. No entraremos en distancias físicas, ya que dependen del tipo de cableado usado y, además, pueden mezclarse conceptualmente con otras denominaciones que estamos describiendo en este apartado.

▶ **MAN** o **CAN**: Metropolitan Area Network o Campus Area Network, red de área metropolitana o red de área de Campus. Son redes que abarcan mucho más que las anteriores, superando sus límites geográficos, conectando edificios y barrios de ciudades entre ellos y, habitualmente, pertenecen al gobierno de una ciudad o a una universidad instalada en ella.

▶ **WAN**: Wide Area Network, red de área amplia. Se trata de redes que conectan espacios mucho mayores, abarcando por ejemplo la distancia entre dos ciudades o países. Normalmente son administradas por los grandes proveedores de Internet.

ⓘ **Nota**

En muchos lugares veremos referencias a otras redes que usan terminologías similares, como **WLAN**. En este caso, la **W** se refiere a la conexión sin cables, quedando el nombre como **Wireless LAN**, LAN sin cables. La descripción sería la misma que en el caso de LAN, pero usando tecnologías de conectividad inalámbricas. Lo mismo pasa con las redes de área personal (*PAN – WPAN*) o con las de área local (*LAN – WLAN*).

El por qué a esta clasificación debemos buscarlo en las características físicas de las tecnologías empleadas para la conectividad de los dispositivos de red. Como norma general, cuanta más velocidad ofrecía un enlace de red, menos distancia podía cubrirse con él. Esto fue, al principio, lo que provocó la división de las redes según las áreas que podían abarcar.

Un ejemplo lo encontramos en las redes de área local que tenemos en cualquier oficina e, incluso, en nuestro domicilio. Estas usan un cable denominado *cable de par trenzado*, uno de los más instalados hasta el momento. Dicho cable puede pertenecer a la categoría 5 o 6, valor que indica sus propiedades físicas. Con instalaciones que usen este tipo de cableado puede conseguirse dar cobertura a una zona máxima de 200 metros de diámetro, esto es, dos segmentos de 100 metros cada uno, con un dispositivo conector central y velocidades de hasta 1000 Mbps (Megabits por segundo).

Hoy día, la práctica totalidad de redes de área local cableadas del mundo usan el protocolo de red *Ethernet* para sus comunicaciones, siendo las diversas especificaciones de este estándar las que marcan las velocidades y características de la conexión. Así, la velocidad expresada en el párrafo anterior de 1000 Mbps correspondería al uso de una tecnología específica dentro del estándar *Ethernet*; concretamente la denominada *1000BaseT*, que usa *cable de par trenzado* de categoría *5e* o *6* para conseguir tal velocidad de transmisión.

Otras tecnologías dentro del estándar *Ethernet* ofrecen idénticas velocidades pero a mayores distancias, como sería el caso de *1000BaseSX* (fibra óptica con diversos *haz láser*) que llegaría a los 550 metros de distancia en una sola tirada o *1000BaseLX* (fibra óptica con un único haz láser), que lo haría a 5000 metros.

El estándar *Ethernet* se considera dentro del ámbito de las redes locales (*LAN*), aunque con el progreso de las tecnologías y la irrupción de cableados como la fibra óptica, la máxima distancia teórica de una *LAN* se ha extendido notablemente, provocando a veces definiciones incorrectas sobre el alcance de las redes y sus ámbitos, superponiéndose en muchas ocasiones.

Volviendo ahora al tema de la clasificación, pensemos por un momento en la definición de *Internet*: *entre redes*. La gran red no es más que la unión de miles y miles de redes en una gran malla que permite, mediante protocolos de todo tipo, que exista una conversación *entre* ellas. Mirando esta complicada malla más de cerca, nos daremos cuenta de que en uno de los niveles más bajos están las redes de área local. Oficinas, domicilios, comercios, etcétera, forman estas pequeñas redes que, aunque en su nacimiento hace unos años servían únicamente a propósitos locales, hoy en día se interconectan para enviar y recibir información constantemente.

Entonces, ¿qué diferencia hay entre una *LAN*, por ejemplo, y una *WAN*? Pues básicamente la tecnología y medios usados para la conexión de unas con otras, a parte de la propiedad de la red (las *LAN* pertenecen habitualmente a particulares y empresas, mientras que las *WAN* a operadoras de comunicaciones). Estaremos de acuerdo que podemos tener una red de área local en una empresa situada, por ejemplo, en Tarragona y otra instalada en otra ciudad distinta como Barcelona. La instalación de cableado dedicado para la conexión de ambas es inviable, puesto que como vimos hace unas líneas las tecnologías y medios usados en el ámbito *LAN* tienen ciertas limitaciones físicas. Para una distancia como la indicada, es preciso usar tecnologías y conectividad *WAN* que, aunque las velocidades máximas son habitualmente menores que en una red de área local, se cubren distancias mucho mayores.

Hace unos años, existían diversidad de soluciones *cableadas* para realizar la conectividad de un escenario como el señalado: líneas dedicadas, *RDSI*, *Frame Relay*… Ahora, y especialmente en España, se ha unificado prácticamente como solución única el criterio de uso de la *fibra óptica*.

De hecho, por la infraestructura instalada y el volumen de penetración en el mercado, el país es referencia para otros en la comunidad europea, y también fuera de ella. Es número uno en Europa en volumen de instalaciones de fibra óptica hasta el hogar (*FFTH*).

ⓘ Nota

Las redes *WAN* interconectan redes *LAN* y actúan como tronco de Internet. Los proveedores de acceso a Internet (*ISP*) son quienes proporcionan conectividad WAN con sus soluciones, adaptables a distintos escenarios como el uso doméstico, gubernamental o industrial. La solución más desplegada en la actualidad es FTTH (*Fiber To The Home, fibra hasta el hogar*), que implica la llegada de la fibra óptica hasta el interior del domicilio u oficina del abonado. Otra solución es *FTTB* (*Fiber To The Building, fibra hasta el edificio*), solución más adoptada en otros países europeos, que hace llegar la fibra hasta la acometida de los edificios, usando otros sistemas para transportar la señal desde esta hasta las instalaciones interiores de los abonados.

Debe contarse, en el ámbito de las redes *WAN* inalámbricas, con la más que importante presencia de las tecnologías móviles de las que hablaremos más adelante. De hecho, y para *Internet de las cosas*, son estas las que están ofreciendo soluciones para ubicaciones geográficas remotas a las que no llegan las tecnologías por cable, como podrían ser los casos del mundo agrícola, forestal o el minero. Así, tecnologías como 2G/3G/4G toman una especial relevancia en estos entornos.

Entonces, si las dos grandes divisiones de tipos de red son *LAN* y *WAN*. ¿Qué hay de las demás y qué relación tienen con *IoT*?

De hecho, en nuestra clasificación particular nos queda hablar de las *MAN* y las *PAN*. Las primeras vamos a dejarlas a un lado, puesto que no tienen importancia en el tema que nos ocupa. Se trata de grandes *LAN* o pequeñas *WAN*, según desde el punto de vista que se mire. Normalmente son redes propiedad de un gobierno local, administradas por este. Un ejemplo seria el despliegue de servicios de conectividad *wifi* para los ciudadanos, por ejemplo. Las *MAN* también suelen ser propiedad de universidades con grandes campus, donde se hace necesaria la interconexión de diversas *LAN* instaladas en distintos edificios a alta velocidad, así como dar cobertura *wifi* a los estudiantes a lo largo de sus instalaciones. Por ello las *MAN* reciben también el nombre *CAN* (*Campus Area Network*).

La relación más estrecha entre las redes e *Internet de las cosas* se produce en los niveles *LAN* y *PAN* (*Personal Area Network*). En cuanto al segundo tipo, ya comentamos que se trata de redes que ofrecen pocos metros de alcance y por ello se restringe al ámbito *personal*, cogiendo su nombre de ahí. Pensemos ahora a qué dispositivos se conecta nuestro teléfono móvil a lo largo del día, prescindiendo de la red wifi doméstica, de la oficina o de nuestra cafetería habitual. ¿El equipo de audio y manos libres del vehículo? ¿Una pulsera de rendimiento deportivo? ¿Un *smartwatch*? ¿Nuestro televisor o un equipo de música? ¿Un terminal de pago bancario?

Como vemos, son numerosos los sistemas a los que nos conectamos y el denominador común de todos ellos es uno: la corta distancia, característica típica de las *PAN*. Se consideran dispositivos de red de área personal, aunque también dispongan en algunos casos de conectividad wifi (hablaremos entonces de dispositivos con conexión *LAN* y *PAN*), los siguientes (sin contar con la conectividad wifi, si disponen de ella):

- *Smartphone*, teléfonos inteligentes
- Smartwatch, relojes inteligentes
- *Smartbands*, pulseras inteligentes
- Zapatos y deportivas conectadas
- Ropa conectada
- Casco conectado
- Altavoces sin cable
- Auriculares sin cable
- Mandos de videoconsola sin cable
- Cámaras fotográficas

Figura 6.1. Los wearables son un claro ejemplo de las redes de área personal (PAN). Se asocian, además, al uso individual.

En muchas situaciones se describe a las redes *PAN*, también, como las redes domésticas que podemos tener en nuestros hogares, compuestas por ordenadores de sobremesa, portátiles, Smart TV e impresoras, por ejemplo. En este caso, aunque coincidiría con la descripción de proximidad atribuida a las redes de área personal, los elementos enumerados corresponderían a la típica configuración de una red de área local (*LAN*). Si bien en la actualidad muchos usuarios conectan vía *wifi* con el punto de acceso a Internet de sus hogares (llamado *router*), este hecho no convierte a estas redes en redes de área personal. La tecnología inalámbrica *wifi* está considerada como tecnología de área local inalámbrica, configurando redes del tipo *WLAN* (*Wireless LAN* o redes de área local sin cable).

Así, en el ámbito *LAN*, tenemos dos tecnologías típicas que proporcionan conectividad a los puntos de acceso *WAN* o a *Internet*: *Ethernet* y *Wifi*. La primera lo hace a través de cable y la segunda con tecnología inalámbrica por radiofrecuencia. Ambas permiten la interconexión de dispositivos entre ellos, o a *Internet* a través de los puntos de acceso comentados.

> **ⓘ Nota**
>
> *WAN* no es sinónimo de Internet, aunque se asocien habitualmente los términos al tratarse esta última de una red de área amplia. Una red de área amplia (*WAN*) puede conectar dos plantas industriales separadas geográficamente sin acceder en ningún momento a *Internet*.

Además, cada una de las tecnologías comentadas dispone de diversos estándares que permiten la conexión a diversas velocidades y de distintas formas. *Ethernet*, como hemos mencionado con anterioridad, puede usar cableados distintos: fibra óptica y cable de par trenzado para alcanzar tasas de transferencia de *1000Mbps* con fibra (*Ethernet 1000BaseSX*) o con cable (*1000BaseT*).

Category	Standard	Bandwidth	Cable Type	Maximum Segment Length
Ethernet	10BaseT	10 Mbps (half duplex) 20 Mbps (full duplex)	Twisted pair (Cat3, 4, or 5)	100 meters
	10BaseFL	10 Mbps (multimode cable)	Fiber optic	1,000 to 2,000 meters
Fast Ethernet	100BaseTX	100 Mbps (half duplex) 200 Mbps (full duplex)	Twisted pair (Cat5 or higher) Uses 2 pairs of wires	100 meters
	100BaseFX	100 Mbps (multimode cable)	Fiber optic	412 meters
Gigabit Ethernet	1000BaseT	1,000 Mbps (half duplex) 2,000 Mbps (full duplex)	Twisted pair (Cat5 or higher)	100 meters
	1000BaseCX (short copper)		Special copper (150 ohm)	25 meters, used within wiring closets
	1000BaseSX (short)		Fiber optic	220 to 550 meters depending on cable quality
	1000BaseLX (long)			550 meters (multimode) 10 kilometers (single-mode)
10 Gigabit Ethernet	10GBaseT	10 Gbps (full duplex only)	Twisted pair (Cat5e, 6, or 7)	100 meters
	10GBaseSR/10GBaseSW		Multimode fiber optic	300 meters
	10GBaseLR/10GBaseLW		Single mode fiber optic	10 kilometers
	10GBaseER/10GBaseEW		Single mode fiber optic	40 kilometers

Figura 6.2. Los distintos estándares Ethernet, junto con sus velocidades, tipo de cableado y distancia máxima de segmento.

Por su parte, Wifi ofrece también un conjunto de estándares definidos dentro de la *IEEE* (*Institute of Electrical and Electronics Engineers*) bajo la denominación *802.11*.

Estándar IEEE	Año	Frecuencia	Velocidad	Rango
802.11a	1999	5 GHz	54 Mbps	120 m
802.11b	1999	2.4 GHz	11 Mbps	137 m
802.11g	2003	2.4 GHz	54 Mbps	137 m
802.11n	2009	2.4/5 GHz	600 Mbps	250 m
802.11ac	2014	5 GHz	1 Gbps	300 m
802.11ac Wave 2	2015	5 GHz	3.47 Gbps	10 m
802.11ad	2016	60 GHz	7 Gbps	10 m
802.11af	2014	2.4/5 GHz	26.7 a 568.9 Mbps	1000 m
802.11ah	2016	900 MHz	347 Mbps	1000 m
802.11ax	2019	2.4/5 GHz	10 Gbps	300 m

Figura 6.3. Los estándares wifi 802.11, junto con sus velocidades y distancia máxima de cobertura.

Desde el punto de vista de las comunicaciones, *Internet de las cosas* puede entenderse como la suma de todo tipo de tecnología de redes, que incluiría las clásicas descritas hasta aquí, pero también (entre otras) las redes móviles como *3G* y *4G*, las *LAN inalámbricas* (*WLAN*) y las *WSN* (*Wireless Sensor Network*). Estas últimas constituyen redes de sensores inalámbricos íntimamente ligados con *IoT*. Un ejemplo de *WSN* sería el *polvo inteligente* (*SmartDust*), explicado con anterioridad.

6.2 TRABAJAR POR CAPAS

Hagamos un parón que nos ayudará a entender un poco más el porqué de tantas tecnologías, protocolos y especificaciones en el mundo de las comunicaciones. Al contrario de lo que mucha gente cree, las compañías desarrolladoras no se centran en la creación global de un producto final, si no en alguna de sus partes. Es decir, un fabricante de cables *Ethernet*, por ejemplo, no está preocupado por el formato de la información que va a ser transmitida a través de sus productos, solamente lo está por que estos cumplan con las especificaciones eléctricas establecidas.

Hagamos un símil usando como modelo el tráfico. Las empresas constructoras que asfaltan carreteras no deben tener conocimiento alguno de mecánica ni de conducción de vehículos, deben preocuparse simplemente de la calidad del asfalto. Aspectos como su consistencia, su pureza y su seguridad son muy importantes para asegurar un buen producto final que ofrezca confianza a los conductores. Es tarea de otros ocuparse de los aspectos técnicos de los vehículos en el momento de su fabricación, como también lo es preocuparse del mantenimiento mecánico posterior. Los legisladores realizarán tareas regulatorias desde el ámbito de la política mientras que los agentes de tráfico velarán para que se cumplan. Profesores de autoescuelas enseñarán a los futuros conductores las normas de circulación, agentes de seguros cubrirán los riesgos que puedan existir mientras que los sanitarios acudirán al rescate de las víctimas de accidentes de circulación.

Vemos en el ejemplo que, en realidad, un único concepto como es el tráfico en carretera puede dividirse en un montón de conceptos subyacentes, cada uno de los cuales es independiente de los demás, aunque debe mantener un vínculo con ellos. Un mecánico no tiene porqué saber conducir, pero debe darse cuenta del mal estado de unas ruedas. Un legislador no fabrica neumáticos, pero debe informar a quien lo hace de los requisitos mínimos de seguridad que van a exigirse.

De la especialización de cada uno de ellos depende el conjunto global. Todo funciona porque cada una de las partes ha sido eficaz en su trabajo y ha sabido comunicarse con las demás.

A este modelo se le conoce como *trabajo por capas*. Para explicarlo de una forma más llana debemos pensar en la frase *Divide y vencerás* de **Julio César**, aunque no en el sentido militar, si no en el hecho de que la división de un objetivo complejo en tareas menores facilita enormemente su consecución.

Tomando este concepto y trasladándolo al mundo de la tecnología, nos encontraremos con un sinfín de situaciones donde se usa, como base, el modelo de trabajo por capas.

Para el mundo de las comunicaciones, y para facilitar el aprendizaje, se suele tomar como referencia el modelo por capas *OSI* (*Open System Interconnection*, Sistema abierto de interconexión), creado por la **Organización Internacional para la estandarización** (*ISO* por sus siglas en inglés), entidad que regula también normativas medioambientales o de calidad como la *ISO 9001:2015*.

Dicho modelo fue creado a principios de los años 80 con el fin de terminar con las consecuencias derivadas de que cada fabricante de *hardware* de red crease productos *propietarios*, es decir, incompatibles con los demás. Así, desarrolló el modelo de referencia *OSI*, que viene a establecer un conjunto de reglas aplicables a todas las redes y que indica todas las fases por las que deben pasar los datos para ser transmitidos de un origen a un destino.

El modelo *OSI* consta de 7 capas apiladas (unas encima de otras) y cada una de ellas tiene sus propias normas y especificaciones, que las demás no tienen por qué conocer. Así se asegura que, aunque evolucione de forma drástica un elemento de una de ellas, las demás no tienen que tener conocimiento de ello, ni cambiar ninguno de sus comportamientos. Las capas se comunican con las superiores e inferiores en sus extremos. Es decir, cuando los trabajos que ocurren en una capa finalizan, pasan su *producto* (datos en este caso) a la capa inmediatamente superior o inferior (dependiendo de si se está enviando o recibiendo información) para continuar con el proceso.

Esto podría trasladarse al ejemplo del legislador y el fabricante de neumáticos. Cuando el primero termina la redacción de las normas, las pasa al segundo que las aplica al crear el producto. Otro ejemplo: en una fábrica, los productos avanzan por la cadena de producción y son manipulados a medida que lo hacen. Cuando uno llega a una sección concreta, es porque viene de una fase anterior terminada para, después de ser tratado, pasar a la siguiente. Nadie se preocupa de lo que hay al final o al principio de la cadena, todo el mundo se concentra en su tarea.

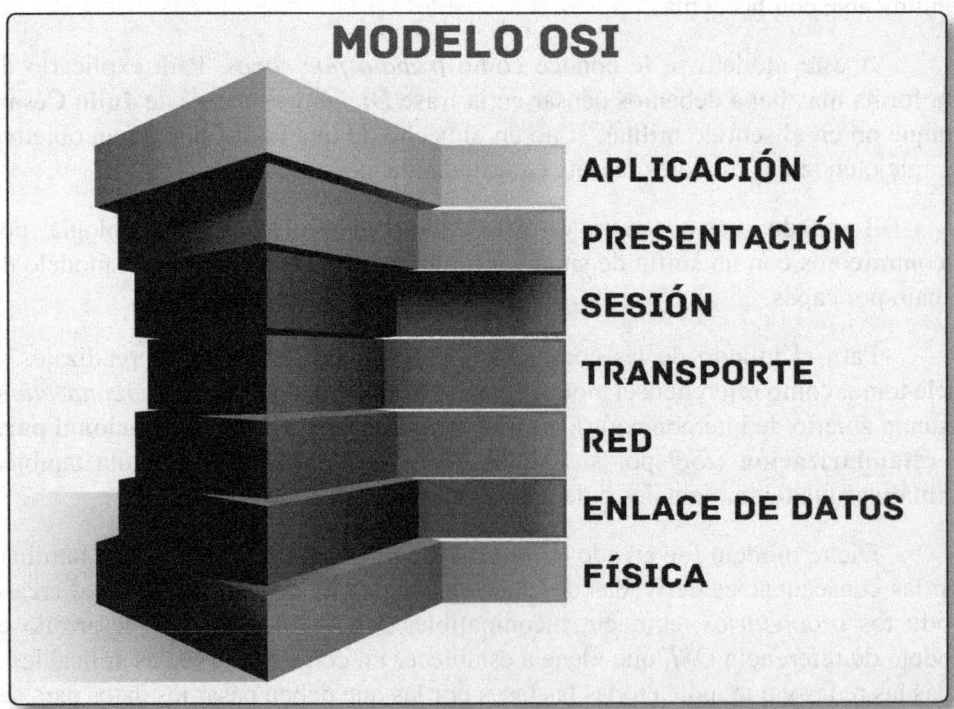

Figura 6.4. Las 7 capas del modelo OSI, desarrollado por la Organización Internacional para la estandarización.

Si observamos la figura, veremos la organización en capas comentada en los párrafos anteriores. La base de la pila es la capa *Física*. Dicha capa se ocupa de describir cómo se transforman los datos en algún tipo de señal (eléctrica, de radiofrecuencia o de impulsos de luz, por ejemplo). Así, todos los componentes de la capa *física* se preocupan sobre cómo transportar información a través de uno de estos tipos de onda, pero sobre nada más.

La capa *presentación*, en cambio, no tiene en cuenta ningún aspecto de la conexión física de los sistemas, ni tan solo tiene consciencia de ella. Esta, sexta en la jerarquía *OSI*, es la encargada de conseguir que la información salga o llegue de los dispositivos en formatos reconocibles, como si de un traductor simultáneo se tratara, añadiendo además técnicas de cifrado y compresión de datos.

Gracias a la técnica del trabajo por capas, nuestros hogares pueden disfrutar siempre de las últimas tecnologías *wifi*, por ejemplo, o del ancho de banda que la fibra óptica nos ofrece. Con el simple cambio de un *router* accedemos a una nueva tecnología de conexión. Así, estamos cambiando un componente que contiene electrónica que describe la forma en que se transmiten los datos y, por lo tanto, estamos hablando de componentes de capa *física*. Después de realizar el cambio, la comunicación fluirá como antes. Eso sí, probablemente lo hará a más velocidad o a más distancia, dependiendo de la tecnología sustituida, pero la sustitución no habrá significado ningún trauma para el resto de elementos en nuestro ecosistema de dispositivos domésticos.

Quizás nos preguntemos de qué va a servir el haber leído acerca del uso de capas en las comunicaciones. La intención es que estemos preparados para comprender algunas de las confusiones que existen en el universo de protocolos y tecnologías de la comunicación y que, cuando investiguemos por nuestra cuenta, entendamos un poco más el porqué de las cosas.

Por ejemplo, cuando hablemos de las tecnologías *802.15.4* y *Zigbee*, más adelante en este capítulo, diremos que la segunda es una mejora de la primera. A nivel técnico, diríamos que la primera usa solamente las dos primeras capas del modelo *OSI* (*Física* y *Enlace de datos*) y la segunda, en cambio, usa las demás para añadir otras posibilidades como la encriptación, la autenticación y las rutas de datos.

Antes hablábamos de productos viajando por cadenas de producción. Para el caso de los datos, éstos circulan a través de las capas *OSI* de abajo hacia arriba en el caso del envío, y al revés para el caso de la recepción. El proceso de pasar un conjunto de datos (técnicamente llamado *trama*) de una capa a otra se realiza gracias a una operación conocida como *encapsulado*. La información se *encapsula* (se pone en una caja) y se pasa a la capa siguiente. De la misma forma que un transportista no conoce el contenido de un envío, la capa que recibe la trama no conoce qué está transportando. Se limita a tratarla para encapsularla de nuevo y pasarla a la próxima capa. Si viésemos una trama completa que está siendo enviada a través de un cable *Ethernet*, por ejemplo, veríamos algo parecido a unas *Matrioshkas* rusas. En el interior de la más pequeña hallaríamos el dato que se está transportando.

Figura 6.5. Las Matrioshkas, típicas de la artesanía rusa, pueden servir de símil para entender el proceso de encapsulamiento de datos.

6.3 ESTAR EN LA ONDA

Otro importante elemento, del que debemos conocer un par de detalles mínimos antes de proseguir, son las ondas electromagnéticas. Gracias a ellas son posibles las comunicaciones y, como vamos a ver en el próximo apartado, cualquier dispositivo que describa sus opciones de conectividad incluye referencias a sus características técnicas, con lo cual se hace casi imprescindible saber acerca de ellas. Las ondas electromagnéticas inundan nuestro universo y se producen en la naturaleza, aunque el hombre ha aprendido a generarlas mediante el uso, por ejemplo, de técnicas que usan la energía eléctrica para producirlas. Son un ejemplo de ondas electromagnéticas los *Rayos X*, *Microondas*, *Ultravioletas* y ondas de *Radio*.

En muchas ocasiones, las personas creen que cuanto mayor es el número o la letra de la versión de un producto de comunicaciones, mayor serán sus prestaciones. Esto no es correcto. En todo caso, con cada nueva revisión cambian las prestaciones, y no lo hacen necesariamente aumentando los parámetros que daríamos por sentado con respecto a sus antecesores. Quizás el cambio más importante de una tecnología en una nueva versión tenga que ver más con el consumo energético que con la velocidad de transmisión.

Si nos remitimos a la *figura 6.3*, donde se describen las características técnicas de los distintos estándares *wifi*, nos daremos cuenta de que, por ejemplo, el rango de alcance de *802.11ac* es de 300 metros mientras que el de *802.11ad*, su sucesor en el tiempo, es de tan solo 10 metros.

Para el caso de las comunicaciones inalámbricas es importante saber cómo se comportan las ondas electromagnéticas para poder comprender de qué forma nos beneficia una u otra tecnología en el momento de decidirnos por una solución *IoT* específica.

Básicamente, debemos comprender dos conceptos relacionados con este tipo de ondas que están profundamente relacionados con el comportamiento de tecnologías de comunicación como *Wifi 802.11n* o *Zigbee*, comentadas más adelante:

➤ La frecuencia, que indica cuántas ondas se producen en un segundo.
➤ La longitud, que se refiere a la distancia entre una onda y la siguiente.

Sin entrar en detalles técnicos, diremos que en un equipo que disponga de conexión inalámbrica a *Internet* se está usando un sistema que traduce la información a ondas de radio en el origen, para realizar el proceso contrario en el dispositivo receptor. Dichas ondas pueden ser de distinta naturaleza, dependiendo de características como su frecuencia y longitud, propiedades relacionadas íntimamente, puesto que cuando se aumenta una disminuye la otra.

Lo que nos interesa especialmente de estas ondas son sus capacidades de transporte (ancho de banda) y las distancias a las que pueden llegar. Dichos valores están relacionados con sus frecuencias y longitudes. Para el caso que nos ocupa, las comunicaciones, deberíamos recordar que a bajas frecuencias se llega mucho más lejos, aunque con bajos anchos de banda. Por el contrario, a altas frecuencias se consiguen anchos de banda muy grandes, pero a cortas distancias.

La frecuencia se mide en *Hercios* (*Hertz*), cuyo número indica la cantidad de ondas producidas por segundo. Aquí tienes una pequeña tabla con los valores de equivalencia. Verás unidades como el *GHz* (*Gigahertz*) que, quizás, te sean más familiares porque son las que se usan normalmente en las hojas de características de productos como los *routers wifi*:

➤ 1 kilohertz (símbolo kHz) = 1.000 Hz
➤ 1 megahertz (símbolo MHz) = 1.000 000 Hz
➤ 1 gigahertz (símbolo GHz) = 1.000.000.000 Hz

Si observamos de nuevo la tabla de la *figura 6.3*, veremos que el estándar *802.11ad* usa una frecuencia de *60 GHz*, muy alta en comparación con las demás especificaciones. Como consecuencia, la longitud de onda es muy corta y, por ello, esta tecnología nos ofrece un ancho de banda muy alto (*7 Gbps*) a una distancia muy pequeña para tratarse de *wifi* (*10 metros*).

Probablemente, mucha gente compró equipos con esta especificación cuando aparecieron en el mercado y fue después cuando se dieron cuenta de que no les serían de utilidad, en según qué aplicaciones, por sus *especiales* prestaciones.

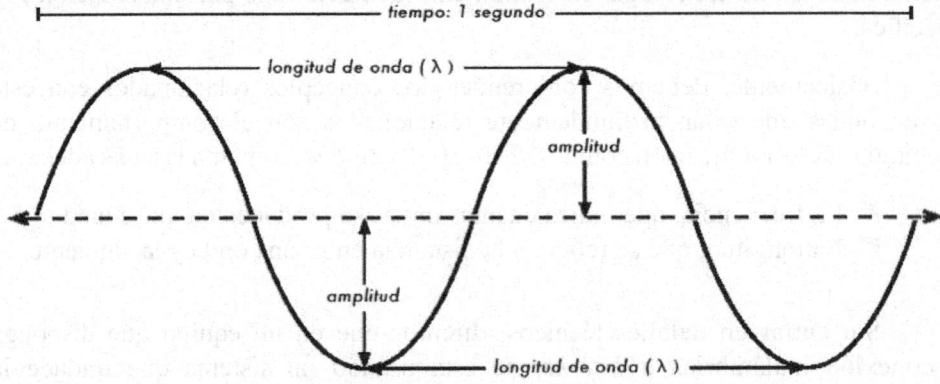

Figura 6.6. Los conceptos longitud, amplitud y frecuencia de las ondas electromagnéticas. En el ejemplo, una señal de 2 Hz (hercios) de frecuencia.

Otro detalle que debemos tener en cuenta acerca de las ondas electromagnéticas es que cuanto más alta sea su frecuencia, menor será su capacidad para atravesar obstáculos como paredes, por ejemplo. También es interesante saber que este tipo de ondas no necesitan de la existencia de ningún medio por el que moverse (como sería el aire que nos rodea), ya que pueden propagarse a través del vacío, cosa que permite las comunicaciones en el espacio exterior.

ⓘ **Nota**

La amplitud de las ondas, para el caso que nos ocupa, no es de nuestro especial interés. Se trata de la altura de la onda. Otro nombre que veremos a lo largo de la lectura es *banda*. Es un intervalo dentro de una frecuencia concreta del espectro. Por ejemplo, la *banda* de la *UHF* (*Ultra High Frequency*, ultra alta frecuencia usada en televisión, *Bluetooth, Smartphones...*), se encuentra en el intervalo de frecuencias del espectro desde los *300 MHz* a los *3 GHz*. Aun así, algunos términos relacionados se escapan del alcance del libro. Recomendaría buscar más información en el caso de que sea de nuestro interés.

6.4 TECNOLOGÍAS DE LA COMUNICACIÓN

Como hemos indicado en diversos puntos, el mundo de las comunicaciones para *Internet de las cosas* está en guerra y aún no existen estándares y protocolos asentados de forma definitiva. Todo ello frena la toma de decisiones en la compra de tecnología y, por consiguiente, el crecimiento de las implementaciones de *IoT*. Intentaremos ver ahora diversas tecnologías útiles para el tema que nos ocupa, pero tenemos que ser conscientes de que existen muchas más y, probablemente, aparecerán otras en un futuro próximo.

He intentado agruparlas según la clasificación de tipos de redes que hemos visto hace unas páginas, aunque debemos tener en cuenta que la frontera entre unas y otras es, hoy día, bastante relativa debido a las elevadas prestaciones, y sobretodo alcances, de todas ellas. Las tecnologías mostradas en las próximas páginas son suficientemente maduras como para tenerlas muy en cuenta. Algunas se han diseñado específicamente para *IoT* y rompen con la tradicional clasificación expuesta por lo que, quizás en un futuro no muy lejano, veamos que la división clásica de redes deba actualizarse para adaptarse conceptualmente a nuevas realidades.

6.4.1 PAN (Personal Area Network, redes de área personal)

6.4.1.1 WIFI 802.11AD

Esta nueva especificación, aparecida en 2016 como puede verse en la *figura 6.3* y conocida también como *WiGig*, supone un notable aumento de velocidad frente a las especificaciones anteriores a ella, pero además supera también las velocidades clásicas de conexión por cable *Ethernet Gigabit* (de *1000 Mbps*). Estas altas velocidades permiten la emisión de imágenes en alta definición (*4K*), por ejemplo, y en *IoT* suponen poder enviar un gran volumen de datos sin problemas. *802.11ad* ofrece también poder trabajar con distintas redes *wifi* existentes de forma dinámica; es decir, sin necesidad de reconexión constante cuando los dispositivos saltan de una zona de cobertura a otra. Este estándar *wifi* se creó pensando en la posibilidad de eliminar, definitivamente, los tendidos de cable de red y sus costes asociados.

Quizás nos sorprenda el poco alcance de esta especificación *wifi*: tan solo de 10 metros. Ello es debido a la alta frecuencia de su señal, que está en el rango de los 60 *GHz* (*GigaHertz*, GigaHercios), varias veces superior a la de las demás especificaciones. Ello le permite ofrecer una gran capacidad de transmisión de datos, pero a distancias más cortas. Cuanto más alta sea la frecuencia, menor será el alcance. Por ello es ideal para dispositivos *IoT* que requieran volúmenes elevados de datos junto con las demás características comentadas. Aunque tiene un problema: a esa frecuencia, no atraviesa paredes.

Figura 6.7. El producto Tri-Band Wireless-AC 18265 de Intel proporciona conectividad WiGig (802.11ad) a los dispositivos.

6.4.1.2 BLUETOOTH

Esta tecnología de radiofrecuencia está con nosotros desde inicios de la década del 2000 y se creó con la finalidad de facilitar la comunicación entre dispositivos móviles, eliminando cableado y posibilitando la creación de pequeñas redes de dispositivos personales. Podemos encontrar ejemplos de su uso en sistemas multimedia de vehículos, auriculares inalámbricos, teclados sin cables, impresoras… La importancia de *Bluetooth* para *IoT* reside en la novedad que incluyó en su versión 4.0, aparte de su mayor tasa de transferencia de datos: la especificación *Bluetooth LE* (*Low Energy*, de bajo consumo).

Poco tiempo después de empezar a usar las primeras versiones de *Bluetooth*, distintos fabricantes crearon el consorcio **Bluetooth Special Interest Group** (*Bluetooth - Grupo de interés especial*), con el objetivo de regular el estándar de comunicaciones y la compatibilidad entre sus diferentes versiones. Existe una enorme cantidad de información acerca del estándar en el sitio web oficial del consorcio, aunque para el tema que nos ocupa nosotros debemos centrarnos en las características de *Bluetooth Low Energy* (*BLE*).

Hasta la aparición de *BLE*, se hacía muy difícil encajar tecnología *Bluetooth* en un pequeño sensor como el que incorporaría un *reloj inteligente* o un *zapato conectado*, por ejemplo, ya que se trata de dispositivos con capacidades de memoria y de energía limitadas para soportar *Bluetooth clásico*. El consorcio **SIG** empezó a llamar a este estándar *Bluetooth Smart*, clasificándolo en dos tipos: *Bluetooth Smart* y *Bluetooth Smart Ready*. Es importante conocer las diferencias básicas entre ambos, para así asegurarnos de la interoperabilidad entre dispositivos y su compatibilidad con versiones anteriores.

Bluetooth Smart: se refiere a aquellos dispositivos que incorporan, únicamente, los componentes relacionados con *Bluetooth Low Energy* (*BLE*) y, por lo tanto, no son compatibles con otras especificaciones como el *Bluetooth clásico*. Es lógico, pues, encontrar el logotipo *Bluetooth Smart* en sensores y dispositivos que tengan estrictos requerimientos de consumo de energía.

Bluetooth Smart Ready: se refiere a aquellos dispositivos que incorporan los componentes *BLE* pero también los de *Bluetooth clásico*. Así, estos dispositivos serán capaces de comunicarse con todos los demás. Encontraremos el logotipo *Bluetooth Smart Ready* en los dispositivos que actúan como concentradores centrales, por ejemplo portátiles, tabletas o teléfonos móviles, ya que disponen de más recursos como potencia de proceso y energía.

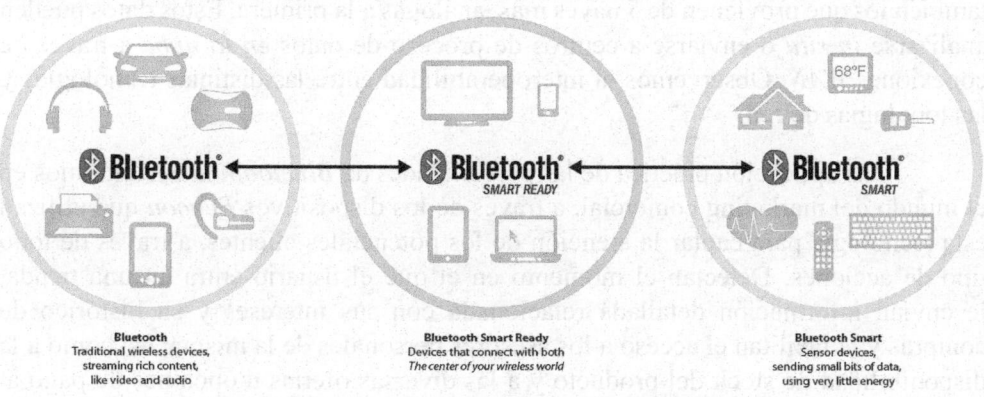

Figura 6.8. Tecnbologías Bluetooth y sus usos típicos.

De la tecnología *Bluetooth LE* debemos remarcar también nuevas posibilidades que sus antecesoras no ofrecían, y que son de significativa importancia para *Internet de las cosas*:

▷ Más *topologías de red*. Al principio, la conexión de un dispositivo se realizaba únicamente en forma de punto a punto, es decir, entre dos dispositivos. Ahora, se añaden las posibilidades de *Broadcast* (uno a muchos) y de *Mesh* (malla, *todos a todos*). La topología *Broadcast* es útil para servicios de localización y publicidad (por ejemplo) y *Mesh* para la creación de redes de dispositivos sin cable. Esta última ha disparado la adopción de *BLE* en muchos productos, debido a las posibilidades que ofrece en campos *IoT* como los edificios inteligentes, la automatización industrial o los hogares inteligentes.

▷ Mayor *distancia* de comunicación. La versión 5 de *Bluetooth*, que incluye las prestaciones *LE* comentadas, aumenta el rango de alcance de todas sus predecesoras. Esto, añadido a las posibilidades descritas en el punto anterior, convierten a *Bluetooth* en una seria competidora contra las tecnologías *Wifi*.

Antes hemos comentado que *IoT* puede entenderse como la suma de todo tipo de redes. El secreto está ahí, en poder transportar el flujo de datos desde el origen (los sensores) hasta el destino (sistemas de análisis en el borde de la red o en la nube, por ejemplo). En una instalación real puede existir, dentro de una nave de un complejo industrial, una red de dispositivos *Bluetooth* en malla (*Mesh*) que monitorizan todo tipo de procesos y maquinaria de producción, red que se conecta a un *PC* que opera como concentrador de datos. Este, a su vez, los envía a través de una conexión de fibra óptica a las oficinas centrales del complejo, donde se reciben también los que provienen de 5 naves más, análogas a la primera. Estos datos pueden analizarse *in situ* o enviarse a centros de proceso de datos *en la nube* a través de conexiones *WAN*. Observemos la interoperabilidad entre las distintas tecnologías y las topologías de red.

Una aplicación práctica de las posibilidades de *Bluetooth* la encontramos en el mundo del marketing comercial, a través de los dispositivos *Beacon* que utilizan esta tecnología para captar la atención de los potenciales clientes, a través de todo tipo de acciones. Detectan el momento en el que el usuario entra en una tienda, le envían información detallada relacionada con sus intereses y su histórico de compras y le facilitan el acceso a los asesores personales de la misma, así como a la disponibilidad de stock del producto y a las diversas ofertas u opciones de pago al acceder a su compra. Además, cuando el cliente abandona el comercio, le recuerdan lo que se ha perdido y le animan a regresar, de nuevo, con ofertas tentadoras si lo hacen con amigos que pueden convertirse en futuros clientes.

Todo ello es posible gracias a que las prestaciones de *Bluetooth* amplían, en estos ejemplos, el área de influencia de otros sistemas como *wifi* o las conexiones móviles ofrecidas por sistemas como *3G* o *4G*, ya que ofrecen conectividad adicional en puntos de no cobertura, además de añadir todas las utilidades derivadas de la geolocalización del usuario. Las posibilidades en relación a este están muy claras, pero también debemos tener en cuenta las ventajas para todo tipo de establecimientos que lo usan: localización de sus clientes, tiempo de estancia en sus negocios y áreas de más atracción para ellos, ratio de compra en relación al tiempo de visita, influencia sobre su entorno más próximo (familia y amistades), resultado de la aplicación de las campañas promocionales, y un largo etcétera que no hace más que aumentar con la aparición de nuevas aplicaciones nacidas de las posibilidades de todo ello.

El ámbito comercial no es solamente el campo de acción de los *Beacons* de *Bluetooth*, existen muchos otros. En el turístico, por ejemplo, se usan para mejorar la experiencia del visitante acerca de los lugares que visita, dándole todo tipo de información adicional sobre el lugar, sus cercanías, y todo tipo de detalles que, antaño, se reservaban a las más elaboradas guías de viaje internacionales. Todo ello a tiempo real, e incluyendo todo tipo de información, ofertas y detalles adaptados al cliente, al lugar y a la época del año en la que realiza su desplazamiento. Si bien estas posibilidades puede parecernos que ya existían debido a nuestras últimas visitas a atracciones turísticas, debemos concentrarnos en discernir entre la diferencia de leer un código *QR* que nos describe las características estáticas de un lugar o permitir que un dispositivo *Beacon* nos detecte y nos ofrezca información variada, a la carta y adaptada al momento preciso en el que realizamos la visita.

Día a día, las aplicaciones derivadas del uso de tecnologías *Bluetooth* como las descritas se introducen lentamente en nuestras vidas. Ahora, ya no vemos como misterioso el hecho de que nuestro teléfono nos avise acerca de un descuento especial en nuestra marca de ropa favorita cuando entramos, precisamente, en la tienda que la vende. En un futuro no muy lejano, nuestro *Smartphone* nos avisará, cada vez con más frecuencia, de detalles que podrían pasarnos desapercibidos al acercarnos a la estantería de un comercio o, por qué no, al cruzar con nuestro vehículo por una población que, en apariencia, no esconde nada que pueda ser de nuestro interés.

Aunque pueda parecernos que el uso de este tipo de utilidades está muy restringido al mundo de la publicidad y el marketing directo, la verdad es que cada vez más se están realizando pruebas sobre su aplicación en el mundo de la salud, por ejemplo, para permitir un mejor seguimiento del equipamiento médico, una mejor coordinación del personal y, en definitiva, una mejor experiencia para el paciente.

La tecnología *Bluetooth* tiene mucho que ver, y mucho que decir, en el futuro de *Internet de las cosas*.

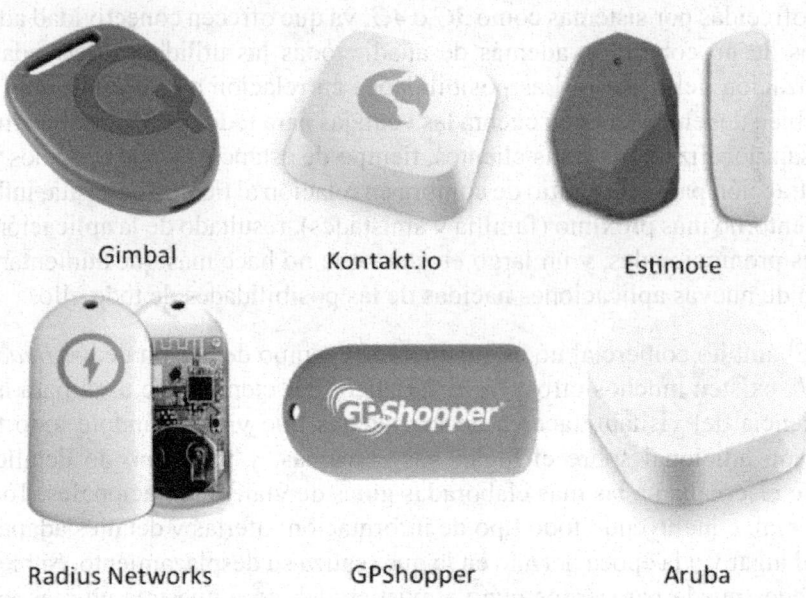

Gimbal   Kontakt.io   Estimote

Radius Networks   GPShopper   Aruba

Figura 6.9. Diversos dispositivos Beacon, instalables en cualquier ubicación, que usan tecnología Bluetooth LE.

6.4.1.3 RFID (RADIO FREQUENCY IDENTIFICATION)

Radio Frequency Identification, identificación por radiofrecuencia en español, es una tecnología de comunicación sin hilos que tiene como objetivo que los objetos puedan ser identificados inequívocamente. Si consideramos a *Kevin Ashton*, comentado a principios de este libro, como uno de los padres de *IoT* gracias a sus trabajos en el *MIT*, deberíamos pensar en *RFID* como una de las primeras tecnologías usadas en el mundo de *Internet de las cosas*. Este sistema usa etiquetas de identificación, que se adhieren a los objetos deseados (personas, animales y cosas) y permiten el envío y recepción de datos. Estas utilidades permitieron que *RFID* se convirtiera en una tecnología típica en el seguimiento y control de inventarios.

Existen diversos tipos de etiquetas *RFID*, como las activas, las semi-activas y las pasivas. La diferencia más importante entre ellas es el uso de una fuente de energía. Las etiquetas *pasivas*, por ejemplo, no disponen de ningún tipo de fuente de alimentación, es el lector quien, a través de ondas electromagnéticas, *activa y alimenta* la etiqueta para conseguir que esta envía la información contenida en ella. A diferencia de los códigos de barras, en los que etiqueta y lector deben "verse", *RFID* permite la lectura remota a distancias de hasta 25 metros para las *pasivas* y de varios cientos para las *activas*.

No es el objetivo de este libro analizar con detalle todas y cada una de las características de las tecnologías de comunicación expuestas, aunque sí que es interesante que nos quedemos con sus características más importantes. Observemos, por ejemplo, que el uso de *RFID* puede liberar del gran problema que constituye la energía. Ahora bien, dependerá de cada empresa y de la solución adoptada. Para el ejemplo comentado anteriormente de la gestión de inventarios, *RFID* puede ser una gran solución si solamente se busca mantener objetos identificados y saber dónde están, así como las necesidades de reposición y oscilaciones de stock. En un escenario así, donde en ningún momento se ha hablado de sensores que recojan datos y los reenvíen, probablemente *RFID* sería una buena opción. En todo caso, las tareas más complejas a realizar con posterioridad a la localización de los objetos se realizarían en sistemas externos a las propias etiquetas.

A veces son las inversiones las que frenan la implementación de un sistema como el descrito aquí. Probablemente una etiqueta *RFID* sea la solución más económica si la comparamos con otros sistemas más complejos, pero tendremos menos posibilidades de interactuar con ella, más allá de pedirle su código de identificación. Igual que en el caso del código de barras, una etiqueta de radio frecuencia no almacena información interesante aparte de su código de identificación. Es más tarde, cuando el lector lo recibe, donde empieza la potencia del sistema, buscando información acerca del producto, por ejemplo.

Las etiquetas *activas*, en cambio, pueden contener sensores que almacenen y envíen datos a distancias mayores y de forma más fiable. Por el contrario, estas son mucho más caras que las anteriores y, por lo tanto, debe estudiarse detenidamente su implementación, a nivel de inversión.

Observemos en ambos casos que se trata de comunicaciones en una sola dirección. Un lector se activa y pide datos a las etiquetas. Estas *lo escuchan* y responden a la petición. Final de la comunicación.

No debemos pensar en las etiquetas *RFID* como un papel adhesivo pegado en cualquier parte de un objeto. Estas etiquetas pueden adquirir muchas y variadas formas, dependiendo de su función y de su categoría (*activa* o *pasiva*). Quizás el usuario no lo sepa, pero probablemente la llave de su vehículo, en los que ya no hace falta situarla en el contacto, contiene una etiqueta *RFID* que hace que se reconozca su proximidad y se permita poner en marcha el automóvil.

Estas etiquetas se encuentran instaladas, ya, en un sinfín de productos y lugares, habilitando muchas de las soluciones comentadas hasta el momento: desde identificación y localización de mascotas y objetos, hasta los transportes y logística, pasando por el mundo de la salud.

Figura 6.10. Diversos tipos de etiquetas RFID.

6.4.1.4 NFC (NEAR FIELD COMMUNICATION)

Near Field Communication, comunicación de campo cercano en español, es una tecnología inalámbrica que, al igual que *wifi* o *Bluetooth*, usa la radiofrecuencia para permitir el intercambio de datos entre dispositivos. De hecho, es una especialización o evolución de la anteriormente descrita *RFID*.

Su característica principal es el corto alcance (hasta 10 centímetros en la práctica) y la posibilidad de que los dispositivos sean *pasivos* o *activos*, aportando este hecho las mismas ventajas descritas en el apartado anterior. *NFC* fue diseñado para garantizar un *intercambio* seguro de datos, y de ahí el hecho de operar a cortas distancias, para mantener la *confidencialidad*.

Una de las características que diferencia *RFID* y *NFC* es que la segunda permite que los dispositivos puedan actuar como lector y como etiqueta y, por lo tanto, puedan establecerse comunicaciones *punto a punto*.

> **ⓘ Nota**
>
> Una de las cosas que expandió el uso de *NFC* fue la incorporación de esta tecnología en los teléfonos móviles, facilitando así operaciones como el intercambio de fotografías o de tarjetas de visita digitales sin usar ningún tipo de cables.

En la actualidad, muchas personas están acostumbradas al uso de *NFC* en un gesto muy habitual ya en sus teléfonos móviles: pagar la cuenta. En esta acción, el usuario expresa su intencionalidad acercando el dispositivo móvil a la terminal bancaria, que es capaz de leer la información y cerrar la transacción.

Los impulsores de esta tecnología lo tienen muy claro, *NFC* responde a muchos de los retos que *Internet de las cosas* tiene por delante:

▶ La posibilidad de conectar lo no conectado, ya que cuando hablamos de sensores y de dispositivos como motores, ascensores, lámparas, refrigeradores, etcétera, damos por sentado que dispondremos de accesibilidad a fuentes de energía para alimentar los circuitos de comunicación. Pero no siempre es así, en muchas ocasiones los objetos que desearíamos controlar no disponen de tal posibilidad y la tecnología *NFC* rompe esta barrera. Son los dispositivos lectores los que realizan las tareas de conexión y acceso a la información en línea relacionada.

▶ Control explícito por parte del usuario, ya que al igual que cuando pagamos la cuenta en un restaurante acercamos el dispositivo móvil a la terminal bancaria, acercarnos a un objeto con características *NFC* indica de forma explícita que deseamos interactuar con él.

▶ A nivel técnico resulta más simple y rápida la interconexión de dispositivos e interacción entre ellos sin intervención alguna por parte de los usuarios. Se trata simplemente de acercar los dispositivos para conseguir la transacción.

En la red existen muchas discusiones sobre si *NFC* es o no una tecnología de comunicaciones en el ecosistema *IoT*, puesto que en realidad, y resumiendo mucho sus prestaciones, se trata de leer etiquetas pasivas *NFC* desde dispositivos conectados, en los casos de aplicación más típicos. Así pues, deberíamos remitirnos a nuestras propias creencias, a falta de la definición oficial, sobre qué pertenece y qué no al mundo de *Internet de las cosas*. Si nos basamos en las descripción que nos dice que *IoT* es un sistema de dispositivos en que cada uno de ellos dispone de la capacidad de conectarse con los demás para transmitir y recibir datos, *NFC* quedaría excluido. Ahora bien, si vemos esta tecnología como capaz de facilitar el seguimiento de mercancías, identificación de productos y personas, de sus datos y su ubicación, entonces debemos pensar que aunque no se trate de tecnología *IoT* puramente, ayuda a que esta funcione con la ayuda de dispositivos activos, que complementan sus carencias.

Figura 6.11. El pago con móvil, una de las utilidades más conocidas de la tecnología NFC.

Las tecnologías *NFC* e *RFID* cubren típicamente necesidades como las siguientes:

- ▼ Sistemas de prepago con tarjeta (transporte público, cafeteras)
- ▼ Interacción entre teléfonos inteligentes
- ▼ Sistemas basados en la ubicación (*LBS*)
- ▼ Logística y transporte
- ▼ Control de acceso (tarjetas de identificación)

6.4.1.5 IEEE 802.15.4

IEEE 802.15.4 es un estándar de comunicaciones creado por el **Institute of Electrical and Electronics Engineers** (*Instituto de Ingenieros de Electricidad y Electrónica*) pensado para permitir una comunicación de bajo coste entre dispositivos, a corta distancia y con bajas necesidades de ancho de banda y consumo. Quizás uno de los aspectos más destacados de este estándar sea que posibilita la fabricación de dispositivos a costes muy reducidos gracias a su simplicidad tecnológica.

El rango de alcance varía mucho dependiendo de la potencia de transmisión y de la sensibilidad del receptor. Las aplicaciones más comunes se mueven en el rango de los 10 a los 75 metros, siendo más típicas las de distancia menor.

Es importante tener en cuenta, también, que una red formada por distintos nodos inalámbricos que usen esta especificación puede organizarse de distintas formas (distintas *topologías*) como son en estrella o punto a punto, posibilidades que permiten optimizar, aún más, el consumo de cada uno de los nodos implicados.

802.15.4 nació en 2006 y se considera como uno de los protocolos más importantes para las comunicaciones inalámbricas de *cosas*, aunque en la actualidad se ha convertido en referencia para el desarrollo de muchos otros protocolos *IoT*, como *Zigbee*, del que hablaremos más adelante en la sección dedicada a las redes de área local.

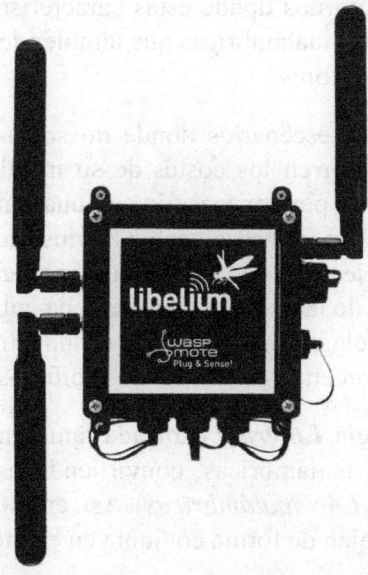

Figura 6.12. Waspmote, un sensor de la multinacional tecnológica española Libelium, que incluye conectividad 802.15.4.

6.4.2 LAN (Local Area Network, redes de área local)

6.4.2.1 ETHERNET

Quizás es la tecnología más conocida y extendida en el mundo y la indiscutiblemente líder en la parcela de las redes de área local (*LAN*) cableadas.

Gracias a ella las redes informáticas experimentaron un crecimiento sin precedentes, facilitando tanto la comunicación entre usuarios como la compartición de recursos empresariales.

En un cuadro anterior de esta misma sección se han descrito brevemente sus características técnicas en función de los tipos de medios (*cables*) usados. Así, y dependiendo del uso de cable de par trenzado o de fibra óptica, se alcanzan velocidades y distancias muy diversas, que van del máximo de 100 metros en una sola tirada para el primero a varios kilómetros para el segundo.

Muchos piensan que cuando se habla de *Internet de las cosas* se habla, siempre, de tecnologías de comunicación inalámbrica. Esto no es así, muchas soluciones tienen en cuenta la conectividad por cable debido a su gran fiabilidad, ancho de banda y baja latencia en las comunicaciones. De esta forma, *Ethernet* es la solución preferida en entornos donde estas características son críticas, mientras no se desarrollen tecnologías inalámbricas que también los ofrezcan, como será *5G*, explicada en capítulos posteriores.

Existen multitud de escenarios donde no son necesarios los dispositivos sin cables, aunque estos ahorren los costes de su instalación, ya que muchos no requieren movilidad y deben permanecer fijos en una única ubicación. Cámaras de vídeo, motores en maquinaria industrial, robots industriales en cadenas de montaje son ejemplos de ello. La elección de una u otra tecnología **Ethernet** dependerá del ancho de banda deseado y de la distancia que se deba cubrir. Es muy típico ver este tipo de instalaciones en oficinas, almacenes, naves industriales donde los equipos no sean móviles y permanezcan en el interior de los edificios.

El uso de tecnología **Ethernet** cableada también se encuentra presente en ambientes con soluciones inalámbricas, convirtiéndose entonces en el tronco de enlace de las redes *WLAN* (*LAN inalámbricas*). Así, en este contexto mixto, las redes *LAN*, *WPAN* y *WLAN* trabajan de forma conjunta en el encaminamiento de los flujos de datos.

Imaginemos una fábrica que dispone de almacén, oficinas y línea de producción. En esta última pueden existir diversos robots que usan tecnologías *PAN* para su propio control y que envían señales de su sensórica a un nodo cercano *WLAN* que, a su vez, las redirige a un punto de conexión central que dispone de conexión *WLAN* y *LAN*: un típico *router* con ambas tecnologías. Este las encamina por la ruta cableada hasta el servidor central, que reside en las instalaciones técnicas de la oficina. En él pueden realizarse todas las operaciones de análisis y control necesarias o bien puede reenviarse el flujo de datos a la *nube* si es necesario.

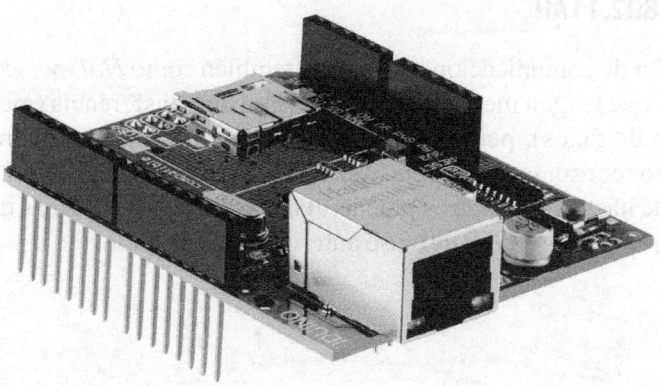

Figura 6.13. Módulo para añadir conectividad Ethernet a los prototipos diseñados con la plataforma de desarrollo de hardware Arduino.

6.4.2.2 WIFI 802.11N

Este estándar de comunicaciones se diseñó para mejorar notablemente la velocidad de transmisión de los existentes hasta ese momento y fué, quizás, el más común de encontrar instalado en nuestros domicilios durante una buena época. Multiplicó la tasa de transferencia de versiones anteriores y también el rango de alcance de la señal, situándose alrededor de los 250 metros. Para conseguirlo, los dispositivos que usan este estándar incorporan más de una antena para transmitir y recibir datos.

Figura 6.14. El router RT-N66U de Asus incorpora el estándar 802.11n.

6.4.2.3 WIFI 802.11AH

Estándar de comunicaciones conocido también como *HaLow*, se creó pensando en dispositivos que tengan menor necesidad de tasa de transferencia (menos capacidad de transmisión de datos), pero que puedan llegar a distancias mayores, además de ofrecer un menor consumo de energía. Así, los dispositivos que usan *802.11ah* pueden cubrir rangos de hasta 1000 metros gracias al uso de bajas frecuencias de transmisión: los 900 *MHz*, frente a los 5 *GHz* del caso anterior, por ejemplo.

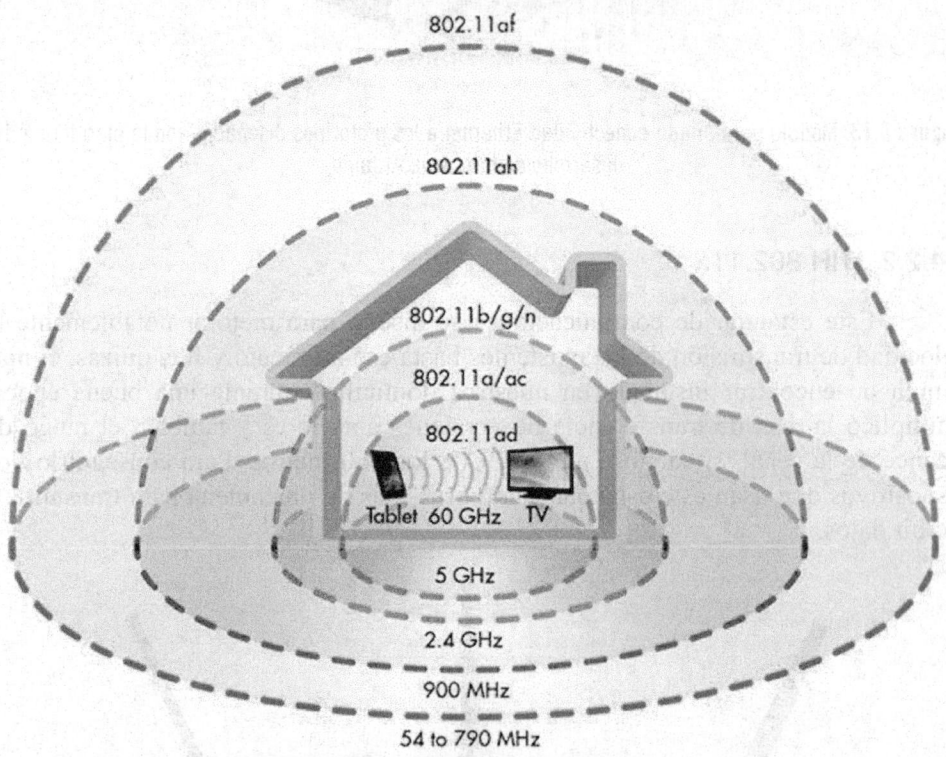

Figura 6.15. Representación gráfica de las áreas de cobertura de diferentes tecnologías wifi, algunas descritas en este capítulo.

6.4.2.4 ZIGBEE

Esta especificación de comunicaciones inalámbricas se basa en el estándar de la *IEEE 802.15.4*, descrito con anterioridad. En realidad fue una mejora de este desarrollada por la alianza **Zigbee**, fundada en 2002 con el objetivo de crear estándares abiertos que permitan el despegue definitivo del universo de posibilidades

IoT. Entre sus empresas promotoras destacan **Huawei**, **Schneider Electric** o **Texas Instruments**.

Zigbee suele implementarse como solución de comunicaciones con bajos requisitos a nivel de velocidad de transmisión de datos, pero con necesidad de transmisiones seguras y bajo consumo eléctrico como prioridades. Además, permite la interconexión de dispositivos en forma de malla, lo que significa que cada uno de ellos está conectado con los demás. El rango de alcance se sitúa entre los 10 y los 100 metros.

En la actualidad, existe una gran base de instalaciones que usan tecnología *Zigbee* a nivel internacional, aunque principalmente en entornos industriales donde existan sistemas complejos y se requieran bajos consumos, seguridad, robustez, escalabilidad y un gran número de sensores para soluciones de conectividad de máquina a máquina y aplicaciones *IoT* en general. Se trata, pues, de una muy buena opción para un gran número de aplicaciones en este campo.

En el ámbito doméstico podemos encontrar un gran número de soluciones que han apostado por esta tecnología, o bien de forma nativa o bien haciéndolas compatibles con ella. Así, el asistente *Alexa* de **Amazon** puede actuar como controlador de hogar digital a través de su producto *Echo Plus*, de tal forma que desde él pueden realizarse un gran número de acciones sobre dispositivos *Zigbee* como reguladores de luz, sensores de todo tipo, sistemas de alarma, bombillas o cerraduras, por ejemplo.

Figura 6.16. El centro de control Z1 de la multinacional Trust, basado en Zigbee y pensado para el hogar inteligente.

6.4.2.5 Z-WAVE

Esta tecnología es una clara competidora de la anterior, aunque difiere de ella en algunos aspectos técnicos. Uno de los más importantes es que trabaja a frecuencias inferiores, cosa que la hace prácticamente inmune a las interferencias ocasionadas por emisiones de microondas como las producidas por *wifi* o *Zigbee*. También mantienen una mejor compatibilidad hacia atrás y adelante, cosa que implica una mejor comunicación en un mundo de dispositivos heterogéneos y diversas versiones de especificaciones inalámbricas. Diseñada pensando básicamente en soluciones para el hogar (*domótica*), es una tecnología de bajo consumo y baja capacidad de transferencia de datos que ofrece confianza y baja latencia en las comunicaciones de área local, con una estructura de protocolo más simple, cosa que permite una más fácil y rápida implementación de soluciones. Igual que en el caso anterior, existe la **Z-Wave Alliance**, en la que coinciden algunas de las empresas miembro de **Zigbee Alliance**, como **Huawei**, cosa que demuestra los distintos frentes abiertos que mantienen los fabricantes en búsqueda de estándares definitivos.

A tener muy en cuenta en cuanto a la compra de dispositivos *Z-Wave*, es que el uso de las frecuencias inferiores a *1 GHz* no es igual para todas las regiones del planeta. Así, un dispositivo adquirido en línea en el extranjero puede que no funcione en nuestro país.

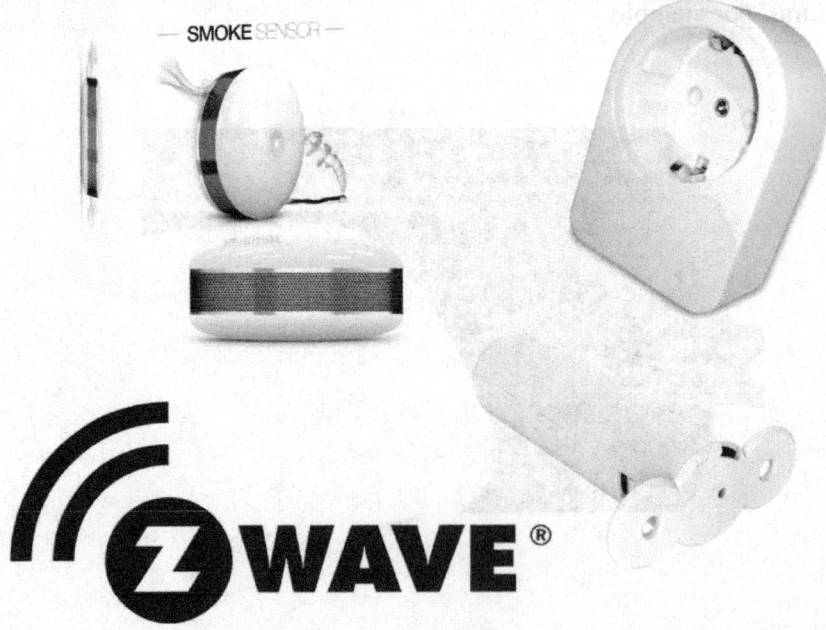

Figura 6.17. Diversos dispositivos Z-Wave.

Por último, indicar también que los dispositivos *Z-Wave* son plenamente compatibles con asistentes como el comentado en el apartado anterior, *Alexa*, cosa que permite configurar el comportamiento de éstos a golpe de voz, sobre sistemas como el **Amazon Echo Dot**, que entró en España a finales de 2018.

6.4.3 WAN (Wide Area Network, redes de área amplia)

Antes de entrar de lleno en los diversos estándares *WAN*, quizás sea necesario hablar del término *LPWAN*, siglas de *Low Power Wide Area Network* (red de área amplia de baja potencia) para distinguir entre ambos conceptos. Mientras que el uso clásico de las redes *WAN* se ha centrado en la interconexión de usuarios y organizaciones de todo tipo a altas velocidades con grandes anchos de banda, gran consumo energético y grandes distancias, las tecnologías *LPWAN* en las que nos centraremos en este apartado se focalizan en los bajos anchos de banda, pequeños consumos y su especialización en la interconexión de *cosas* a grandes distancias. Además, todas las mencionadas corresponden a la categoría de comunicaciones inalámbricas.

6.4.3.1 LORAWAN

LoraWAN es un protocolo de red de área amplia de baja potencia (*LPWAN*) diseñado para la interconexión inalámbrica de *cosas* a **Internet**, en ámbitos geográficos amplios. Entre sus atractivos destacan la comunicación bidireccional, seguridad a todos los niveles, movilidad y servicios de localización. Existen diferentes clases de dispositivos *LoraWAN*, que tienen que ver con sus capacidades de comunicación, consumo de energía y latencia, orientados a diversos tipos de soluciones finales.

Hay cierta confusión derivada del nombre de este protocolo. Por una parte, debido al nombre de la alianza que, una vez más, vela por su desarrollo, implementación y éxito: **LoRa Alliance**, entidad sin ánimo de lucro formada por todo tipo de empresas tecnológicas. Esta es una de las que más crecimiento ha experimentado; a finales de 2018 contaba con más de 500 miembros en su directorio. Su objetivo principal es liderar el mercado convirtiendo *LoraWAN* en un protocolo abierto *IoT* que sea global y estándar. Empresas como **Cisco**, **Google** o **IBM**, así como operadoras de comunicaciones móviles como **Orange**, **Swisscom** o **Andorra Telecom** aparecen en su lista de miembros.

Otro hecho que contribuye a tal confusión, es que *LoRaWAN* se apoya en una tecnología base inalámbrica llamada *LoRa* (nombre que proviene de *Long Range*, largo alcance en español), que permite comunicaciones de largo alcance con bajo consumo de potencia. Dicha tecnología describe la técnica de modulación de señal de radiofrecuencia (como se insertan los datos en el espectro radioeléctrico), por lo tanto se dedica solamente a los aspectos de conectividad física de los dispositivos que la implementan. Así, **Semtech Corporation**, la empresa californiana creadora de la tecnología *LoRa*, provee los chips con esta tecnología de radio, mientras que *LoRa Alliance* dedica sus esfuerzos a la estandarización del protocolo *LoRaWAN* que usa *LoRa* como tecnología de comunicaciones subyacente.

Las prestaciones que van más allá de la conectividad física vienen proporcionadas por protocolos de nivel superior, como *LoRaWAN*. Por lo tanto, este se encarga de gestionar la comunicación mientras que *LoRa* es la tecnología base para que esta ocurra.

LoRaWAN promete rangos de alcance de hasta 20 kilómetros, gracias al uso de frecuencias de comunicación por debajo de 1 GHz, aunque estos se conseguirían en situaciones excepcionales de visibilidad entre dispositivos, sin complicadas orografías ni construcciones entorpeciendo la señal. Así, en ciudades podrían verse reducidos hasta los 2 kilómetros, y en zonas rurales en buenas condiciones hasta los 10 a 15, aunque todo ello depende de muchos factores como el tipo de construcciones en las ciudades o los materiales de las montañas en el mundo rural.

Importante es señalar que, junto con el alcance de la señal, el consumo de energía es otro valor de esta tecnología: se habla de hasta 10 años de vida de las baterías. La capacidad de transmisión es baja en comparación a otras tecnologías estudiadas y depende de la región. En Europa, por ejemplo, se llegan hasta los *50 kbps* (*kilobits por segundo*).

> **ⓘ Nota**
>
> Debemos saber que *LoRa* es una tecnología de comunicación *LPWAN* abierta y que, en consecuencia, no debe pagarse ningún tipo de licencia por su uso, a diferencia de otras tecnologías como *SigFox*, que conoceremos en el próximo apartado y que es tecnología propietaria bajo licencia.

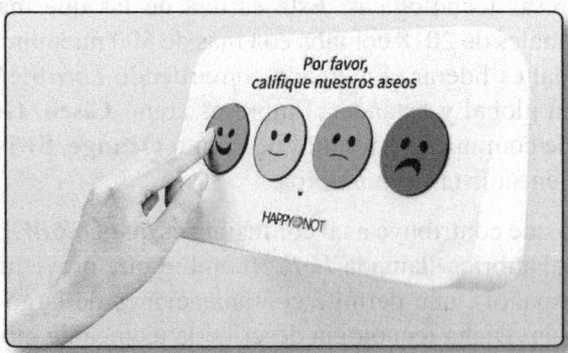

Figura 6.18. Los botones de satisfacción HappyOrNot, distribuidos en España por Touch Ibérica, usan tecnología LoRa.

6.4.3.2 SIGFOX

El de *SigFox* es un caso de estudio interesante. En realidad, este es el nombre de una empresa francesa, una red y un protocolo. *SigFox* es la compañía creadora de la red con el mismo nombre, que además ha desarrollado su propio protocolo de comunicaciones. Así pues, estamos hablando de tecnología *propietaria* (no abierta y que, por lo tanto, debe pagarse por su uso). Lo interesante del caso es que este modelo está creando una red física *paralela* a *Internet* y especializada en todo tipo de dispositivos *IoT*. Lo está haciendo de forma directa en algunos países y a través del uso de operadores en otros. En España, *SigFox* firmó con **Abertis Telecom**, el operador de la amplia infraestructura de red que **Abertis** tiene en el país, para que esta pueda ofrecer soluciones de conectividad *IoT* a sus clientes. Así, la francesa tiene una cobertura superior al 90% en el territorio español, estando muy cerca de las de su competencia más directa: **Movistar** y **Vodafone**.

Otra ventaja de usar su red reside en el precio. *SigFox* usa, como soporte para sus antenas, pequeños espacios en las de otros operadores en vez de instalar infraestructura nueva completa. Así, con pequeñas inversiones, la compañía ha conseguido conquistar posiciones impensables en relación a la inversión efectuada. Además, ello repercute en el precio final para el usuario que, a finales de 2018, se situaba 5 veces por debajo de la oferta de mercado de las grandes operadoras. Un objeto conectado costaba 16€ al año, contratando con estas, mientras que con *SigFox* el precio se reducía a los 3,5€.

En cuanto a tecnología, e igual que el protocolo anterior, *SigFox* pertenece al grupo de red de área amplia de baja potencia (*LPWAN*). Concretamente, usa tecnología de transmisión *UNB* (*Ultra Narrow Band*, banda ultra estrecha), que opera en frecuencias extremadamente bajas para conseguir cubrir grandes distancias con muy bajos consumos (se habla de 10 años de autonomía con baterías, como ya se ha dicho), siendo muy resistente además a las interferencias.

SigFox usa estrategias especiales que aseguran la entrega de los paquetes de datos y el ahorro de energía. Por un lado, los mensajes se envían por tres frecuencias distintas y lo hacen a todas las antenas que están a su alcance. Todas los reciben y usan sus capacidades para reenviarlas a la nube. En cuanto a los dispositivos, pueden *despertarse* solamente cuando deben enviar información, pasando el resto de tiempo desactivados. Así se asegura el ahorro.

Un ejemplo de dispositivo *SigFox* es un detector de presencia en una plaza de aparcamiento, dentro de una solución de parking inteligente. Dicho sensor informa acerca de si la plaza está ocupada o no, y lo hace solamente dos veces: cuando se ocupa y cuando queda libre. Este aviso, en forma de mensaje enviado por tres frecuencias distintas, alcanzará todas las antenas próximas, que lo reenviarán a la nube central del operador. Los datos se ofrecen, a través de un contrato, a las empresas cliente.

En el caso del ejemplo, la empresa que gestiona el parking tendrá acceso web a una aplicación de control de la infraestructura y podrá realizar todas las operaciones que desee con los datos. Publicar plazas libres en los paneles, activar flechas de dirección o conectar el conjunto a los sistemas de la ciudad, para que los habitantes sepan de la existencia de plazas libres en ese aparcamiento.

Los servicios principales para los que se emplea el ecosistema *SigFox* son:

▶ Geolocalización y *tracking* (rastreo)
▶ Sistema de mensajes de dispositivos
▶ Servicios relacionados con la nube (gestión y uso de datos)

La única limitación de esta tecnología es la poca capacidad de transmisión de información. Estamos hablando de 10 a 600 bps (bits por segundo), dependiendo de la región. Ello es suficiente para la información que publican muchos sensores *IoT*, pero totalmente inútil para el envío de vídeo, por ejemplo. Este punto es crucial en el momento de decidir si esta es o no la tecnología más adecuada para nuestros proyectos.

Figura 6.19. Sensor inalámbrico de concentración de CO_2 de la empresa española SLB Systems, con tecnología SigFox.

ⓘ **Nota**

La banda ultra-estrecha (*UNB*) se refiere al uso de tecnología de transmisión que usa canales del espectro radioeléctrico muy estrechos, inferiores a *1KHz*, cosa que permite enlaces de larga distancia (de 5 kilómetros en áreas urbanas a 25 o más en suburbanas), con consumos eléctricos muy reducidos.

6.4.3.3 WEIGHTLESS

Parecido al caso anterior, *Weightless* es el nombre de una tecnología *LPWAN*, pero también el de un grupo de interés especial (*Weightless SIG, Special Interest Group*), organización sin ánimo de lucro encargada de coordinar las actividades necesarias para ofrecer, según su propia descripción, *la mejor tecnología de conectividad IoT*. El mismo grupo asegura, en su sitio Web, que esta tecnología es, *de facto*, el estándar de *Internet de las cosas*.

Para demostrar tan atrevida afirmación, en un momento donde compañías y consorcios batallan por quedarse con la bandera del liderazgo, *Weightless SIG* afirma que se diferencia de otras tecnologías *LPWAN* por distintos factores clave, de importancia crítica, que tienen que ver con:

- Fiabilidad
- Seguridad
- Calidad de servicio
- Consumo energético
- Coste
- Capacidad y distancia de comunicación
- Estándar abierto

Disponer de estándares abiertos es un factor clave para el desarrollo de las tecnologías *IoT*, como hemos comentado en algunos puntos del libro, ya que facilitaría enormemente la compatibilidad entre sistemas, dispositivos, tecnologías… que en la actualidad son, en muchos casos, productos propietarios de sus empresas desarrolladoras.

Como atributo del estándar, destacaremos que es totalmente bidireccional, a comparación de otras soluciones que no ofrecen tal prestación. En todo caso, debe ser el análisis de las necesidades específicas de un escenario concreto quien determine la necesidad o no de esta característica. Remitámonos al caso del parking inteligente y veremos que, para el caso de los sensores de presencia de los vehículos aparcados no sería necesaria la comunicación bidireccional, dado que el sensor debe avisar, solamente, de dos estados: ocupado y no ocupado, sin necesitar respuesta alguna. Sofisticándolo un poco más, podríamos necesitar un tercer estado, que indicaría que la batería está agotándose, por ejemplo.

Para casos donde esta doble comunicación sea necesaria, *Weightless* ofrece un sistema muy confiable con reconocimiento completo. Ello implica que en la comunicación bidireccional emisor y receptor deben reconocerse y ponerse de acuerdo. Es lo que técnicamente se denomina *acknowledge* (reconocimiento).

Otra de sus características interesantes es que puede soportar un gran número de objetos simples a su alrededor, con lo que se está popularizando para las comunicaciones de máquina a máquina. El protocolo permite dispositivos centrales, llamados estaciones base (*BS* o *base stations*) a los que se conectan los dispositivos finales (o *ED, end devices*). Las estaciones base, a su vez, pueden interconectarse para formar una red de estaciones base (*BSN base stations network*).

Weightless ofrece una capacidad que va desde los 200 *bps* (bits por segundo) a los 100000 *bps* y habla de 2 kilómetros de alcance en zonas urbanas densas, usando velocidades de transmisión bajas.

> ### ⓘ Nota
>
> Cada estación base *Weightless* puede gestionar 2769 dispositivos finales, a comparación de otras tecnologías basadas en *UNB* (*ultra narrow band*, ultra baja frecuencia) como *SigFox*, que pueden manejar 789 o *LoRa*, que puede encargarse de 52. Así, *Weightless* puede ser una solución interesante para entornos donde se requiera un alto número de dispositivos conectados.

Figura 6.20. Etiqueta sobre e-paper (papel electrónico), actualizable desde estaciones base con protocolo Weightless, una interesante solución de la compañía taiwanesa Ubiik.

6.4.3.4 REDES DE TELEFONÍA MÓVIL (2G, GSM, GPRS, 3G, 4G, LTE)

Hasta el momento hemos estado hablando de tecnologías y protocolos *WAN* nacidos de las propias necesidades de conectividad de *IoT*. Pero no debemos olvidar que, al igual que *wifi* y *Ethernet*, o las soluciones *ADSL* o de *fibra óptica*, que existen como sistemas de conexión genérica desde hace tiempo, las soluciones de conexión a través de telefonía móvil están también disponibles para la conexión de objetos a la red.

Así, aunque sin entrar en detalles técnicos, diremos que existen diversas soluciones de conectividad *celular* que permiten el uso de las redes de telefonía existentes para interconectar elementos del universo *IoT*. Dichas redes incluyen tecnologías de las distintas generaciones de comunicaciones móviles: *2G, GSM, GPRS, 3G, 4G, LTE* entre otras, y ofrecen un amplio abanico de posibilidades que vienen a cubrir la demanda existente.

La selección de una u otra tecnología móvil irá en función de las exigencias de la solución a implementar: latencia, velocidad de transmisión, tiempos de conexión y costes. La tecnología *4G*, por ejemplo, permite una gran capacidad de transmisión de datos, pero a cambio es más costosa y consume una gran cantidad de energía. No sería útil en según qué circunstancias por motivos de obviedad técnica como los expuestos, y en otras resultaría una solución adecuada técnicamente aunque sobredimensionada a nivel de costes.

Por ello es de vital importancia analizar todos los parámetros que intervienen en un proyecto *IoT* en el momento de buscar una solución de conectividad móvil.

Muchas veces la solución de telefonía móvil puede ser idónea en situaciones donde se requiera conexión a Internet para envío de datos que tengan suficiente con bajas capacidades de transmisión. También puede serlo en caso de empresas de cierto volumen que tengan contratados los servicios de telefonía de forma global con alguna gran operadora y los costes se puedan asumir dentro de la facturación habitual. Aunque las grandes operadoras no eran las más competitivas en este tipo de soluciones a finales de 2018, se prevé que puedan serlo en los próximos años.

Antes hemos hablado de las *generaciones* de las comunicaciones móviles (*1G, 2G, 3G, 4G...*). De hecho, la letra *G* es precisamente la abreviación de *generación*. El cambio de una a la otra indica una serie de mejoras, relacionadas principalmente con la velocidad de transmisión, que ha permitido, a lo largo del tiempo, ofrecer servicios que han ido adaptándose a la creciente demanda de los usuarios.

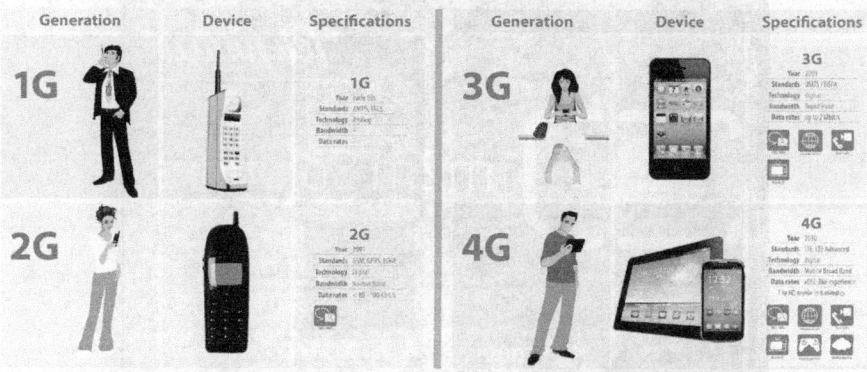

Figura 6.21. Las distintas generaciones de comunicaciones móviles con sus características más destacadas.

Así, mientras un terminal móvil de los años 80 (*1G*) ofrecía comunicaciones no digitales solamente de voz, uno de finales de la década de los 10 (*4G*) permitió el *streaming* de vídeo en alta definición.

La generación *2G* incluyó en su momento servicios de transmisión de datos y, en la actualidad, puede usarse en entornos donde encajen sus costes y las velocidades de transmisión máximas que pueden conseguirse que, comparadas con las de nuestros *smartphones*, son de risa. Aun así, existe un gran parque de proveedores de conectividad y diseñadores de soluciones *IoT* que la usan, principalmente, para la conexión *M2M* (*machine to machine*, máquina a máquina en español).

Cada país y cada continente pueden disponer de especificaciones diversas, que usan distintas bandas del espectro de radiofrecuencia en sus soluciones dependiendo de la ubicación geográfica y, por lo tanto, los rendimientos a nivel de velocidad y fiabilidad pueden cambiar de forma notable de unos lugares a otros.

En la imagen anterior pueden apreciarse las distintas tecnologías asociadas a cada una de las generaciones. Pueden variar, como se ha dicho, pero como orientación, podemos pensar en tasas de transferencia en descarga de datos (*download*, bajada) de: 35 a 170 Kbps para *GPRS*, 120 a 384 Kbps usando *EDGE*, 384 Kbps a 2 Mbps con *UMTS*, 600 Kbps a 10 Mbps usando *HSPA* y entre 3 y 10 Mbps con *LTE*.

> ### ⓘ Nota
>
> Es muy recomendable tener conocimientos profundos sobre estos temas si vamos a decidir adquirir dispositivos, vía *Internet*, a países distintos al nuestro. Muchas veces vamos a encontrarnos con que algo aparentemente simple que funciona en **UK**, por ejemplo, en nuestro país no sirva para nada.

Figura 6.22. Tarjeta SIM Global de Movistar, O2 y Vivo orientada a la conexión M2M a nivel internacional.

6.4.3.5 OTRAS TECNOLOGÍAS

Existen un montón de tecnologías más que no hemos comentado. Y es que todas las anteriores están muy extendidas y comprobadas y algunas de las que nos quedarían por ver se encuentran en fase experimental (o son una variación de alguna de las existentes), se ofrecen en mercados reducidos o no han experimentado un crecimiento significativo.

Tenemos como ejemplo a *Thread*, como protocolo moderno que usa *IPv6* (la última versión del protocolo de *Internet*), aunque no se le tiene en cuenta como un protocolo "puro" *IoT*. Al igual que en uno de los protocolos en el que se basa, *6LoWPAN*, *Thread* se diseñó pensando en soluciones para el hogar (*domótica*), como complemento a *wifi*. También toma algunas características del protocolo *802.15.4*, ya comentado con anterioridad. A nivel más técnico, un aspecto que puede ser interesante de *Thread* y *6LoWPAN* es que ambos trabajan a nivel de *capa 3* del modelo *OSI*, cosa que permite opciones adicionales en relación a otros protocolos del mercado.

Otro ejemplo es el uso de tecnología *DECT* (*Digital Enhanced Cordless Telecommunications*, telecomunicaciones sin cable mejoradas digitalmente). Sí, es más que probable que el nombre te sea familiar, ya que se trata de la tecnología inalámbrica "de toda la vida" usada en terminales caseros que dependen del teléfono fijo, pero que también puede ser empleada para las comunicaciones de datos. La versión de este estándar que más acorde sería a las necesidades *IoT* es la *ULE* (*Ultra Low Energy*) que, a parte del muy bajo consumo, es muy eficiente en aplicaciones para la transmisión de voz, lo presentan como libre de interferencias, y su rango de alcance comparado con *wifi* y *Zigbee*, por ejemplo, es mejor tanto en el interior como en el exterior. La pena es que llegue a *IoT* con retraso en comparación de estos últimos.

Las tecnologías *NB-IoT* son otras a las que no hemos dedicado un apartado. No porqué carezcan de importancia, sino porque pertenecen al grupo de tecnologías de telefonía móvil ya descritas (*3G/4G*), con la diferencia de que usan bandas estrechas. Así, deberían disfrutar de todas sus características aunque pensando en bajos costes y larga vida de las baterías (pertenecen al grupo de las *LPWAN*). También es de destacar su capacidad de conectar un gran número de dispositivos por nodo. Algunos de los estándares publicados por la organización **3GPP** son, por ejemplo, *LTE Cat 1*, *LTE CatM1 (eMTC)* o *EC-GSM-IoT*.

 **Nota**

A las tecnologías asociadas a la telefonía móvil, llamadas también tecnologías de comunicación celular, diseñadas o útiles para el mundo de *IoT* se las puede encontrar bajo el nombre *CIoT* (*Celular Internet of Things*).

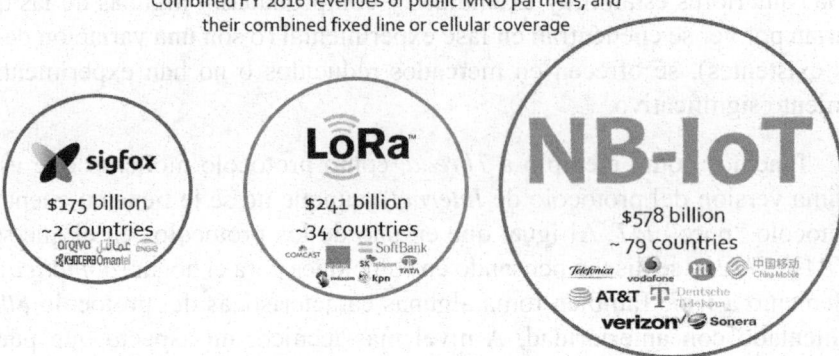

By 2022, NB-IoT will be the winner due to the ability of its MNOs to deliver reliability and coverage

Combined FY 2016 revenues of public MNO partners, and their combined fixed line or cellular coverage

Figura 6.23. Un informe de la consultora americana Lux Research concluye que en 2022, las tecnologías NB-IoT liderarán el mercado de las LPWAN, con un 90% de las conexiones a nivel global.

Continuando en banda estrecha, tenemos la tecnología *NB-Fi* (*Narrow Band Fidelity*, fidelidad de banda estrecha). Se trata de otra tecnología *LPWAN* de largo alcance (10 a 30 kilómetros) y bajo consumo de la que podríamos destacar que es de código abierto, usa técnicas de inteligencia artificial para auto-gestionarse y así permitir la mínima intervención humana, además de usar todas las capas del modelo *OSI*.

Para terminar, y una vez más dentro de las tecnologías *LPWAN*, hablemos del protocolo *DASH7*. Como en algunos casos anteriores, tenemos *DASH7* como protocolo, pero también existe **DASH7 Alliance**, un grupo de empresas y universidades encargadas de gestionar su evolución. Se trata de un estándar de código abierto que ofrece bajos consumos y largas duraciones de batería y alcances medios que van desde unos metros a unos pocos kilómetros.

Después de haber comentado unas cuantas de las tecnologías de comunicaciones que pueden usarse en la interconexión de dispositivos *IoT*, pueden asaltarnos las dudas: muchos protocolos pueden parecerse demasiado entre ellos y otros, pareciendo los adecuados, se convierten en un problema. Esta sensación es absolutamente real, existe una oferta tal en el mercado que es muy complicado decidirse por una u otra solución. Todas las tecnologías prometen resultados, lo que pasa es que cada una lo hace a su manera. Unas ponen por delante los rangos de alcance, otras la vida de las baterías, otras la seguridad y confiabilidad y otras los tiempos de respuesta y, probablemente todas ellas, los costes de inversión y sus retornos.

¿Cómo decidirse en un mercado aún no asentado, con una amplísima oferta de tecnologías, dispositivos y plataformas? Es muy difícil dar la respuesta. En primer lugar, mi consejo es que intentemos comprender de qué estamos hablando para tener un criterio propio acerca de qué es correcto y qué no. O al menos qué es sensato y qué no. Después, se hace necesario un análisis profundo de las necesidades: ¿qué dispositivos deben conectarse? ¿Con qué periodicidad? ¿Qué tipo de información se enviará? ¿Cuán crítica es la información enviada? Por último, pueden realizarse prototipos y pruebas de concepto, para analizar la viabilidad de la solución.

> **ⓘ Nota**
>
> En esta sección hemos hablado de tecnologías de comunicación, de protocolos que corresponderían a las primeras capas de la pila *OSI*, si nos referimos a ella (básicamente *física*, *enlace de datos* y, en algunos casos, *red*). Protocolos, pues, que tienen más que ver con la electrónica y los medios por donde pasa la información (cable, fibra óptica, aire o vacío) que los que tienen que ver con cómo esta se trata o analiza. Existen muchos más protocolos de los que, quizás, hayamos oído hablar, pero que tienen más relación con las capas superiores, dedicadas a la autentificación, seguridad, transporte y otros aspectos más relacionados con los datos transportados que no con la electrónica para hacerlo. Un ejemplo de estos últimos serían *Websockets*, *HTTP* (*Hypertext Transfer Protocol*, protocolo de transferencia de hipertexto) y *MQTT* (*Message Queue Telemetry Transport*, transporte de cola de mensajes de telemetría). Todos trabajan en las capas superiores de la pila *OSI*.

6.5 DISPOSITIVOS

A menudo, cuando uno lee o escucha acerca de *Internet de las cosas* y la oferta de dispositivos conectados, tiende a pensar en todos aquellos que tienen capacidades de comunicar y enviar información acerca de su propia existencia y estado. Es como si asociáramos el concepto a las capacidades unidireccionales que pueden tener las cosas para informarnos de algo. Si bien esto es cierto, existen otros tipos de dispositivos con los que tenemos que contar y que, *de facto*, son los que interactúan con el mundo real.

Si nos paramos a pensarlo, hasta el momento hemos estado hablando en muchísimas ocasiones de *sensores*. Como tales, y cumpliendo con su función, son capaces de leer medidas de todo tipo del mundo real y comunicarlas gracias a una transformación a valores digitales que nuestros sistemas son capaces de entender.

Ahora bien, debemos tener en cuenta que el proceso a la inversa también existe. Un conjunto de dispositivos también conectados mediante las tecnologías antes mencionadas son capaces de interactuar, ya no solamente con el mundo digital, si no con el mundo real. Éstos son los *actuadores*. Normalmente son aparatos que actúan como punto final en la toma de decisiones nacidas de todo el flujo de información y decisiones anteriores en los procesos *IoT* derivados de la sensórica, la comunicación y la inteligencia aplicada.

Para ilustrarlo, pensemos en el césped de un jardín. En este, pueden instalarse sensores que midan la humedad de la tierra y, yendo más allá aún, que se conecten a sistemas de predicción meteorológica. Los sensores miden de forma constante (a intervalos programados) la humedad del terreno y envían esta información a los dispositivos de comunicaciones que la encaminarán a un sistema de control central. Este, a su vez, ejecutará algoritmos que analizarán si la humedad detectada es óptima o no para el cuidado del césped. Adicionalmente, se conectará al sistema de predicción para ver si se avecinan lluvias y, en consecuencia, decidirá si debe activarse el sistema de riego o no. En caso de ser necesaria la aportación de agua, deberá enviarse una señal de retorno que tenga como destino el conjunto de *actuadores* que van a permitir tal acción: *los aspersores*. Así, en este escenario, disponemos de un conjunto de sensores que toman lecturas del mundo real, las transforman en datos que son enviados a un centro de control, desde donde pueden activarse los *actuadores* quienes, en realidad, son los que van a realizar la acción física sobre el terreno: regar el césped.

Es de vital importancia, entonces, tener en cuenta a estos dispositivos, de la misma forma en que se han tenido en cuenta los primeros. A veces, incluso, es mucho más importante tener en cuenta un actuador que un sensor. Un actuador estropeado puede realizar acciones físicas en el mundo real que pueden ocasionar daños graves y permanentes, tanto a las personas como a los bienes materiales.

Un aspersor con estas características puede ocasionar la pérdida de millones de litros de agua. En una ciudad, el relé que activa un semáforo puede crear situaciones caóticas si deja encendida, de forma permanente, la luz verde que permite la circulación. Un fallo en una válvula que abre el paso del agua en una presa de una central hidroeléctrica puede provocar el desbordamiento de un río, al igual que un marcapasos puede producir una parada cardíaca si pierde su ritmo eléctrico.

Así, debemos comprender que todo lo comentado es aplicable tanto a sensores como a actuadores. Y, en estos últimos, es de especial importancia cuidar los protocolos de seguridad que ejecutan, así como velar por su mantenimiento y funcionamiento correcto.

6.5.1 Sensores

Los sensores son dispositivos electrónicos con capacidades para medir propiedades físicas y convertir los valores resultantes en señales eléctricas que puedan ser transmitidas en forma de impulso eléctrico sobre un cable, en forma de onda, o como señal óptica. No todos los sensores deben disponer de una dirección de red propia (llamada dirección *IP*). Al contrario de lo que suele creerse, algunos sensores sin esta dirección envían sus datos a otros dispositivos con tal capacidad que son quiénes, en realidad, realizan el envío. Todo ello depende de los protocolos usados, de los sistemas de conexión, de la topología de la red y de algunos factores más.

En todo caso, lo que miden cubre un amplio espectro de propiedades físicas: temperatura, peso, movimiento, posición en el espacio tridimensional, velocidad, presión, concentración de objetos, caudal, potencia consumida, voltaje, tiempo, diámetros, vibraciones, alturas, aceleración, movimientos de tierra, grietas, y también otras más sutiles como acidez o alcalinidad de líquidos, presencia de gases, radiación, nutrientes...

Como podemos ver, existe un sinfín de capacidades atribuibles a los sensores que van a permitirnos medir todo tipo de situaciones físicas del mundo real, mediante la lectura de sus valores registrados. A partir de ahí, éstos son enviados a otros sistemas para que puedan evaluarse y obrar en consecuencia.

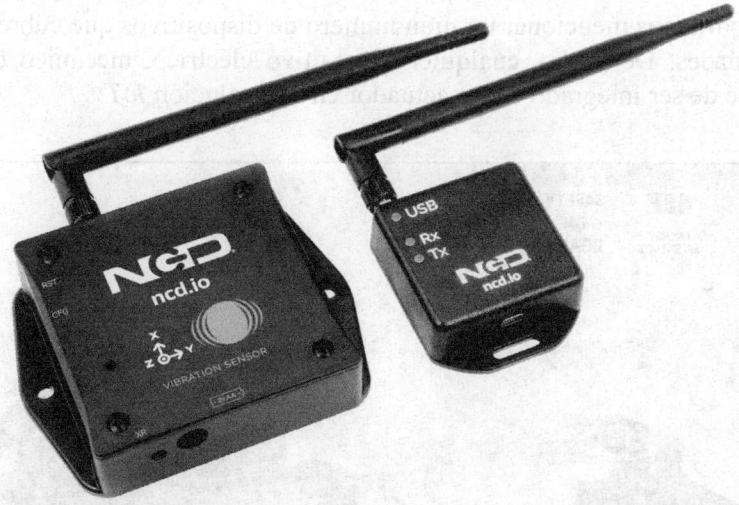

Figura 6.24. Sensor de vibración de la americana NCD (National Control Devices).

6.5.2 Actuadores

Como norma general, diremos que un *actuador* es aquel dispositivo que se activa al detectar, desde un sensor, un valor límite inferior o superior a uno previamente establecido en el sistema. Para el caso del riego, podemos pensar en un porcentaje de humedad en el terreno, o de un valor 0 ml en un pluviómetro.

Los *actuadores* no tienen por qué pertenecer solamente al mundo de los elementos mecánicos y eléctricos, pueden ser dispositivos enteramente digitales y realizar acciones en este ámbito. Un sistema que envíe un mensaje de correo electrónico, por ejemplo, ilustraría tal situación, de la misma forma en que lo haría una luz de emergencia en la pared de una nave industrial.

En el mundo de los *actuadores* existe un ecosistema muy importante de fabricantes orientados al mundo industrial. *Schneider Electric, General Motors* o *Bosch* serian ejemplos de ello, con gamas de productos que van desde pistones hidráulicos a motores paso a paso, pasando por amortiguadores neumáticos pensados para todo tipo de actividades en procesos de manufacturación.

Otros productores se orientan a la fabricación de dispositivos para el ámbito doméstico, urbano o rural. En estos tres escenarios podemos ver otro tipo de *actuadores* que incluyen elementos hidráulicos, neumáticos, eléctricos y digitales. Desde cerraduras de puerta para el mundo doméstico a pistones para elevar las pilonas de restricción de circulación en las ciudades, pasando por pulverizadores automáticos de fertilizantes en los campos.

Podríamos mencionar un gran número de dispositivos que cubren todo tipo de necesidades. De hecho, cualquier dispositivo eléctrico, mecánico o digital es susceptible de ser integrado como actuador en una solución *IoT*.

Figura 6.25. Servomotores industriales MS2N de Bosch Rexroth, filial de la multinacional Bosch.

6.5.3 Controladores

Existe un tercer tipo de dispositivos *IoT* del que prácticamente no hemos hablado, pero que ha estado presente a lo largo de todo este libro, de una forma implícita: los *controladores*.

Estos dispositivos están pensados para permitir configurar el comportamiento de *sensores* y *actuadores*, para que realicen su función según nuestras necesidades. Es decir, permiten calibrar la *sensibilidad* de un sensor y modificar la velocidad de un *actuador*, por ejemplo, desde un punto central de control.

Existen *controladores* en forma de *hardware*: aparatos encastados en cuadros eléctricos sin ningún atractivo, placas electrónicas, chips, o dispositivos de atractivo diseño con pantallas táctiles y avanzados entornos gráficos. También existen en el mundo del *software*: desde algoritmos funcionando en segundo plano, de los que no dan pruebas de su existencia, hasta complejas aplicaciones con todo tipo de controles, botones y avisos. Estos últimos pueden residir en servidores corporativos ubicados en centros de control, o estar instalados como *App* en cualquier dispositivo móvil.

En ambos casos, los *controladores* deben disponer de alguna forma para que los operadores los configuren, estableciendo la conexión con *sensores* y *actuadores* y programando todo tipo de acciones sobre los segundos que deberán derivarse de las lecturas de los primeros.

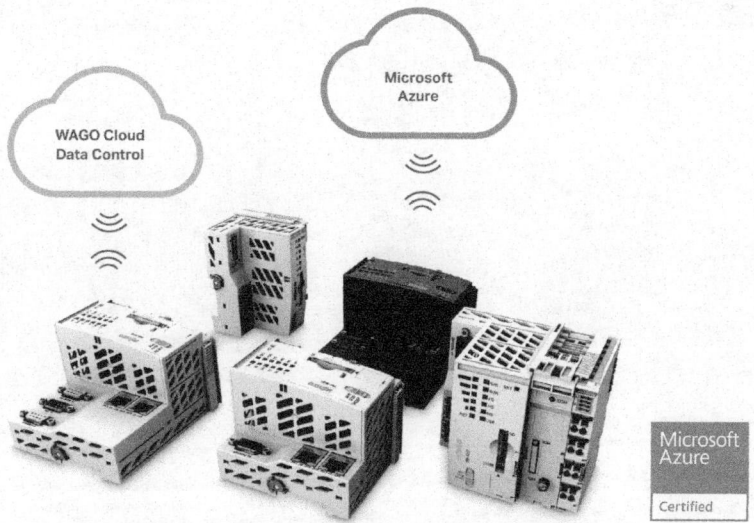

Figura 6.26. La familia de controladores hardware Wago PFC100 y PFC200, con la certificación Microsoft Azure para IoT.

7

LO IMPORTANTE ES... ¿LA ENERGÍA?

Hemos dedicado alguna de las secciones del libro a explicar cómo puede *IoT* ayudar en el sector energético. Desde el punto de vista de las empresas generadoras de energía, hemos visto que el uso de soluciones para *Internet de las cosas* puede optimizar procesos, predecir consumos y prevenir desastres. Para la sociedad en general, la conversión del sector eléctrico hacia propuestas como la ofrecida por las *Smart Grid* (redes inteligentes) promete una gestión no solo positiva para productores y consumidores, también para el medio ambiente. A los usuarios les permite una mayor flexibilidad, a la par que un ahorro energético, dejando en sus manos parte de la gestión y supervisión de los consumos, que pueden realizar gracias a la inteligencia global del sistema.

Pero... ¿qué hay de los consumos de los propios dispositivos *IoT*? Ya no desde el punto de vista económico, que también, sino más bien desde el técnico. En un mundo lleno de sensores y actuadores se hace necesaria la implementación de sistemas de energía confiables, que garanticen la continuidad del fluido eléctrico en todo tipo de situaciones.

En entornos cerrados, como plantas industriales u oficinas, las fuentes de energía no suelen ser temas críticos para los objetos conectados. Lo más normal es disponer de una fuente de energía cercana, donde conectarlos. Ahora bien, si tenemos en cuenta el crecimiento exponencial de los objetos que despiertan en el mundo digital a diario, y que la inmensa mayoría de éstos lo hacen libres de cables de conexión, nos daremos cuenta que mantener la alimentación eléctrica es un reto de ingeniería de primer nivel.

Por ello, el problema del suministro eléctrico es crítico para todos los actores de esta nueva industria: desde fabricantes a usuarios finales, todo el mundo se ve afectado por los requisitos energéticos de cada nuevo objeto que se conecta a la red. En estos últimos años, se han creado baterías, técnicas, protocolos y estándares de todo tipo que pretenden un mismo objetivo: alargar la vida útil de los dispositivos *IoT*.

> **ⓘ Nota**
>
> Pensando en *Smart Phones*, las últimas versiones de sus sistemas operativos ofrecen todo tipo de utilidades para la gestión del consumo de energía de las aplicaciones que ejecutan. Todo ello con un único fin: alargar su autonomía de funcionamiento. Si a esto se le suma el esfuerzo de los fabricantes por ofrecer baterías con más horas de duración, tenemos que los dispositivos permiten, cada vez más, un uso prolongado e ininterrumpido, aunque sin olvidar que, en un momento u otro, deberá realizarse el proceso de carga, al que todo el mundo está acostumbrado.

El hecho de que el suministro energético se agote es más grave cuanto más crítica sea la solución que el dispositivo aporta. Que un marcapasos se quede sin energía importa mucho más que si a un localizador de llaves le pasa lo mismo. Además, no debemos olvidar que en algunos escenarios el hecho de realizar un cambio de baterías puede ser muy complicado, o imposible. Probablemente, para el caso del marcapasos se requerirá de cirugía ambulatoria para realizar tal substitución, mientras que para el localizador bastará con abrir una tapa sin usar herramientas y cambiar una pila botón.

En el espacio, en cambio, el reemplazo de una batería tendría mucha más dificultad, tanto técnica como económica. Y no digamos si lo que se queda sin energía es una sonda de exploración espacial cuyo objetivo es estudiar los confines de nuestra galaxia. Es evidente que en esta situación la alimentación con baterías debe ser descartada, o como mínimo complementada con sistemas de recarga solar.

Así pues, puestos en contexto, debemos entender los grandes esfuerzos que la industria está haciendo en este campo. La mayor parte de actualizaciones y nuevas versiones, tanto de dispositivos como de aplicaciones *IoT*, incluyen mejoras en el consumo, añadiendo nuevos componentes con menor demanda energética en el caso del *hardware* o usando técnicas de programación más depuradas para el del *software*.

> **ⓘ Nota**
>
> Si bien este capítulo está orientado a reflexionar sobre el consumo energético en entornos empresariales, industriales y de *Smart cities*, todo ello es extrapolable al mundo del usuario final. Al fin y al cabo, este es también público objetivo para el mercado de las tecnologías *IoT*. Quizás sea también un tipo de cliente de los más exigentes en este tema, ya que habitualmente pone por delante aspectos como la duración de las baterías sin tener en cuenta otros como la seguridad. Desde el punto de vista del mercado, debemos pensar que de poco sirve una pulsera de rendimiento deportivo si debe recargarse muy a menudo. Probablemente el usuario lo olvide y no la tenga disponible cuando se decida a practicar deporte.

7.1 EL CONSUMO DE ENERGÍA DESDE EL PUNTO DE VISTA HARDWARE

Cuando hablamos de dispositivos *IoT*, sea cual sea su naturaleza (sensores, actuadores o controladores), estamos hablando de aparatos que incluyen un montón de componentes: desde *LED* hasta antenas, pasando por pantallas, teclas, memorias y todo tipo de circuitería adicional. Como definición más formal y mínima, pensaríamos en cualquier dispositivo que integre sensores o actuadores, procesadores y conectividad.

Por muy simple que sea su función, al final existe un consumo energético medible que será el que condicione su tiempo real de funcionamiento. Por ello, el esfuerzo se centra en que cada uno de los componentes que lo forma consuma lo mínimo posible. Cada fabricante individual intenta aportar soluciones cada vez mejores, que redundan en la mejoría global del consumo eléctrico total.

Es obvio que cuanta más autonomía deba tener un dispositivo *IoT*, más atención debe prestarse a su consumo eléctrico. De nada sirve un sensor que requiera un cambio de batería constante. Lo que fabricantes y usuarios están buscando, en entornos donde se funcione solamente con baterías, es que estas duren varios años y, si es posible, décadas.

Cuantas más prestaciones ofrezca un sensor, más consumo eléctrico tendrá. Si este incluye prestaciones como preproceso, filtrado, agregación y almacenamiento de datos, el consumo se disparará debido a la presencia de chips especializados con *software* dedicado a tales tareas. Lo mismo pasará si incluye elementos como pantallas, interfaces de conexión adicionales, amplificadores de señal o antenas mejoradas.

Aunque mucha gente piensa que la antena de un dispositivo no tiene nada que ver con el consumo de este, la verdad es que no es así. Existen antenas de todo tipo: rectas, enrolladas, impresas en un circuito electrónico, o encastadas en un chip. Además, hay una proporción matemática entre el tamaño de la antena y la frecuencia a la que esta trabaja que, además, puede variar dependiendo de la región en la que se instala. Su correcta selección en entornos de redes de baja potencia (*LPWAN*) es extremadamente importante, puesto que puede hacer que los sistemas funcionen óptimamente mientras que ahorra batería al conjunto.

Como ejemplo, pensemos en un almacén de distribución de productos marcados con identificación por radiofrecuencia (*RFID*). Éstos pueden encontrarse situados en sus estanterías con todas las etiquetas visibles y con la misma orientación, o pueden distribuirse en forma aleatoria, sin que podamos prever la ubicación de las mismas. La elección del tipo de antena tendrá que ver con el rendimiento del sistema y con su consumo energético final. Técnicamente, en el escenario donde no puede preverse la situación de las etiquetas, sería mejor instalar antenas con *polarización circular*, en vez de *polarización lineal*. Aunque el sistema funcionaría con cualquiera de las dos, una consumiría menos que la otra.

> **ⓘ Nota**
>
> El concepto polarización se refiere a que las ondas pueden oscilar con más de una orientación. La polarización *circular* indica que el campo eléctrico de la onda cambia de forma rotativa, como una lavadora, a diferencia de la *lineal*, donde su dirección no se ve modificada.

Los microchips con funciones de *CPU* (*Central Process Unit, Unidad central de proceso* en español), esto es, que ejecutan instrucciones de programación y por lo tanto realizan operaciones aritméticas, lógicas, de control y de entrada y salida a otros elementos del conjunto, consumen mucha más energía cuanto más potentes son. Por ello, todos los fabricantes de procesadores del mundo disponen de versiones especializadas diseñadas específicamente para entornos de *Internet de las cosas*, integrando en ellos capacidades extra que normalmente se encargarían a otros microchips y que incluyen tareas como el proceso de gran cantidad de señales eléctricas para su conversión a digital en tiempo real o tareas íntimamente relacionadas con protocolos de comunicación *IoT*, por ejemplo, liberando así de la carga de trabajo a otros elementos electrónicos del dispositivo.

El tipo de procesador integrado en un sensor, por ejemplo, varía mucho en función de la tarea que debe realizar. Así, la potencia de proceso requerida en uno dedicado a monitorizar temperaturas es muy distinta a la demandada en soluciones de visión artificial. Por lo tanto, una de las tareas más importantes para los productores de dispositivos *IoT* es la correcta selección de sus procesadores, ya que inciden directamente en el consumo energético y son los que normalmente requieren más energía.

> **ⓘ Nota**
>
> Debe tenerse en cuenta también la existencia o no de un ventilador para la refrigeración del procesador. Si bien las *CPU* especializadas no lo incluyen, algunas soluciones sí lo hacen, aumentando el consumo global.

Las interfaces de comunicación son también un elemento crítico en el dispendio energético del conjunto. Así, los dispositivos que ofrecen conectividad con multitud de protocolos de comunicación *IoT* gastarán más que aquellos que ofrecen solamente uno.

De igual importancia son la cantidad y tipo de memoria instalada en el sistema, ya que esta tiene necesidades energéticas mayores o menores dependiendo de factores como su velocidad de lectura y escritura.

En contextos donde interviene el diseño de prototipos para la realización de pruebas de concepto, es crucial la monitorización del consumo para prever el gasto de energía final y así realizar cálculos acerca de la vida útil de las baterías. Para el prototipaje, suelen usarse ordenadores de una sola placa (*SBC, Single Board Computers*), que permiten experimentar de forma sencilla con sus componentes y sustituirlos rápidamente si es necesario, al no estar soldados físicamente a la base.

Figura 7.1. Raspberry Pi 3 B+, el más que popular ordenador de una sola placa muy usado en la creación de prototipos IoT.

7.2 EL CONSUMO DE ENERGÍA DESDE EL PUNTO DE VISTA DE LAS COMUNICACIONES

La tecnología seleccionada para las comunicaciones en los dispositivos es también crucial para el consumo energético final. Así, cuando pensemos en las

254 IFCT0020 - IOT (INTERNET DE LAS COSAS) Y SISTEMAS CIBERFÍSICOS EN LA INDUSTRIA 4.0

necesidades específicas de una solución *IoT*, debemos tener en cuenta este aspecto como uno de los importantes del conjunto. Tecnologías que ofrezcan grandes capacidades de transmisión a corto alcance tendrán una factura energética muy distinta a las que requieran menores anchos de banda a grandes distancias.

Los profesionales del sector deben conocer a la perfección estos detalles para, de esta forma, conseguir equilibrar la balanza entre eficacia y consumo y ofrecer soluciones óptimas para sus clientes. Deben conocer todas las necesidades del sistema, como por ejemplo algunas de las siguientes:

- ▶ ¿Qué tipo de datos se va a transmitir?
- ▶ ¿Va a existir una comunicación *bidireccional*?
- ▶ ¿Cada cuándo debe transmitirse?
- ▶ ¿A qué distancia debe hacerlo?
- ▶ ¿Dónde deben ubicarse los sensores, actuadores y controladores?
- ▶ ¿Qué otros dispositivos de red estarán involucrados?

Conocer el *tipo de datos a transmitir* va a permitir dimensionar las necesidades del proyecto a nivel de requerimientos de ancho de banda, entre otros. Lo más habitual es disponer de conjuntos de ellos que, en forma digital, deban viajar de extremo a extremo hasta el siguiente punto de la red. En función del tipo de dispositivo, el tamaño de éstos va a ser muy distinto. Desde el simple aviso generado por un sensor de presencia en una plaza de parking hasta la lectura constante que genere un medidor de voltaje y temperatura de un motor, la cantidad de información transmitida consumirá distintos volúmenes de energía.

Así, para el primer caso, los datos transmitidos serán mínimos: con una simple señal se cumplirá el propósito. No pasa lo mismo en el segundo caso: la transmisión debe mantenerse en todo momento y la necesidad de ancho de banda será mayor, ya que en la señal se proporciona información acerca de dos valores físicos (voltaje y temperatura).

Otras aplicaciones necesitan anchos de banda mayores que los expuestos. Soluciones que incluyan la transmisión de vídeo en tiempo real, en soluciones de visión artificial por ejemplo, exigen unos elevados requisitos de ancho de banda y, por consiguiente, consumos mayores de energía. En sistemas de robótica móvil como el propuesto por **IAM Robots**, por ejemplo, existe un doble reto energético: mantener la movilidad del robot tanto como la capacidad de transmisión para su sistema de visión artificial.

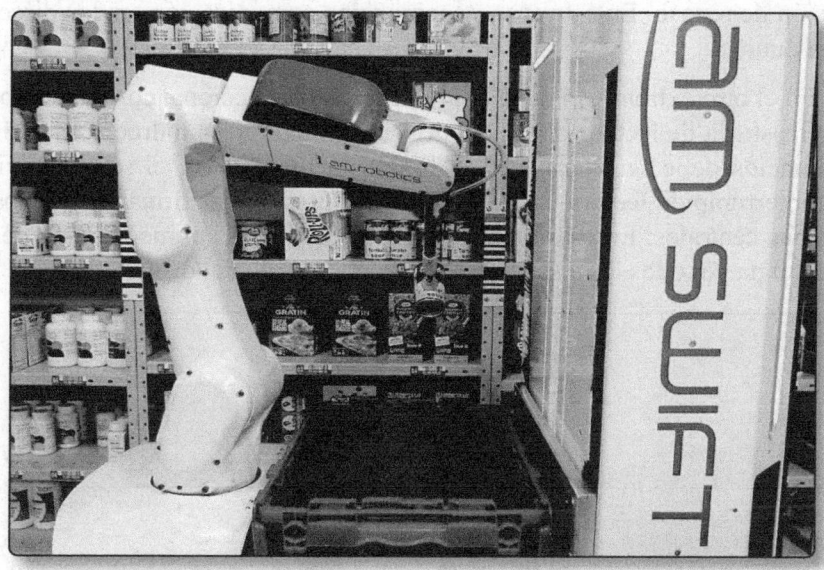

Figura 7.2. Solución de picking móvil automático de la americana IAM Robots, que incluye un sistema de visión artificial.

Desde el punto de vista energético, es importante saber si va a existir una comunicación bidireccional entre los sistemas. Es decir, conocer si un sensor va a limitarse simplemente a enviar información de forma indiscriminada o, por el contrario, necesitará recibir respuestas desde los sistemas de destino. Esto también es aplicable a otros dispositivos como los actuadores, que muchas veces no deben limitarse estrictamente a recibir datos, si no que en ocasiones necesitarán transmitirlos.

Habitualmente, un sensor necesita saber que el paquete de datos enviado ha sido entregado con éxito y un actuador necesita confirmar la recepción y ejecución correcta de una instrucción. Además, y a parte de las funciones para las que han sido diseñados, probablemente deban transmitir información acerca de ellos mismos: niveles de batería, necesidades de mantenimiento, etcétera.

El hecho de que un dispositivo requiera comunicación bidireccional marca su forma de comportarse energéticamente hablando, dependiendo de si esta debe ser constante o simplemente puntual.

Volvamos al sensor de aparcamiento mencionado hace unas líneas. En este caso, cuando detecta la presencia de un vehículo, debe activar el sistema de comunicaciones y enviar una señal indicando el estado de la plaza. Como parte del proceso, debe esperar a recibir confirmación de lectura de esta nueva situación por parte de los sistemas de control central. Entonces, ya podrá desactivarse y retornar a la situación de reposo. En este caso, tenemos una comunicación en dos direcciones de forma puntual.

En el otro extremo, el de la comunicación bidireccional constante, podemos ubicar un sistema de lectura de caudal de agua en una presa hidroeléctrica. El flujo de información debe ser constante, en los dos sentidos. Así, el sensor enviará de forma ininterrumpida lecturas de volumen y esperará la confirmación por parte de los sistemas centrales. En este caso será imprescindible la alimentación energética ininterrumpida de todos los sistemas electrónicos involucrados.

Figura 7.3. Sensores industriales de flujo y presión de la japonesa Omron.

Cada cuándo debe transmitirse la información es otro factor clave a tener en cuenta en las instalaciones *IoT*, y este valor normalmente viene definido por la naturaleza de la propia aplicación, aunque puede ser modulado antes de su puesta en servicio.

Algunas situaciones, como la de la plaza de aparcamiento, no generan ningún tipo de dudas acerca de cuándo debe enviarse la información: se hará cuando su ocupación varíe.

Otras, como las que requieren un control constante (como la del ejemplo del sensor de caudal) lo harán sin interrupción, en un flujo interminable de datos en el tiempo.

Éstas últimas son las que requieren más atención, puesto que el usuario es quien debe decidir los intervalos de envío, y ello puede repercutir negativamente en el consumo de energía si los tiempos de envío son demasiado constantes, o en la propia solución si son escasos.

Pongamos como ejemplo los medidores de temperatura instalados en bosques para el control de incendios. De nada serviría si estos se ajustan para que envíen información puntual dos veces al día. Si se produce un incendio inmediatamente después de una actualización de estado emitida por un sensor, pueden pasar 12 horas hasta que esta envíe la siguiente y se detecte el incendio. Obviamente, sería demasiado tarde para el bosque. Si, por el contrario, se establece una política de envío de datos en intervalos temporales de 1 minuto, quizás estaremos forzando un sobreconsumo energético innecesario. Para no caer en estas situaciones, deberíamos informarnos antes de los factores que influencian en una solución de este tipo. Conocer el tiempo que tarda en propagarse un incendio en relación a la velocidad del viento, por ejemplo, ayudaría a establecer criterios coherentes sobre la configuración del tiempo de las lecturas.

Otro escenario podría llevarnos a los partes del tiempo. Si una estación radiofónica local realiza cuatro partes al día, sería lógico pensar que con cuatro envíos originados desde la estación meteorológica habría suficiente.

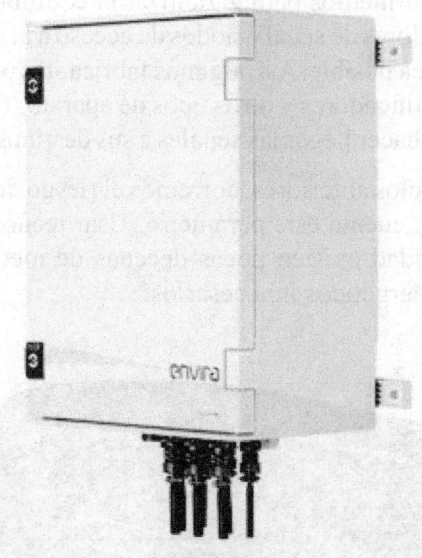

Figura 7.4. Nanoenvi MET, sistema de adquisición de datos para estaciones meteorológicas de la empresa española Envira IoT.

Otro dato imprescindible es conocer a qué distancia deben transmitirse los datos, ya sea a los sistemas de control centrales o al nodo de conexión más cercano. Este factor es muy importante, puesto que influye directamente sobre la tecnología de comunicaciones a instalar y, por consiguiente, a un consumo mayor o menor en función de ello.

Aquí aplicaríamos los criterios aprendidos en el apartado dedicado a las distintas tecnologías de comunicación existentes en el mercado, inclinándonos por tecnologías *PAN* o *LAN*, con o sin cables. Muchas veces entendemos que si se dispone de cable de conexión, también se dispone de cable de energía. Y si bien esto casi siempre es así, son escasas las ocasiones en que podremos contar con ello. A excepción de algunos casos en entornos cerrados y controlados, la propia naturaleza de las cosas a conectar, normalmente en situaciones de exterior y móviles, hace que la inmensa mayoría de soluciones no puedan disfrutar de tales ventajas y, por lo tanto, tendremos que inclinarnos por las que incluyen sistemas sin cable alimentados por baterías.

En tal contexto, la selección de la tecnología inalámbrica va a ser crucial, y lo va a ser por dos motivos: uno, para garantizar que el alcance de la señal llegue correctamente al punto deseado y, dos, porque en función de dicha elección se producirán mayores o menores consumos energéticos.

A veces, después de un análisis, puede llegarse a la conclusión de necesitar implementar remedios intermedios para garantizar el equilibrio entre el alcance y el consumo, ubicando repetidores de señal o nodos de acceso a la red más cerca del origen de los datos, cuando esto sea posible. Así, algunos fabricantes proponen soluciones que incluyen repetidores, amplificadores y otros tipos de aparatos (como puertas de enlace o *gateways*) que permiten hacer llegar las señales a sus destinos finales.

Igual que en ejemplos anteriores, corremos el riesgo de sobredimensionar una solución si no tenemos en cuenta este parámetro. Usar tecnologías de largo alcance en lugares donde en realidad existen pocas decenas de metros entre dispositivo y base implica consumos energéticos innecesarios.

Figura 7.5. ConnectPort X4, solución Gateway (puerta de enlace) para exteriores de la empresa Digi, que soporta tecnologías Ethernet, Zigbee y 2G/3G entre otras.

Puede parecer que seleccionar correctamente el lugar donde deben ubicarse los sensores, actuadores y controladores no sea, quizás, uno de los factores determinantes para su consumo de energía. Esto no es así, tenerlo en cuenta puede facilitarnos mucho las cosas, como por ejemplo un mejor rendimiento con un mismo consumo energético, la futura escalabilidad del sistema o la adopción de otras tecnologías venideras. Si existe una fuente de energía próxima es evidente que no debe obviarse, pero raras son las situaciones donde esto se produce, si pensamos en entornos rurales donde deban implementarse soluciones de agricultura de precisión, o en sistemas de monitoreo del caudal de los ríos, por ejemplo.

Algunas tecnologías de conectividad, como ya se explicó en su momento, requieren que emisor y receptor se encuentren en la misma línea de visión, como pasa con los mandos a distancia de los televisores. Como ejemplo tendríamos los códigos de barras que, aunque logran su objetivo (identificar un objeto sin consumir energía de ningún tipo), necesitan un lector activo que los vea. Y este sí, necesita energía. Para casos que incluyan soluciones de identificación como estas, es imprescindible estudiar con mucho detalle su ubicación.

Los dispositivos *IoT* que requieren de comunicación inalámbrica pasan inevitablemente por tener que disponer de algún tipo de antena en su circuitería. Y aquí es donde esta debe estar correctamente dimensionada y ubicada en el mejor lugar posible. Solamente de esta forma garantizaremos el máximo rendimiento con el mínimo consumo, como hemos visto en el apartado dedicado al *hardware*.

Quisiera señalar algo que, quizás siendo una obviedad, me gusta tener en cuenta antes de inclinarme por un producto u otro: pensar en su destino. Se trata simplemente de hacer una reflexión acerca de dónde deberá instalarse el producto que estamos a punto de adquirir. Internet está lleno de grandes hipermercados de la electrónica que, a priori, ofrecen gangas increíbles que te llegan a casa en 24 horas. De cualquier parte del mundo, aunque especialmente de china.

Cuando digo "*donde deberá instalarse un producto*" no solamente me refiero a si será en el interior o exterior de un edificio, que también, si no en qué región del planeta. Como se ha apuntado en el caso de las comunicaciones, las frecuencias de transmisión pueden variar de una a otra de tal forma que un dispositivo que funcione correctamente en **Estados Unidos**, no lo hará en **Europa** a no ser que esté diseñado para ello. Especial cuidado debemos tener en las compras en línea, es posible que estemos adquiriendo productos que después no podamos usar en nuestro entorno.

En cuanto a la ubicación física de los dispositivos adquiridos, deben cumplir las normativas para exterior, si ese es su destino, o que los rangos de temperatura de trabajo sean coherentes con el entorno industrial, si la solución es para ese sector. Aunque parezca una tontería, en entornos con temperaturas extremas los dispositivos pueden dejar de funcionar, o hacerlo de forma anómala. Mientras que en nuestros hogares podemos disfrutar de temperaturas medias de 20° Celsius, en ciertas factorías existen temperaturas tan dispares como -40° a +80° Celsius, dependiendo del sector que se trate.

Su instalación física es importante en muchos aspectos, a parte del consumo energético. Una buena planificación inicial puede prever la instalación de cajas con capacidades para albergar más sensores o que permitan la instalación de nuevas antenas, baterías y acumuladores, o paneles de energía solar.

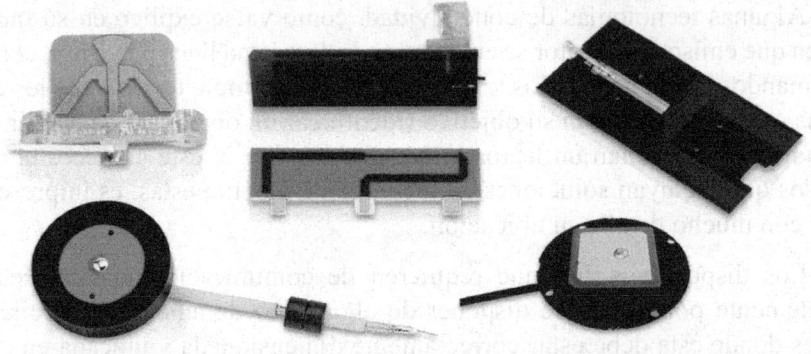

Figura 7.6. Antenas integrales de la americana PCTEL, para soluciones de conectividad IoT industrial.

Sobre qué otros dispositivos de red estarán involucrados, es importante tenerlo en cuenta para ajustar las tecnologías asociadas a la comunicación de sensores y actuadores. La idea es que pueda aprovecharse la proximidad de un *switch Ethernet*, por ejemplo, o de un puente *wifi* para, desde allí, redirigir el flujo de datos a los centros de control en lugar de buscar su conexión directa.

Además, actuando de este modo pueden aprovecharse las ventajas del proceso en el borde y en la niebla (*Edge* y *Fog computing*), comentadas en otro apartado de este libro.

Imaginemos una granja rural de varias hectáreas con almacenes, silos, tienda, y zona residencial donde se ubica el centro de control. Si se realiza una instalación con sensores *IoT* cerca de un almacén, lo más lógico es que se usen los dispositivos de red ya instalados en él, en lugar de seleccionar una tecnología que pretenda llegar al centro de datos de forma directa. Tal solución podría implicar el uso de alguna versión *Bluetooth* que ofrezca un alcance correcto para el primer tramo y, desde allí, redistribuir los datos por cable hasta los sistemas de control centrales.

Quizás puede parecer que el escenario anterior esté hecho muy a medida del ejemplo, no siempre se dispone de infraestructura de red al lado de un sensor. En muchas ocasiones, lo único de lo que se dispone en los alrededores es de más y más sensores. Para estos casos, algunas de las tecnologías de comunicación descritas en capítulos anteriores ofrecen una solución inmejorable: la capacidad de trabajar como redes de dispositivos *IoT en malla* (*mesh networks*). Esta forma de trabajar tiene muchas ventajas. Sin entrar en detalles acerca de qué tecnologías la aportan y cuáles no, diremos que algunas de ellas permiten que los mismos dispositivos actúen como nodos de la red, pudiendo además intercambiarse los papeles en caso de necesidad.

Así, todos los nodos son dispositivos *IoT* que pueden comunicarse con todos los demás dentro de su zona de influencia. Solamente a uno de ellos se le requerirá el papel de enlace hacia la central de datos, por lo que únicamente este deberá prever una tecnología de comunicación adecuada a la distancia a la que esta se encuentre o al punto de acceso a la red más próximo, en su defecto.

Esta forma de concebir la red a nivel de dispositivos tiene, además, una alta capacidad de recuperación ante situaciones críticas. Si uno de los nodos falla, la comunicación se reconfigura y fluye a través del resto. Si se observa de forma aislada, se obtiene una red de dispositivos con capacidades de recopilar datos, compartirlos, intercambiar mensajes de estado y enviar flujos de información a otras redes.

> ### (i) Nota
>
> No todas las tecnologías de comunicación descritas en este libro tienen capacidades de trabajo en *malla* (*mesh*). Aunque en las más significativas se ha indicado, es preciso informarse con cada fabricante sobre tales posibilidades. Muchos tienen en mente ofrecerlas en sus próximas actualizaciones de producto.

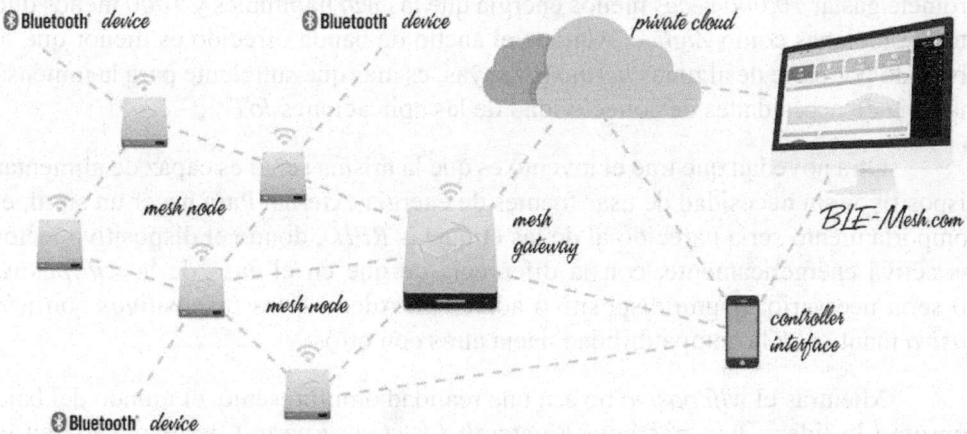

Figura 7.7. Un ejemplo de red en malla que usa el protocolo BLE Mesh, basado en Bluetooth. El nodo marcado como mesh Gateway actúa como nodo pasarela a la red.

Comentemos ahora el comportamiento de algunas de las tecnologías de comunicación vistas en capítulos anteriores, desde el punto de vista del consumo energético.

Como la gran derrochadora de energía tenemos la casi omnipresente *wifi*, que me atrevería a recomendar solamente en situaciones con presencia de toma eléctrica permanente, mientras la cosa no cambie de forma significativa. Como muy bien saben los usuarios de *Smart Phones*, la conectividad *wifi* acelera de forma muy notable el vaciado de la batería. Además, lo hace de formas muy distintas. Diversos estudios demuestran patrones de consumo muy dispares dependiendo de la potencia de la señal, como puede ser obvio, pero también de si se accede a puntos de acceso *wifi* públicos o privados. Además, aunque no se esté usando, los terminales que integran este tipo de tecnología gastan energía constantemente en busca de cobertura.

Este tipo de conexión sin cables, en un principio, no se creó pensando en las necesidades energéticas de dispositivos como los que encontramos en el mundo *IoT*. Se hizo pensando en holgados anchos de banda y altas velocidades, para la conexión de sistemas informáticos sin cable y, más tarde, para la conectividad de dispositivos móviles. Así, durante mucho tiempo, el consumo energético de *wifi* ha sido situado en segundo plano por parte de las entidades reguladoras. Hasta hace poco. De hecho, a principios de 2016 y como se comentó en el capítulo dedicado a ello, la **Wi-Fi Alliance** presentó la versión *HaLow* del conocido estándar de comunicaciones. En ella puede verse una importante mejora en el ámbito del consumo eléctrico.

Un paso más, que se espera sea muy importante, es la aparición de una nueva técnica inventada por investigadores de la universidad de **Washington** que cambia la forma en que la *wifi clásica* opera. Dicha técnica recibe el nombre de *Wifi Pasiva* y promete gastar *10.000 veces* menos energía que las *wifi* habituales y *1000* menos que otras soluciones como *Zigbee*. Aunque el ancho de banda ofrecido es menor que el obtenido por parte de algunas *hermanas* suyas, es más que suficiente para la inmensa mayoría de necesidades de conectividad de las aplicaciones *IoT*.

Otra novedad que trae el invento es que la misma señal es capaz de alimentar dispositivos sin necesidad de usar fuentes de energía externa. Para hacer un símil, el comportamiento sería parecido al de las etiquetas *RFID*, donde el dispositivo lector las activa energéticamente, con la diferencia de que en el caso de la *wifi pasiva* no sería necesario ningún dispositivo adicional. Además, los dispositivos con *wifi pasiva* mantienen la compatibilidad hacia atrás con otros.

Mientras el *wifi pasivo* no sea una realidad omnipresente, el mundo del bajo consumo lo lidera, hoy por hoy, *Bluetooth LE* (*Low Energy*), ya explicada en el capítulo dedicado a las tecnologías de comunicación de área personal (*PAN*).

Otra comentada en aquel apartado es *DECT*, en su versión *ULE* (*Ultra Low Energy*, ultra baja potencia), que se usa habitualmente en entornos de *hogar inteligente*, con soluciones de control de clima, seguridad y automatización, por ejemplo.

Sigfox, otra de las tenidas en cuenta, tiene la ventaja de poder dedicarse a transferencias de datos unidireccionales (aunque ahora también soporta comunicación bidireccional) y, de esta forma, ahorrar energía. Si recordamos el ejemplo del aparcamiento inteligente, quizás esta tecnología sería la seleccionada en su implementación, ya que solamente se requieren actualizaciones de estado cuando un vehículo entra o sale de la plaza de aparcamiento.

En las comunicaciones basadas en tecnologías celulares (*3G/4G*) se impone *Cat-M*, que es una de las variantes especializada en *IoT*. *Cat-M* usa menos actualizaciones con la estación base (y su frecuencia es programable) y, aunque use velocidades inferiores, estas son suficientes para la gran mayoría de soluciones *IoT*.

> ### ⓘ Nota
>
> Entidades como **3GPP**, encargadas de la creación y revisión de estándares para el mundo de la telefonía móvil, proponen soluciones que tienen que ver con el consumo energético de los dispositivos e intentan mejorar la vida de sus baterías. Ejemplos de ello son *PSM* (*Power Saving Mode*, modo de ahorro de potencia) o *DRX* (*Discontinued Reception*, recepción discontinua). Ambas soluciones consiguen el ahorro energético gestionando la forma en que los dispositivos "se despiertan" y "duermen". Así, la primera técnica permite que el equipo avise a la red que pasa a la modalidad "durmiendo". Entonces, en el momento en el que el dispositivo debe transmitir (la lectura de una temperatura, por ejemplo), se activa y lo hace. A continuación, se espera unos instantes por si la red tiene "algo que decirle" y, si no es así, regresa a la modalidad "durmiendo". *DRX* funciona de forma distinta, aunque también usando los modos "despierto" y "dormido": se establecen intervalos en los cuales se pasará, de forma cíclica, de una modalidad a la otra. Como ejemplo, un dispositivo que integre el modo *PSM* y realice un envío de datos una sola vez al día, puede tener una vida útil de 10 años usando dos pilas estándar del tamaño *AA*.

Por último, las comunicaciones de banda estrecha (*NB-IoT*) mejoran también la eficiencia energética al usar potencias menores y bandas de transmisión mucho más angostas que las usadas, por ejemplo, por tecnologías como *LTE*, acciones que permiten dar una mayor vida útil a las baterías de los dispositivos.

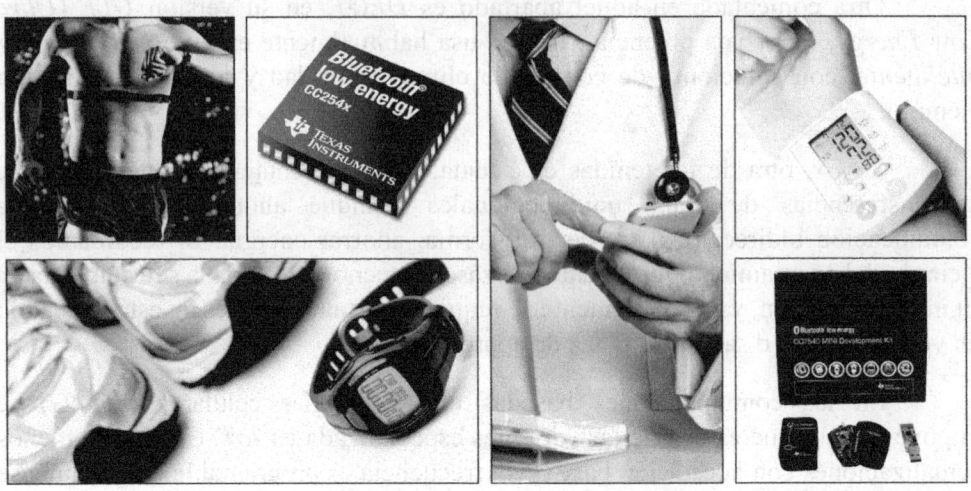

Figura 7.8. Diversos ejemplos de dispositivos que incorporan tecnología Bluetooth Low Energy, fabricada por la compañía americana Texas Instruments.

7.3 EL CONSUMO DE ENERGÍA DESDE EL PUNTO DE VISTA DE LAS APLICACIONES

¿Las aplicaciones consumen energía? Pues es más que evidente que sí. Preguntemos si no a muchos usuarios que ven como sus teléfonos móviles les avisan acerca de qué aplicaciones están consumiendo más energía de la que deben.

Probablemente todos hayamos sufrido un importante bajón del nivel de batería de nuestros *Smartphone* al observar un vídeo o escuchar música durante un periodo de tiempo, comparado con el producido por la lectura de un simple texto durante el mismo intervalo temporal.

Los ejemplos de uso de vídeo y audio mencionados en el párrafo anterior son muy claros, puesto que involucran grandes necesidades de potencia de proceso, velocidad de conexión y uso intensivo de dispositivos como pantallas o altavoces. No es así en operaciones más discretas como la lectura de textos, el acceso al correo electrónico o a sistemas de mensajería instantánea. En todo caso, debemos quedarnos con la idea de que cada aplicación (ya sea de usuario o de sistema) tiene sus propias necesidades de consumo y, estas, repercuten directamente en el tiempo de vida de la carga de las baterías (y de su tiempo de vida total antes de considerarse agotadas).

> ### ⓘ Nota
>
> Al hablar de aplicaciones de sistema me refiero a aquellas que forman parte de los sistemas operativos y son transparentes para el usuario; de hecho, sus tareas tienen que ver más con el propio dispositivo y sus componentes. Incluyo en la definición los protocolos de *software* necesarios para establecer las comunicaciones, puesto que también consumen recursos de los sistemas donde se ejecutan.

Es de vital importancia, por lo tanto, conocer qué aplicaciones se ejecutan en los sistemas y por qué motivo lo hacen. A parte, es de igual consideración informarse acerca de qué prestaciones permiten ser configuradas por software y cuáles no, ya que ello puede ser determinante desde el punto de vista del consumo. Como ejemplo podríamos pensar en dispositivos que permitan desactivar (no solamente configurar) sus prestaciones *wifi*. Algunos aparatos permiten tal operación, mientras que otros mantienen activos todos los sistemas, aunque éstos no se utilicen. Por suerte, tal práctica hoy en día ya no es muy habitual, ya que los fabricantes son muy conscientes de lo que esto puede significar, a nivel de consumo eléctrico global. Por ello, permiten cada vez más al usuario establecer sus propias configuraciones y pautas de comportamiento, en vez de forzarles al uso de las incorporadas de fábrica.

Pensando ahora más en prototipos que en productos acabados, debemos tener en cuenta a los programadores informáticos que generan los códigos necesarios para que todo funcione, dentro de los dispositivos *IoT*.

Se supone que a nivel comercial los productos están más que testados y cumplen con todas las normativas vigentes y, por consiguiente, podemos confiar en ellos. En los prototipos, en cambio, el nivel de testeo del *software* es muy inferior y, habitualmente, se crean los programas por simple necesidad, para probar un concepto sin tener nada más en cuenta.

Si bien esto debería ser tal y como se ha descrito, la realidad es mucho más cruda. Los productos comerciales no tienen por qué ser ejemplo de la perfección técnica, estar libres de errores y asegurar un mejor funcionamiento en las soluciones que proponen. Muchas veces es al revés. Los fabricantes pueden ser muy buenos en soluciones *hardware*, por ejemplo, y andar *cojos* o tener que subcontratar el desarrollo de la parte *software* que debe soportarlas. Además, demasiado a menudo se deja esta tarea para el final, teniéndola que ejecutar bajo mucha presión y con fechas de entrega cerradas, cosa que repercute en la calidad final del conjunto y, peor aún, en su seguridad.

Demasiado frecuentemente vemos la aparición de *parches* de software poco tiempo después de la presentación pública de un producto en el mercado.

Con todo esto quiero demostrar que la programación informática tiene demasiado que ver con el rendimiento de un producto o, para el tema que nos ocupa, su consumo energético. A veces es muy cómodo, a nivel de programación, escribir una sentencia que compruebe de forma constante si existe alimentación eléctrica en un conector de comunicaciones. Un bucle así mantendría entretenido al procesador, aumentando el consumo eléctrico a un valor fijo constante mientras no ocurra nada. Esto, que no sería relevante en un sistema alimentado por la red eléctrica, sería crítico para un sistema sustentado por baterías.

Así pues, se demuestra que la *ingeniería de software* es muy importante en el diseño de soluciones tecnológicas, y más cuando la pericia de los programadores puede enfocarse al ahorro de recursos dentro de los sistemas de cualquier tipo.

Veamos el ejemplo de la figura siguiente. Se trata de un pequeño código escrito en *Python*, lenguaje típico en entornos de diseño de prototipos *IoT*. En este se establece un valor de *20* para *a* y, en el cuerpo del programa, se indica que si *a* es mayor que *10* debe repetirse el conjunto de acciones inferiores. Como esto ya es verdad, jamás se saldrá de este círculo infinito. Por ello, recibe el nombre de *bucle infinito*.

```
● ● ●      while_infinito.py - /Users/JlAndres/Documents/while_infinito.py (3.6.1)
print("Ejemplo de bucle infinito")
print("Detener con CTRL+c")
a=20
while a>10:                      #condición que debe cumplirse
        print(a,end=" ")         #imprimirá el valor de a
        a=a+1                    #aumentará en 1 el valor de a, y como a>10
                                 #siempre se cumplirá que a>10 y nunca a<10
                                 #por tanto, se repitirá hasta el infinito
                                 #y más allá
print("Se acabó la lista de números")   #esta línea nunca se ejecutará

                                                         Ln: 10  Col: 72
```

Figura 7.9. Un bucle infinito escrito en Python que, de ejecutarse, consumiría recursos ininterrumpidamente.

7.4 TIPOLOGÍA DE LAS FUENTES DE ENERGÍA

Como ya se ha dicho en secciones anteriores, lo primero a tener en cuenta para alimentar a cualquier dispositivo *IoT* es la existencia de fuentes de alimentación cercanas. De existir deben usarse y, además, analizar cuán de crítica es la aplicación que se está instalando para ver si se hace necesario el uso de sistemas de alimentación ininterrumpida (*SAI*) o de suministro alternativo en caso de fallo del principal. Algunos dispositivos industriales vienen equipados con baterías internas que entran en funcionamiento ante cortes del suministro eléctrico. Este tipo de instalaciones son muy típicas en entornos relacionados con la salud, por ejemplo.

Hasta el momento hemos dedicado el capítulo a ver cómo afectan distintos elementos del entorno *IoT* al consumo de energía, pero no nos hemos dedicado a ver ni valorar las fuentes de energía que en la actualidad se usan para su alimentación. Si prescindimos de la red eléctrica, encontraremos un amplio espectro de soluciones que van desde la clásica pila botón a los paneles solares de alto rendimiento.

Por suerte o por desgracia, normalmente no seremos nosotros quienes decidamos el tipo de batería que usará un dispositivo conectable, a no ser que entre nuestras tareas se encuentre la de crear prototipos *IoT*. Si no es el caso, lo más normal es que cualquier aparato venga con su especificación energética de fábrica y lo que nosotros tengamos que hacer sea simplemente comprar las pilas, si estas no vienen incluidas. Aun así, es bueno conocer los pros y contras de los sistemas existentes en el mercado para entender sus propiedades y poder predecir cómo será su comportamiento integrado dentro de una solución global.

En páginas anteriores hablamos de la importancia de la ubicación física de los dispositivos *IoT* para obtener su rendimiento óptimo. Igual que en éstos, las baterías también se ven afectadas por factores externos como las temperaturas de trabajo, por ejemplo. Por norma general, suelen tolerar más el frío que el calor, aunque con mucho frio pierden un significativo tiempo de autonomía.

Aunque depende mucho del tipo de pilas usadas, pensemos ahora en un dispositivo que siempre nos acompaña y que, como todos los demás, usa un sistema de baterías para conseguir su autonomía: el teléfono móvil. Dicen los expertos que su temperatura normal de trabajo se sitúa entre los 20° y los 35°, franja que permite su funcionamiento óptimo. A partir de los 50°, el sistema empieza funcionar más lentamente y, a partir de los 70°, el equipo se vuelve peligroso, ya que podría llegar a estallar por culpa de los componentes químicos incluidos en las baterías.

No nos asustemos. Aunque esto ha sucedido, lo ha hecho en escasísimas ocasiones. Además, la mayoría de *Smartphones* actuales incorporan sensores especiales que detectan las altas temperaturas y apagan el sistema, directamente. Si dejamos el móvil en el salpicadero de nuestro vehículo un día soleado de verano, o lo olvidamos en la mesa de un bar a pleno sol, veremos un mensaje de aviso de temperatura y, durante un tiempo, no podremos usarlo.

Otro factor maligno para las baterías es la humedad. Cada vez se fabrican más teléfonos resistentes al agua. Aunque esto no es infalible a medio plazo, mejora mucho la protección de la electrónica y las baterías.

Como vemos, y aunque hemos usado como ejemplo nuestros teléfonos, el calor, el frio y la humedad no son amigos de la electrónica. Por ello es de vital importancia asegurarse que todos los productos *IoT* adquiridos (baterías que los acompañan incluidas) cumplan con las certificaciones de seguridad vigentes, además de especificar sus temperaturas de trabajo y que, explícitamente, indiquen si han sido diseñados para entornos extremos (como ubicaciones en exteriores o en la industria pesada).

> ### ⓘ Nota
>
> Dispositivos de todo tipo, así como cajas de electrónica industrial o para luminarias por ejemplo, muestran en sus etiquetas símbolos como *IP-65*. Este valor indica el grado de protección del objeto y debe consultarse en el momento de la compra, principalmente si prevemos instalar nuestra adquisición en el exterior. El valor mencionado significa "*protección de entrada*" por las siglas *IP* (*Ingress protection*), y a continuación se muestran los índices para el polvo y el agua. El número *65* avisa, gracias al primer dígito, que el polvo "*no entra en ningún caso*" mientas que el segundo indica que resiste sumergido en el agua a *1 metro* de profundidad, durante *30 minutos*, sin sufrir filtración alguna.

Hablemos ahora de dos conceptos importantes que tienen que ver con pilas y baterías y que van a ayudarnos a comprender mejor sus ventajas e inconvenientes:

▶ El temido efecto memoria se produce cuando se carga una batería sin antes haber sido descargada completamente. El usuario lo nota cuando conecta el dispositivo y, aunque los avisos indiquen una carga completa, la duración de esta es cada vez más corta.

▶ Los ciclos de carga indican el número máximo de ciclos que una batería va a proporcionar, entendiendo ciclo como las veces que la batería se agota totalmente, aunque no sea en una sola vez. Es decir, si nuestro teléfono con carga completa se descarga al 50% y lo cargamos de nuevo para llegar al 100%, habremos completado medio ciclo. El ciclo se completará cuando el móvil vuelva a perder un 50% más de su carga, independientemente de que llegue o no al 0%. Una vez pasados los ciclos previstos, la batería empezará a rendir menos.

Apuntado todo esto, veamos rápidamente algunos tipos de baterías y pilas del mercado, que pueden usarse en los dispositivos que nos ocupan:

▶ *Baterías y pilas alcalinas*: destacan por ofrecer corriente de gran estabilidad y, por ello, son muy adecuadas en dispositivos electrónicos.

▼ *Baterías de ácido plomo*: usadas habitualmente en vehículos de todo tipo, destacan por su bajo coste aunque no se usan habitualmente en entornos *IoT*.

▼ *Baterías de níquel cadmio* (*NI-CD*) y de *níquel hidruro* (*NI-MH*): ambas recargables, la primera ofrece poca concentración energética aunque resiste temperaturas de funcionamiento muy diversas y acepta sobrecargas. En contra su *efecto memoria*. La segunda, muy conocida por su uso en vehículos eléctricos y en todo tipo de electrónica de consumo en forma de pila recargable, tiene menos *efecto memoria* y en contra debe destacarse su pérdida de rendimiento a bajas temperaturas.

▼ *Baterías de litio* (*LI*) y de *Iones de litio* (*LI-ION*): la primera es el tipo de batería clásica más usado en dispositivos móviles como *Smartphones* y *tabletas*, por su relación de tamaño, peso y rendimiento, comparado con el resto de opciones del mercado. La segunda se ha convertido en la más usada en las últimas generaciones de dispositivos electrónicos, en los que se incluyen los tratados en este libro. Tienen una muy alta capacidad energética, son pequeñas y poco pesadas y su *efecto memoria* es muy bajo. En contra, su vida no es muy larga y las cargas suelen durar poco más de un día de uso normal. Una variación de estas son las de *Polímero de litio* (*LIPo*), que mejoran tanto la capacidad energética como su tasa de descarga.

Se asoman por el horizonte otros tipos de batería que prometen mucho: las de *estado sólido* y las de *grafeno*. Las primeras prometen un mayor potencial energético, más capacidad y más seguridad al no incorporar químicos inflamables. Las segundas usan como base un material del que todo el mundo habla y que promete una nueva revolución: la del *grafeno*. Para muchos el *material del futuro*, genera una feroz competencia en el mercado. En el sector de las baterías, las creadas con este material prometen grandes capacidades, cargas ultrarrápidas y funcionamiento sin recarga durante mucho más tiempo.

ⓘ Nota

Aunque algunas veces usamos los nombres *pila* y *batería* indistintamente, la verdad es que se trata de dos cosas distintas. Una *pila* tiene capacidad de producir corriente eléctrica mientras que una *batería* la acumula. Una pila almacenada no se descarga hasta que, por la degradación de sus componentes, se estropea y deja de ser útil. Una batería, en cambio, pierde carga aunque no se use.

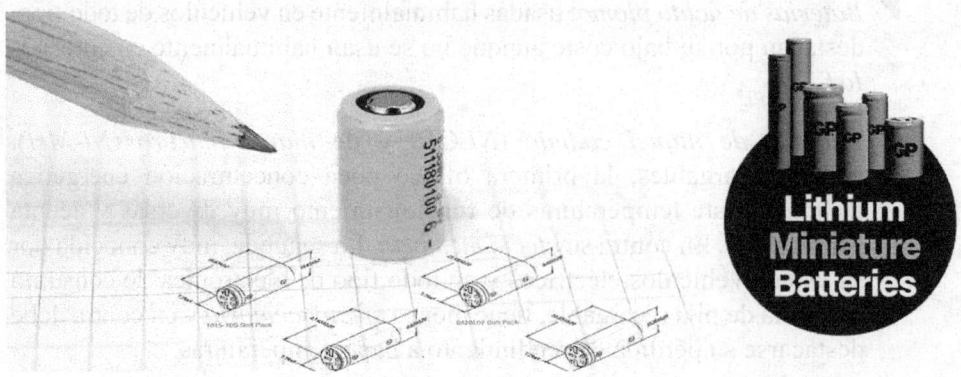

Figura 7.10. Baterías miniatura de Iones de litio, fabricadas por la compañía francesa GPBM, para el mercado de los wearables.

Muchos expertos tienen la vista puesta en la obtención de energía del entorno, como alternativa a la alimentación clásica por red eléctrica o mediante el uso de baterías. Dicha alternativa, que a priori puede parecer una forma válida e inagotable de disponer de alimentación energética de forma ilimitada, tiene sus claros e inevitables inconvenientes.

Hoy día, detrás de un sistema de obtención de energía alternativa siempre existe un sistema de acumulación, muy útil cuando esta fuente no es productiva, principalmente si interesa asegurar un funcionamiento ininterrumpido del conjunto.

Todo el mundo tiene en mente una pregunta cuando se habla de energía solar, por ejemplo: ¿Qué pasa si no hay sol? La respuesta es: entran en funcionamiento las baterías que han acumulado su energía. En este punto, entramos en la problemática descrita en párrafos anteriores acerca de estos acumuladores: ciclos de carga finitos, efecto memoria…

Algunas fuentes de energía natural pueden provenir de:

▶ **El sol**: cada vez más consolidada, este tipo de energía puede ser un complemento para los dispositivos *IoT*, colaborando en la carga de baterías y acumulando energía. El principal inconveniente es que el tamaño de las células de captación energética y el de las baterías de acumulación deben asegurar un funcionamiento de los dispositivos en las peores condiciones de iluminación solar.

▶ **El movimiento**: donde exista, puede existir electricidad. De hecho, el ejemplo más claro lo encontramos en las centrales hidroeléctricas, que aprovechan el movimiento del agua para generar energía. De igual forma, los parques eólicos hacen lo propio con el viento. A escalas menores, pensando en dispositivos *IoT*, vemos ya *wearables* aprovechando el movimiento de los usuarios para cargarse. Además, existen un montón de cargadores de baterías que aprovechan el movimiento en cualquier tipo de situación: andar, correr, ir en bicicleta o, simplemente, mover rápidamente la mano.

▶ **Intercambio de temperatura**: la térmica puede ser, también, una fuente que permite cargar y acumular energía en dispositivos *IoT*. De especial interés en sectores industriales, debido a la presencia de elementos fríos y calientes, se presenta como un complemento válido en muchas situaciones. A nivel personal, en el ámbito de los *wearables*, existen soluciones que permiten la carga de los dispositivos gracias al calor corporal de los usuarios.

▶ **Ondas electromagnéticas**: a estas alturas no descubriremos nada nuevo, vimos el concepto al hablar de las etiquetas de identificación por radiofrecuencia (*RFID*). Como recordarás, permiten que los lectores las activen energéticamente a través de ondas de radiofrecuencia. Usando otras técnicas, en el mercado pueden encontrarse dispositivos de carga inalámbrica aunque por el momento no están muy extendidos ya que sus precios son normalmente elevados y requieren la instalación de un receptor en cada dispositivo a cargar. Sus radios de funcionamiento pueden llegar a alcances de 10 metros.

Figura 7.11. SolePower, una startup americana que comercializa botas que, entre otras cosas, permiten la carga de dispositivos con el movimiento del usuario.

Aunque todo lo descrito suena muy bien, debe tenerse presente que cada solución es un mundo y, como hemos visto, todas se muestran como fuentes complementarias o de emergencia. No siempre será necesario ni viable (técnica y económicamente hablando) instalar propuestas de este tipo, a excepción de contadas situaciones que lo justifiquen.

La fabricación de soluciones para la captación de energía del entorno no ha pasado desapercibida a los fabricantes. Muchos ofrecen sistemas de recolección energética en un *chip*, que pueden alimentarse de fuentes de energía natural como la térmica o la solar. Como ejemplo podemos mencionar el de **Texas Instruments**, modelo *BQ25570*, que puede usar ambas como fuente energética.

8

LO IMPORTANTE ES... ¿LA SEGURIDAD?

En varios capítulos se han apuntado cuestiones relacionadas con la seguridad en entornos *IoT*. De hecho, esta tiene que ver con todos sus niveles, desde la alimentación eléctrica hasta las aplicaciones finales por lo que, para muchos expertos, es un pilar para su definitiva expansión.

Y es que cuando hablamos de soluciones para *Internet de las cosas* no nos referimos solamente a la seguridad clásica diseñada para sistemas informáticos, el tema va mucho más allá. A parte de tener que pensar en cuestiones fundamentales como la privacidad de los datos, elemento de preocupación común en todo entorno tecnológico, debemos hacerlo también en aspectos como la seguridad física de personas y cosas. Cuando hablamos de dispositivos que pueden interactuar con el mundo real, la preocupación aumenta exponencialmente y el foco de atención se centra en la seguridad.

Conscientes de ello, los fabricantes se apresuran a blindar sus sistemas y los reguladores a exigir más y más normas aunque, de forma paralela, el mercado continúa saturándose de productos de dudosa procedencia y cuestionable fiabilidad.

ⓘ **Nota**

Uno de los mayores problemas relacionados con la seguridad es que muchos usuarios (también corporativos) compran productos preparados para *IoT* basándose, únicamente, en su coste económico. Las alarmas deberían dispararse cuando un producto es exageradamente más barato que la media de los de la competencia. O tendrá menos prestaciones, o se habrán descuidado muchos temas que atañen a su protección.

La tecnología no es 100% segura, todo el mundo lo sabe y, por ello, deberíamos aplicar ciertas normas de prevención ante la posibilidad de ataques maliciosos de todo tipo. Debemos pensar que los sistemas informáticos clásicos que ejecutan todo tipo de aplicaciones financieras, de control, de gestión empresarial, de comercio electrónico y demás, están altamente protegidos y testados. En parte por las mejoras de seguridad que van apareciendo de forma regular, pero principalmente por la experiencia acumulada de desarrolladores, tanto de *software* como de *hardware*. Ahora bien, el campo que nos ocupa es relativamente nuevo para todos, y además se pretende fusionar sistemas informáticos con equipos industriales, abriendo una nueva multitud de opciones tecnológicas increíblemente atractivas para todo el mundo, criminales incluidos.

Este hecho, que suena a alarmante, no frena a productores y compradores, que si bien son conscientes de su importancia, asumen el riesgo potencial como parte del juego. Así, existe un enorme parque de dispositivos instalados a lo largo del mundo con más que conocidas vulnerabilidades que permiten a los ciberdelincuentes campar a sus anchas por las redes de objetos conectados.

Y, preguntando a los usuarios, éstos responden convencidos que conocen el problema pero prefieren disfrutar de las ventajas que reciben. Muchas veces, pues, se realizan esfuerzos tecnológicos fuera de las redes *IoT* para intentar prevenir todo tipo de ataques, instalando *cortafuegos* y otro tipo de soluciones en busca de añadir al sistema la seguridad deseada.

La verdad es que lo deseable sería que los productos saliesen al mercado con altos niveles de seguridad y protección aplicados pero, con la falta de estándares consolidados y de normativa regulatoria global, poca cosa puede exigirse. En algún lugar hemos hablado de iniciativas legislativas puntuales, pero la mayoría se quedan en vagas recomendaciones u obligaciones de mínimos que parecen más obsoletas que otra cosa.

Y mucha gente se plantea: ¿Cómo es que se corran tantos riesgos cuando existen en el mercado tecnologías de seguridad altamente fiables? La respuesta es algo que ya se debería haber leído entre líneas: muchos de estos protocolos de seguridad y sistemas de *encriptación* requieren mucha potencia de proceso y, como ya sabemos, esto es algo que precisamente no les sobra a los objetos conectados.

Por este motivo, los desarrolladores de soluciones *IoT* se enfrentan a enormes retos en cuanto a privacidad y seguridad se refiere. No solamente deben pensar en el producto que están desarrollando, si no en que este va a formar parte de un todo, donde se requerirá de interacción y comunicación bidireccional con otros objetos, con elementos de red, así como con sistemas informáticos y las personas que los manejan.

> ⓘ **Nota**
>
> Un hecho realmente preocupante es que muchos de los ataques perpetrados en el mundo *IoT* por culpa de vulnerabilidades en los sistemas, siempre han estado presentes en los sistemas informáticos clásicos, como si no se hubiese aprendido de los errores.

8.1 EL MODELO DE REFERENCIA PARA IOT

En busca de un marco de trabajo común para esta industria, **Cisco Systems** propuso un modelo de referencia en el **IoT World Forum** de 2014, con la pretensión de establecer un modelo específico que dejara claras las definiciones y descripciones aplicables al universo *IoT*.

Dicho modelo, al más puro estilo del de referencia *OSI* que ya conocimos en su momento, establece siete capas que describen qué tareas se corresponden con cada una de ellas. Los objetivos de este modelo intentan, entre otras:

- Simplificar, gracias a dividir soluciones complejas en partes menores.
- Clarificar, principalmente porque se acuerdan terminologías para los distintos niveles.
- Estandarizar, ya que se da un primer paso para que los fabricantes puedan construir productos compatibles.

Para cada uno de los niveles, se detallan claramente sus funciones así como la descripción de los elementos que los componen. El nivel inferior o nivel 1, por ejemplo, es descrito con el nombre *Physical Devices & Device Controllers* (*dispositivos físicos* y *controladores de dispositivos*) y se dedica enumerar qué elementos lo componen y cuáles son sus funciones básicas. En resumen, en esta capa encontramos las *cosas* del contexto *IoT*, que pueden ir desde minúsculos *chips* hasta *enormes vehículos*. Todos ellos, para pertenecer a este nivel, deben disponer de capacidades de conversión analógica a digital si es necesario (un ejemplo serían los sensores de temperatura), generar datos y poder ser consultados o controlados a través de la red.

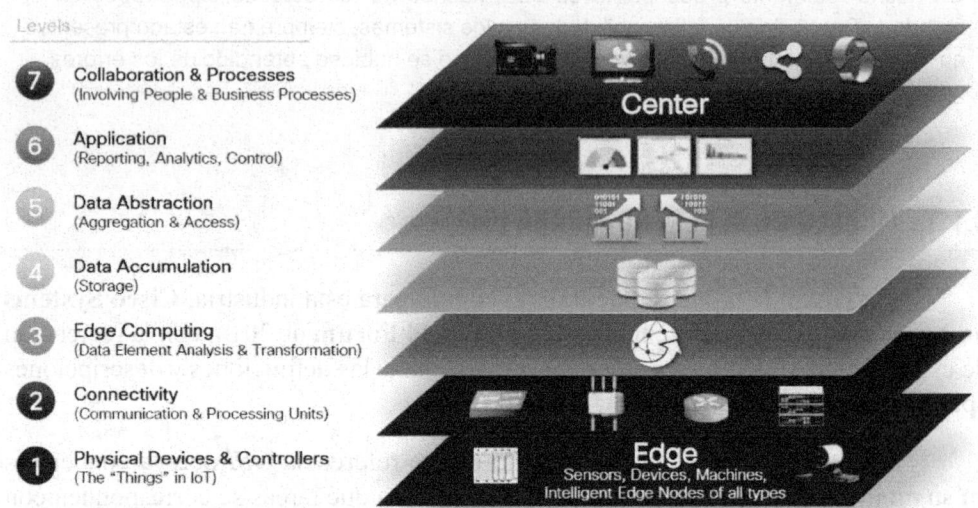

Figura 8.1. Las 7 capas del modelo de referencia IoT, presentado en el IoT World Forum de 2014.

Observemos los nombres de las distintas capas que forman el modelo, en la figura anterior, y obtendremos pistas acerca de las funciones que se discuten en cada una de ellas. Podemos darnos cuenta, también, que la información fluye en ambas direcciones, dependiendo de si lo que se hace es leer valores proporcionados por un sensor (los datos fluirían en el modelo de abajo hacia arriba) o si se está controlando un actuador (lo harían de arriba hacia abajo).

En este punto, me gustaría introducir un nuevo término que tiene mucho que ver con el concepto *IoT*: *Data in motion* (*datos en movimiento*). Los datos en movimiento, concepto opuesto al de *Data in rest* (*datos en descanso*), definen al conjunto de datos que se están transfiriendo o moviendo a través de los sistemas de comunicación. En entornos informáticos clásicos, los datos se generan normalmente en ordenadores origen para llegar a los ordenadores de destino, cruzando todo tipo de dispositivos y medios de red para conseguirlo. En *IoT*, el proceso es el mismo con la diferencia que el flujo de datos en movimiento es creado por las *cosas* conectadas.

Los datos en descanso son aquellos que, ya llegados a su destino, no van a moverse y por lo tanto quedarán almacenados en el sistema.

Desde el punto de vista de la seguridad, los delincuentes (llamémosles *hackers*) se sienten mucho más atraídos por los datos en movimiento que por los que están en descanso, ya que los primeros representan el tiempo real, millones y millones de acciones que están sucediendo en aquel momento son más interesantes que datos almacenados, que quizás ya hayan perdido su vigencia. Es por ello que, aparte de aplicar la obvia seguridad en los sistemas de almacenamiento, es de vital importancia hacer lo mismo en el origen de los datos y, más aún, en su fase de tránsito que es cuando se consideran más vulnerables.

Cuando se habla de seguridad en *IoT*, debe pensarse que los sistemas están expuestos de extremo a extremo. Existe un gran número de dispositivos y nodos que están en constante comunicación, con actualizaciones de estado muy frecuentes, generando gran cantidad de datos en movimiento que circulan por la red hasta los sistemas centrales. Los objetivos de los atacantes pueden ser muchos y muy variados. En el extremo de los sensores y actuadores, desde la captura de los datos recolectados, por el propio interés en ellos, hasta la captura de las credenciales de los dispositivos para controlarlos remotamente. En dispositivos de red denegar el acceso, destruir o interrumpir los sistemas y, en el centro de datos, obtener y manipular datos. Como vemos, muchos son los frentes a combatir.

De vuelta en el modelo, a efectos de seguridad se indica que:

- Debe asegurarse cada dispositivo o sistema.
- Los procesos deben disponer de seguridad, a cada nivel.
- Las transacciones de datos hacia arriba o hacia abajo entre las capas del modelo deben ser seguras.

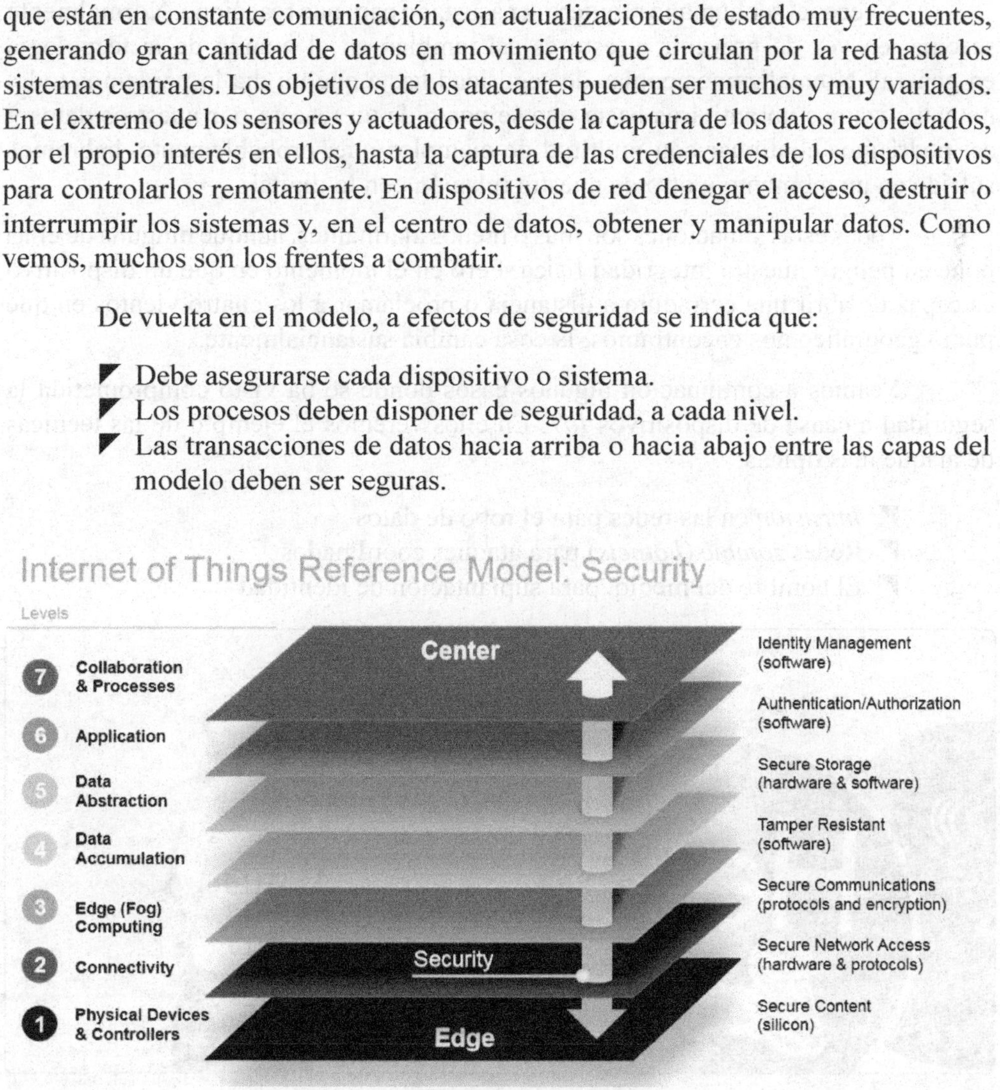

Figura 8.2. Implementación de la seguridad en cada capa del modelo de referencia IoT.

Este modelo de referencia es, pues, un primer paso hacia la estandarización y terminología relacionada con *Internet de las cosas*, estableciendo un punto de partida que la industria debe seguir para poder llegar a su potencial máximo en los próximos años.

8.2 SEMBRANDO EL PÁNICO

A veces el ser humano requiere ser asustado para que reaccione. Normalmente se cura, en vez de prevenir, y esto es así también en el mundo de la tecnología en general. No realizamos copias de seguridad hasta que un día lo perdemos todo, no actualizamos un antivirus hasta que se nos pide un rescate por nuestros datos y así podríamos continuar con multitud de ejemplos que, probablemente, habremos sufrido en un momento u otro de nuestra relación con lo digital.

Todas estas situaciones son más o menos alarmantes, aunque ninguna de ellas pone en peligro nuestra integridad física. Pero en el momento en que un dispositivo es capaz de abrir una cerradura a distancia o proclamar a los cuatro vientos en qué punto geográfico nos encontramos, la cosa cambia sustancialmente.

Veamos a continuación algunos casos donde se ha visto comprometida la seguridad a causa de dispositivos *IoT*. En ellos veremos el ejemplo de las técnicas de ataque más típicas:

- *Intrusión* en las redes para el robo de datos
- Redes *zombie* (*botnets*) para ataques coordinados
- El hombre del medio, para suplantación de identidad

Figura 8.3. La americana Mattel tuvo un grave problema de seguridad, ahora superado, con su producto Hello Barbie.

8.2.1 Cuidado con las peceras (abriendo la puerta a intrusos)

En una sociedad con cada vez más dispositivos conectados, crecen las oportunidades para los delincuentes de guante blanco. Asaltar casinos ya no es solamente cuestión de bandas organizadas como las que nos presentan en películas como *Ocean's Eleven*. Ahora, con un ordenador y unos pocos conocimientos técnicos adquiridos en *Youtube*, puede obtenerse algo más valioso incluso que el dinero: los datos de las personas.

A nadie le extraña ya que un sistema de calefacción pueda controlarse de forma remota, pero quizás frunza el ceño si lo que está conectado es el termostato que regula el sistema de refrigeración de un acuario, dentro de un casino. Este instrumento, muy querido por los amantes de la acuariofilia, provocó una brecha de seguridad muy importante en un hotel de Londres, a mediados de 2018. Y es que un *hacker* logró no solamente colarse en la red informática, sino que además accedió a las bases de datos para llevarse los de los jugadores que más apuestan en su casino (los llamados *high-rollers*).

Este sería el ejemplo de cómo un intruso puede acceder a información sensible a través de un dispositivo *IoT*. Lo más preocupante de todo es que, aunque muchas personas relacionan el hecho de *hackear* un sistema con inutilizarlo después de conseguir el objetivo, la verdad es que no es así. Termostatos, cámaras de vigilancia, cerraduras y enchufes inteligentes continúan prestando sus servicios de forma eficiente, sirviendo de puerta de acceso para los criminales sin que veamos ninguna anomalía externa como síntoma.

8.2.2 Cuidado con las cámaras (un zombi en casa)

Casi todo el mundo ha oído hablar ya de las *botnets*. Si no con este nombre, con el que llama más la atención: *redes zombi*. Se llaman así porque el ataque se realiza mediante sistemas intermedios que, infectados y sin darse cuenta, actúan a las órdenes del delincuente. En el mundo de los ordenadores, son muy típicas y conocidas y, normalmente, se dedican a atacar de forma coordinada a todo tipo de servidores, consiguiendo que se desactiven, en lo que se conoce como denegación de servicio distribuido (*DDoS, distributed denial of service*). Es muy difícil que un solo equipo consiga bloquear un servidor, y más si es uno de los importantes en la red. Ahora bien, cuando la infección se expande y son muchos los que atacan a uno, el sistema cae de forma irremediable.

En este entorno, un sistema dirige el ataque y los demás, llamados *zombis*, son los que lo perpetran, sin conocimiento de sus propietarios. En ordenadores, tabletas y teléfonos móviles es más sencillo detectar y eliminar este tipo de software malintencionado (*malware*), pero la cosa cambia cuando son las cosas las que han sido infectadas.

Recordemos que como descripción general, cualquier dispositivo *IoT* dispone de sensores o actuadores, elementos de control y sistemas de comunicación. Imaginemos ahora una cámara conectada, que dispone de los tres elementos, a la que no se han instalado nunca los últimos *parches* de software (no se ha actualizado su *firmware*, software de fábrica para entendernos). Si se descubre una vulnerabilidad en este modelo y no se actúa en consecuencia, cualquier *hacker* podrá acceder a su control. Superado este paso, el delincuente puede decidir entre capturar sus imágenes, colarse a la red de la que depende o conseguir que forme parte de su red *zombi*. Si se decide por esta última acción, la cámara empezará a actuar como el pirata desee, en un probable ataque coordinado por ejemplo.

Uno de los casos más conocidos de ataque de denegación de servicio coordinado a nivel internacional ocurrió en 2016, dejando sin servicio a la tecnológica **Dyn**, de la que dependían sitios web tan importantes como **Twitter**, **Amazon**, **Spotify** o **Netflix**. Así, se creó una gran red de dispositivos *IoT zombi* infectados por un código malicioso llamado *Mirai*. Dicho *malware* se propagaba a través de la red de objetos inteligentes y, a su vez, iniciaba el ataque coordinado.

Mirai aprovecha el hecho de que a miles y miles de objetos conectados no se les han cambiado las credenciales de acceso por defecto proporcionadas por los fabricantes. Es más, existen en internet muchas páginas donde se publican los nombres de usuario y contraseñas necesarias para administrar miles de dispositivos de todo tipo.

> ### ⓘ Nota
>
> El **Banco de España**, a mediados de 2018, sufrió un ataque de denegación de servicio distribuido. Varios servicios web cayeron y no era posible realizar ningún tipo de consulta sobre ellos, impidiendo durante una mañana que la entidad realizara su actividad habitual.

Si bien antes hemos comentado que en sistemas informáticos (ordenadores, tabletas o móviles) es más fácil de detectar y eliminar este tipo de amenazas al disponer habitualmente de *software* de protección, ¿qué pasa con los dispositivos? Pues que la cosa se complica mucho más. Una vez instalado un enchufe inteligente, una bombilla o una cámara de vigilancia, ¿quién se acuerda de las actualizaciones de software? La respuesta es que nadie. O casi nadie, porqué los que sí van a acordarse son quienes hayan sufrido las consecuencias de no hacerlo.

Hoy día, empiezan a aparecer en el mercado dispositivos *IoT* que tienen en cuenta este último punto: las actualizaciones de *firmware*. Así, inmediatamente después de conectarlos a Internet, comprueban si existe alguna versión actualizada de su software y, de ser así, la instalan antes de prestar sus servicios como *cosa conectada*.

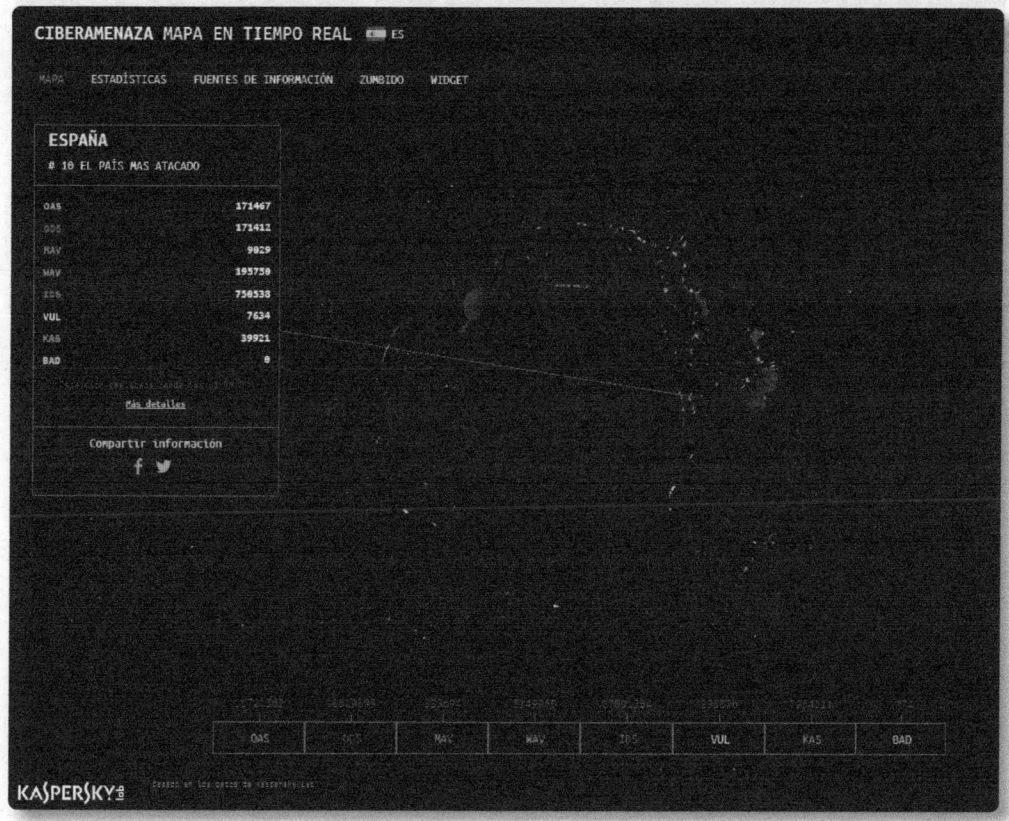

Figura 8.4. Mapa en tiempo real de amenazas cibernéticas, de la rusa Kaspersky.

Tomar el control de una cámara puede provocar mucho más que la caída de un sistema informático a través del uso de redes *zombi*. En 2015, diversos informes redactados por empresas de seguridad informática alertaban de decenas de robos en bancos a nivel mundial, usando estos dispositivos como fuente de información. Así, se enviaron correos electrónicos a personal del banco usando como remitente a figuras de confianza, como la del propio director. A partir de ahí, los usuarios ejecutaban aplicaciones aparentemente inocentes adjuntas en los mensajes y el proceso de infección comenzaba. Los *hackers* tomaban el control de las cámaras de seguridad, usándolas para grabar la forma en que el personal trabajaba en sus terminales. De ahí conseguían números de cuenta, credenciales y todo tipo de datos para poder operar, con los que realizaban transacciones económicas con sus cuentas de cliente en otros países como destino.

> **ⓘ Nota**
>
> A través de operaciones de *hackeo* como la descrita en estas líneas, también se ha conseguido acceder a cajeros automáticos, provocando que estos *escupan* dinero a las órdenes de los delincuentes, si necesidad de pulsar ni un solo botón.

Como vemos, y aparte de poder usar a los dispositivos *IoT* como *zombis* a nuestras órdenes, también podemos controlar su uso. Capturando imágenes en el caso de las cámaras, pero existen muchas otras situaciones donde un delincuente puede aprovecharse de ello: termostatos para sobrecalentar instalaciones o para estropear productos refrigerados, válvulas para dejar sin suministro de agua a un edificio entero o sistemas de alarma que suenan cuando no es necesario y desvían la atención de los servicios de emergencia.

Me gustaría terminar este apartado mencionando a un clásico en el mundo de la seguridad informática: el gusano *Stuxnet*, descubierto en 2010. Este es considerado como el primero capaz de espiar y reprogramar sistemas industriales *SCADA* (*Supervisory Control And Data Acquisition, Supervisión, Control y Adquisición de Datos*), que podríamos pensar en ellos como en los padres del *Internet de las cosas Industrial* actual. Aunque para propagarlo era necesaria la introducción de un pendrive infectado, una vez dentro se reproducía a través de los equipos de red para tomar el control de los sistemas. La cosa fue muy grave, ya que el gusano pudo afectar a infraestructuras muy críticas como centrales nucleares.

> **ⓘ Nota**
>
> Otro típico uso de las redes *zombis* es el minado de *criptomonedas* como *bitcoin*. Los atacantes toman el control de todo tipo de dispositivos y los esclavizan para ponerlos a trabajar para ellos.

8.2.3 ¿Quién conduce? (el hombre en el medio)

MITM o *Man in the middle* (*hombre en el medio*) es el nombre seleccionado para identificar una técnica *hacker* muy específica: colocarse entre el origen y el destino para interceptar y posiblemente modificar la información intercambiada por éstos, haciéndoles creer que están hablando directamente. Otra parecida es el *enmascaramiento*, donde el *hacker* se hace pasar por una entidad real como un objeto, un sistema o una persona, para suplantar sus identidades en una red. No se refiere exclusivamente al robo de sus identidades, también significa *hacerse pasar por otro*.

Tales técnicas permiten, por ejemplo, que un *hacker* se hiciera pasar por un marcapasos para simular el ataque cardíaco de un paciente. O que en un centro de control se obtuvieran lecturas correctas del motor de una cadena de producción, cuando este está siendo robado.

Uno de los casos más preocupantes es el derivado de la demostración de dos expertos *hackers* que, en 2016, consiguieron hacerse con el control de un todo terreno de una conocida marca americana, estando en funcionamiento.

Introduciéndose gracias a la dirección de internet del sistema de entretenimiento del vehículo consiguieron apagar el motor, hacerlo virar bruscamente, o desactivar sus frenos, aparte de cambiar las canciones que sonaban o mostrar una foto suya en la pantalla del salpicadero. Tal acción provocó que casi un millón y medio de vehículos de la marca tuvieran que ser llamados a revisión, solamente en **Estados Unidos**.

Este ataque, que ha sido descrito por los propios atacantes como complicado y costoso a nivel de tiempo, demuestra que la suplantación es posible en cualquier ámbito y que debemos tomarnos muy en serio todo lo relacionado con seguridad.

En *Internet* existen multitud de documentos técnicos y aplicaciones que ayudan a los delincuentes en estos menesteres. Realizar un ataque *MITM* no es, en realidad, tan complicado como parece. Cualquier aparato conectado a la red pasa, en un momento u otro, por dispositivos como *switches* o *routers*, encargados de seleccionar la ruta correcta de los datos hacia el destino. Si un *hacker* hace creer que su sistema es el *router* suplantando su identidad, estará redireccionando todo el tráfico de origen hacia él. En ese momento toma el control, pudiendo ver y modificar el flujo de datos a su antojo, enviándolo modificado a su destino original, si es necesario. Si opta por esta acción, tanto el origen como el destino pensarán que están manteniendo una conversación legítima, cuando ésta estará siendo modulada por el *hombre del medio*.

Al referirme en el párrafo anterior al término conversación, no lo hacía exclusivamente en términos de conversación humana. Una conversación entre máquinas es igualmente válida, pudiendo hacer el *hacker* que los extremos de origen y destino procesen datos y realicen acciones que nada tienen que ver con lo que está sucediendo en realidad.

8.2.4 ¿Por dónde vendrán los tiros? (vectores de ataque)

Una vez repasados los tres ejemplos clásicos de ataques cibernéticos (entrada de intrusos, *botnets* y suplantación de identidad), veamos rápidamente de donde pueden proceder éstos. En los puntos anteriores ya hemos descubierto algunas formas de acceso, como el termostato de la pecera, los correos electrónicos, los pendrives o los sistemas de entretenimiento de los vehículos. Facilitar el ataque a los delincuentes está, muchas veces, en nuestras manos. Debemos tener en cuenta por donde pueden sorprendernos y estar preparados en todo momento para ello:

▶ **Conectarse a Internet**: el hecho de conectarse a *Internet* expone, de entrada, toda nuestra infraestructura a un gran abanico de delincuentes que están esperando entrar con el objetivo de perpetrar todo tipo de fechorías. No puedo dar como consejo desconectarse de la red de redes, ya que hablamos precisamente de *Internet de las cosas*, pero sí debemos ser conscientes de que toda precaución es poca, cuando nos abrimos al mundo. En algunas ocasiones, los sistemas *IoT* (a pesar de su nombre), pueden trabajar de forma aislada del resto de comunidad digital. No es tan mala solución, si es factible para nosotros.

▶ **Contraseñas simples y credenciales por defecto:** ya hemos hablado, en algún lugar, de la problemática asociada a no modificar las credenciales de fábrica de nuestros dispositivos o, si lo hacemos, establecer nuevas que sean detectables muy fácilmente. Secuencias como *0000*, *1234* o el número de teléfono del usuario son las primeras opciones que un *hacker* o un sistema de intrusión automático prueba. Tampoco sirve de mucho escribir las credenciales en un post-it colgado de una pantalla o, peor aún, de la base de la propia cámara de seguridad.

▶ **Falta de cifrado**: el cifrado de los datos que circulan por las redes es algo básico, vital y muy demandado. Hablaremos de ello más adelante. El problema es que muchos dispositivos *IoT* de bajo coste no lo ofrecen y, por lo tanto, ponen en peligro la solución final.

▶ **Soporte remoto**: en algunas ocasiones, los fabricantes dejan abierta la posibilidad de acceder de forma remota a sus dispositivos, por si existen necesidades futuras de mantenimiento remoto. En España, por ejemplo, *Movistar* preveía un sistema de acceso alternativo, con credenciales especiales, por si los técnicos tenían que configurar sus *routers* remotamente. Esta acción, de buena fe a priori, podría comprometer la seguridad del conjunto.

Esto son, simplemente, cuatro elementos que pueden facilitar las cosas a los atacantes maliciosos y que deben tenerse en cuenta. El tema de la seguridad, en general, puede ocupar montones de libros como este y no debe tomarse a la ligera.

Enumeremos ahora algunas más, para que podamos tomar mejores decisiones en el momento de adquirir, construir o desplegar una solución *IoT*. Estas han sido planteadas en el proyecto *OWASP Internet of things Project* en el seno de la **OWASP** (*Open Web Application Security Project*), una entidad internacional sin ánimo de lucro dedicada a mejorar la seguridad del software. Esta ha elaborado una lista de situaciones que pueden facilitar que se produzcan ataques y la ha bautizado como *IoT Attack Surface Areas* (áreas de ataque *IoT*). Como es muy grande y puede consultarse en su sitio web, reproduciré aquí otra lista: la *IoT Top 10 vulnerabilities* (las 10 vulnerabilidades principales de *IoT*):

1. Uso de credenciales débiles fácilmente obtenibles

2. Servicios y protocolos de red inseguros

3. Interfaces de acceso inseguros

4. Uso de componentes obsoletos o inseguros

5. Falta de mecanismos de actualización

6. Protección insuficiente de la privacidad

7. Almacenamiento y transferencia de datos inseguros

8. Seguridad física débil (manipulación física fácil)

9. Configuración de la seguridad insuficiente

10. Falta de gestión del dispositivo o insuficiente

Esta pretende ser un toque de atención para usuarios y fabricantes, ayudando a decidir a los primeros y a mejorar sus productos a los segundos. Podemos encontrar cada una de estas vulnerabilidades explicada con detalle en el sitio web de la organización, además de proveernos de soluciones y recomendaciones de todo tipo.

Por su parte, la agencia europea **ENISA** (*European Network and Information Security Agency*) publicó a finales de 2018 un listado de 12 posibles escenarios de ataque y su importancia en entornos de *Industria 4.0*, que reproduzco en la figura siguiente.

ATTACK SCENARIOS	SEVERITY
1. Against the connection between the controller (e.g. DCS, PLC) and the actuators	High
2. Against sensors (modification of measured values / states, their reconfiguration, etc.)	High
3. Against actuators (suppressing their state, modifying the configuration)	High - Crucial
4. Against the information transmitted via the network	High - Crucial
5. Against IIoT gateways	High - Crucial
6. Manipulation of remote controller devices (e.g. operating panels, smartphones)	High
7. Against the Safety Instrumented Systems (SIS)	Crucial
8. Malware	High
9. DDoS attack using (IoT) botnets	Medium - High
10. Stepping stones attacks (e.g. against the Cloud)	Medium
11. Human error-based and social engineering attacks	High
12. Highly personalised attacks using Artificial Intelligence Technologies	Medium - High

Figura 8.5. Los 12 escenarios de ataque en la Industria 4.0 y su nivel de importancia, según expertos de la agencia europea ENISA.

8.3 PRIVACIDAD Y SEGURIDAD

En el ámbito privado, la recolección de datos personales es algo intrínseco en las tecnologías *IoT*: pulseras de rendimiento deportivo y pulsómetros hablan de nuestra salud, de la misma forma que interruptores, enchufes y termostatos hablan de nuestros hábitos, regulando y controlando nuestro plano personal, aunque los usuarios no nos demos cuenta del todo. Si bien ya he introducido la idea de que esto poco importa en general, ya que se prefiere el beneficio de la tecnología a la protección de la privacidad, la verdad es que opino que las personas somos poco conscientes de lo que en realidad implica que terceros conozcan nuestra vida incluso mejor que nosotros mismos.

Alguien dijo: "si te regalan algo, es que el producto eres tú". Esto es una realidad incuestionable de la que ya nadie duda. Que nuestros datos sean valiosos es un tópico que no hace falta recordar. La inteligencia de los sistemas hace que se adecúen a nuestro comportamiento y necesidades gracias a cosas como el *Big Data* y las diversas disciplinas de la *Inteligencia artificial*. No es una casualidad que mientras navegamos veamos sugerencias sobre productos que vimos a través de cualquier red social como tampoco lo es que se nos ofrezcan vales de descuento del supermercado para aquellos productos que hace un tiempo que no compramos. Todo está conectado y calculado para pescarnos, lo malo es que somos nosotros quienes nos hemos puesto ante las redes, aceptando contratos de uso, *cookies* y declaraciones de privacidad alocadamente, sin prestar atención a qué dicen y a qué nos comprometen.

Empiezan a aparecer en la prensa especializada artículos que cuestionan la seguridad y la privacidad de muchos dispositivos y aplicaciones que absorbimos en nuestro día a día. Muchos son inocentes, o ésa es su apariencia, puesto que debajo de su piel de cordero está el lobo. Salir a correr y publicar nuestra ubicación mientras lo hacemos es exponernos, igual que lo es dejar activada nuestra ubicación cuando estamos de vacaciones lejos de nuestra casa. Aceptamos en nuestras vidas todo tipo de dispositivos *inteligentes* con quienes hablamos y pedimos cosas. Más aún, aceptamos que tengan micrófono y cámara y no nos preocupamos por ello. ¿Dónde van las preguntas que hago? ¿Puede quedar activada la cámara o el micrófono sin yo quererlo?

En cuanto a privacidad, todo dispositivo debe ir acompañado de un documento donde se describe su política y la forma en que captura y almacena datos personales. Dichos documentos deben, con más o menos niveles de complejidad legal, indicar claramente qué datos se recopilan, con qué mecanismos, con qué objetivo y, finalmente, donde se guardan y con quién se comparten. Sí, se comparten. Este es un hecho importante que debemos tener siempre presente. No por haber comprado un asistente tipo *Alexa* de **Amazon** tenemos que pensar que nuestros datos solamente se enviarán a esta compañía. Van a compartirse con cualquier otra compañía fabricante de *cosas inteligentes* que sean compatibles con la amable asistente personal y que hayamos instalado en nuestra *casa*. Y si no aceptamos esta política, pues no podremos controlar ninguna de ellas.

Este tipo de comportamiento (recopilación masiva de datos personales, de gustos, de interacciones, de ubicaciones y de dispositivos) ha ido en aumento paralelamente a la aparición de los dispositivos y tecnologías que lo permiten. La palabra *privacidad*, de hecho, no existía y ha sido ampliamente rechazada por las autoridades lingüísticas españolas, que la consideran un barbarismo o anglicanismo innecesario ante la existencia de términos como *intimidad* o *vida privada*. A pesar de esta resistencia, y como ha pasado en muchas más ocasiones con temas relacionados con la tecnología, el término ha cuajado y la **Real Academia de la Lengua Española** lo ha admitido, siendo su descripción: "ámbito de la vida privada que se tiene derecho a proteger de cualquier intromisión". La protección de la privacidad y la creación de todo tipo de contratos y textos legales, así como de leyes específicas que la regulan, es cosa de los avances de nuestro tiempo.

En todo caso, es el usuario quien tiene el control en sus manos. Leer las políticas de privacidad y acceder a los paneles de control de sus cuentas para afinar algunos aspectos, así como eliminar todo rastro de actividades y consultas allí guardadas son acciones que contribuirían a la modulación de la intimidad pero que, por desgracia, son prácticas que apenas se realizan. Probablemente, si preguntáramos a los usuarios cómo borrar lo que han estado buscando en *Google* durante el último mes, no sabrían qué responder. Unos pocos porque no recordarían donde está la opción. El resto, no sabrían ni de su existencia.

> ### ⓘ Nota
>
> Las posibilidades que brinda la recopilación de información de los individuos no podían ser imaginadas ni en el mejor de los sueños de los publicistas del siglo pasado. Conocer al cliente, qué necesita, qué está buscando, cuándo lo busca, dónde lo hace, etcétera, permiten que las empresas localicen el punto de mira y puedan disparar cuando quieren, con muy altas posibilidades de acertar.

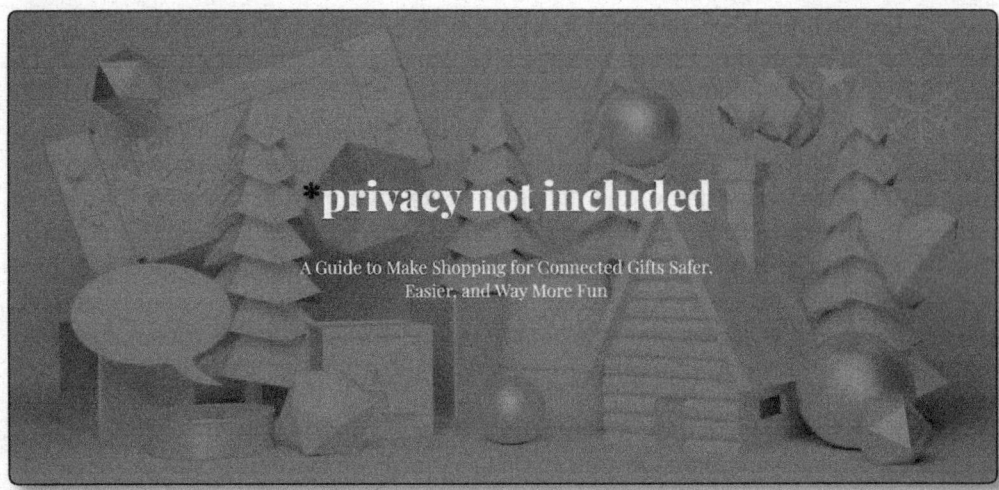

Figura 8.6. La guía en línea Privacy not included, de la fundación Mozilla, ayuda a comprar productos IoT seguros.

En cuanto a seguridad física, no se trata de hablar de la protección de los dispositivos para impedir el acceso físico a ellos, aunque este es un punto que debe tenerse en cuenta también. Con seguridad física me refiero, más bien, a la exposición de las personas a las consecuencias derivadas de ataques maliciosos a dispositivos que pueden accionar mecanismos del mundo real, provocando graves incidentes. Léase el desbloqueo de la puerta de una residencia mientras sus habitantes están en ella, la anulación de los frenos de un vehículo mientras está en funcionamiento, el paro del motor de un avión de pasajeros en pleno vuelo o el sobrecalentamiento del reactor de una central nuclear.

Todos estos ataques serían perpetrados por *actuadores*, ya que son los que llevan a cabo la acción física en el mundo real. Como dispositivos *IoT* que son, se ven afectados por todo lo ya explicado anteriormente, pudiendo sufrir todas y cada una de las técnicas y ataques mencionados: desde la toma de su control a la captación o desvío de sus datos, con distintas finalidades para el atacante. Muchas de ellas, como hemos visto, pueden poner en peligro personas y lugares y, por lo tanto, deben priorizarse.

En cuanto a la seguridad física de los dispositivos y el acceso a ellos, deben tomarse precauciones. Muchas demostraciones de ataques maliciosos por parte de *hackers buenos* se han producido gracias al acceso físico a los dispositivos, y no a través de ondas, por ejemplo. Existen diversos casos de pirateo en automóviles que han podido llevarse a cabo accediendo al puerto de diagnósticos *OBD*, usado en las revisiones periódicas de nuestros vehículos. Otros cuentan cómo se ha podido acceder a los datos personales de una balanza conectada, aunque el pirata debía tenerla delante para mantener pulsado el botón de puesta en marcha. Podrían mencionarse multitud de ejemplos donde situarse ante un dispositivo físico es, quizás, la única forma de entrar en el sistema. Por ello, es importante dificultar este acceso a personas no autorizadas, situando sensores, controladores y dispositivos de red en lugares estratégicos que ayuden a ello. Algunas soluciones incorporan alarmas que se activan al abrir las tapas de sus cajas protectoras, por ejemplo. Medidas como estas pueden prevenir el acceso de intrusos a todos los niveles del sistema.

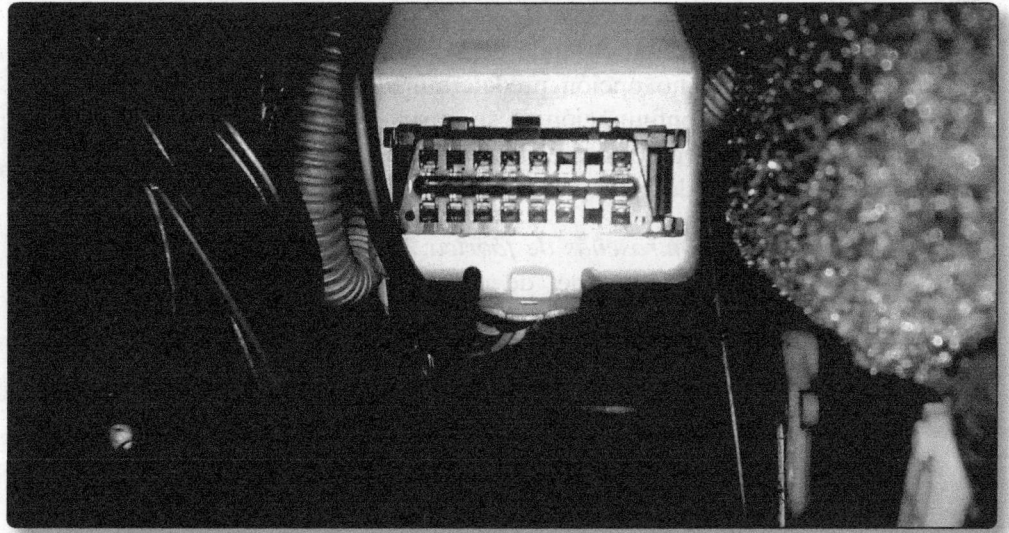

Figura 8.7. Un puerto de diagnósticos OBD2 (On Board Diagnostics 2).

Veremos, en el siguiente apartado, diversas recomendaciones sobre protección que van a colaborar en el aumento de la seguridad y la privacidad de nuestros sistemas.

> ### ⓘ Nota
>
> Según un estudio de la consultora **Gartner**, se prevé destinar a temas de seguridad asociada a *Internet de las cosas* más de 2.700 millones de euros en 2021. Teniendo en cuenta los más de 1.300 de 2018, se aprecia un incremento de un 100% en la inversión en este ámbito. Otras previsiones apuntan a un crecimiento del 300% para 2023. En todo caso las cifras demuestran que la seguridad y la privacidad son temas que preocupan y que deben abordarse con urgencia.

8.4 RECOMENDACIONES Y MEJORES PRÁCTICAS

A la palpable falta de seguridad en *IoT* y entornos tecnológicos en general, solamente nos queda ser muy cuidadosos y precavidos al exponernos a ellos. Mientras la industria no mejore notablemente, deben ser los usuarios quienes tomen medidas de protección. A continuación, veamos algunas recomendaciones útiles que pueden ayudarnos, extraídas de la agencia europea **ENISA (Agencia Europea de Seguridad de las Redes y de la Información)**, y de **INCIBE (Instituto Nacional de Ciberseguridad de España)**:

▼ *Desactivar las opciones de inicio de sesión automático*: algunos fabricantes permiten el inicio de sesión automático en sus dispositivos, y lo hacen como opción predeterminada para facilitar al máximo la instalación y configuración de sus productos. Se recomienda desactivar tal opción, en el caso de que nuestro dispositivo disponga de ella. También se recomienda desactivar todas aquellas opciones que no vayan a usarse.

▼ *Cambiar las contraseñas de fábrica*: la mayoría de dispositivos, tanto del ámbito *IoT* como del de red, incluyen credenciales por defecto establecidas por el fabricante. Estas deben eliminarse y ser sustituidas por las nuestras. Un ejemplo de aprovechamiento de esta vulnerabilidad es, precisamente, *Mirai*, explicado con anterioridad. Un buen momento para realizar tal acción es cuando se instala el producto, después de haber leído las instrucciones, y aprovechar para dejar el equipo correctamente configurado. A veces, con las prisas o las ganas de probar los nuevos *juguetes*, uno se olvida de lo más importante.

▼ *Mantenimiento de contraseñas*: si los entornos son críticos o se sospecha de su vulnerabilidad, puede establecerse una política de cambio de contraseña periódica. Aunque esto por norma general es muy engorroso, puede evitar más de un susto a los usuarios. En instalaciones industriales existen mecanismos gracias a los cuales ciertas operaciones sobre miles de dispositivos pueden realizarse de forma conjunta.

▼ *Habilitar su acceso a la red solo cuando sea necesario*: algunos entornos, dispositivos o aplicaciones no requieren conexión ininterrumpida a Internet. A veces, puede conseguirse que la conexión se produzca solamente cuando deban enviarse datos. En otros casos, la solución *IoT* puede encontrarse perfectamente aislada del mundo, sin salida al exterior. Esta situación puede ofrecer más seguridad que una conectada.

▼ Si es posible, *se debe evitar configurar el acceso a la red wifi empresarial*, para evitar daños posibles a la infraestructura crítica o facilitar el robo de datos. Tal escenario es a veces complicado, a no ser que pueda dedicarse infraestructura separada: una para soluciones empresariales y otra para soluciones *IoT*. Esta medida es, quizás, la más irrealizable si pensamos que lo óptimo es la convergencia de las tecnologías de operación y las de la información en entornos empresariales y, aplicándola, pondríamos barreras a su propia utilidad. Leer la política de privacidad para entender qué datos se van a recopilar, por ejemplo, nos ayudará a tomar la decisión acerca de si mantener un dispositivo en la red, fuera de ella o, simplemente, no comprarlo.

▼ *Restringir el acceso únicamente al personal y a los dispositivos estrictamente necesarios*: si las soluciones permiten la creación de diversos usuarios y contraseñas, establecer una política individual de autorizaciones y mantenerla puede ser mejor práctica que usar un único nombre de usuario y contraseña y compartirlo entre muchos usuarios. La primera opción autorizará, solamente, a aquellas personas que se haya decidido que operen con el entorno.

En cuanto a los dispositivos, si tenemos en cuenta que pueden existir redes de objetos *IoT* comunicándose entre ellos, debemos pensar en mantener regulada y bajo observación tal actividad. Si dos máquinas con capacidades *IoT* no tienen por qué estar comunicadas, mejor que no lo estén.

▼ *Deshabilitar el acceso remoto desde fuera de la red interna*: entre las bondades de muchos dispositivos existe la posibilidad de la gestión y el acceso remoto. Tales opciones, útiles en algunos casos, pueden significar un agujero de seguridad muy importante. Los usuarios deben asegurarse de su desactivación si no van a usarlas.

▼ *Adquirir los dispositivos que resulten más seguros y que permitan actualizaciones de seguridad*: por desgracia, el precio tiene mucho que ver con ello. Cuanta más seguridad y fiabilidad, mayor precio. Una opción muy importante es que permitan actualizaciones de seguridad y, a ser posible, que lo hagan de forma automática. Es muy complicado que los técnicos informáticos tengan en cuenta todos y cada uno de los aparatos que están a su cargo y, aún más, que "pierdan el tiempo" actualizando su software. Si la actualización automática no existe, como mínimo deberían recibir un mensaje del fabricante indicando la existencia de una nueva versión para instalar.

▼ *Desactivar la interfaz web si es posible*: muchos dispositivos *IoT* y de red permiten su configuración usando navegadores web como *Edge* o *Chrome* para facilitar las cosas a los usuarios. De hecho, la inmensa mayoría de *routers* del mercado aceptan tal opción. Si es posible debe desactivarse, ya que son muy típicos los ataques a y desde puertos como los usados en las comunicaciones web.

▼ *Establecer un canal cifrado de comunicación*: los dispositivos deben incorporar técnicas que garanticen comunicaciones seguras de extremo a extremo. Así, esta es una opción que debe comprobarse antes de adquirir cualquier sistema *IoT*. De no activar ningún sistema de cifrado, lo que mandemos a la red será *leíble* "tal cual".

▼ *Tener un especial cuidado en redes sociales y sistemas de los fabricantes*: muchos dispositivos pueden *dejar rastro* del lugar por donde pasan y de sus actividades en sitios tan públicos como una red social. El usuario debe analizar cuán de necesario es esto y desactivarlo, si no es de vital importancia para el objetivo. Lo mismo pasa con los fabricantes; muchos, con la excusa de mejorar sus productos, recopilan información acerca de nuestros hábitos y las características de nuestros sistemas. Debemos pensar detenidamente si esto es lo que queremos en realidad. Y en especial ahora, donde en cada casa puede aparecer un asistente mágico que escucha todos nuestros deseos y toma buena nota de ellos.

▼ *Resetear los sistemas*: igual que cuando nos desprendemos de un teléfono móvil o un viejo ordenador los restauramos a valores de fábrica para que nadie pueda recuperar sus datos, cuando eliminamos un objeto *IoT* deberíamos hacer lo mismo. Si no, podría pasar que alguien recuperara información que le permitiera acceder a la red donde estaba conectado.

8.5 TÉCNICAS, PROTOCOLOS Y SISTEMAS DE SEGURIDAD

Los requisitos básicos de seguridad, considerados por muchos expertos como los componentes más cruciales son, descritos de forma resumida:

▼ **Confidencialidad**: los datos deben ser leídos solamente por los destinatarios legítimos y por sus propietarios.

▼ **Integridad**: los datos no deben ser manipulados y deben mantener su integridad durante todo su ciclo de vida.

▼ **Disponibilidad**: los extremos de la comunicación así como los sistemas asociados deben mantenerse siempre accesibles.

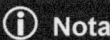

> **ⓘ Nota**
>
> Los términos *Confidencialidad, Integridad* y *Disponibilidad* proceden de la llamada *CIA triad* (o *AIC triad*, para no confundir el tema con la central de inteligencia americana) y son un modelo pensado para guiar las políticas de seguridad de la información en las organizaciones, siendo bien conocidos por los expertos en la materia. Sus antónimos son *Divulgación*, Alteración y *Destrucción*, en el sentido de entender las consecuencias de no cumplir con los primeros.

Podríamos mencionar unos cuantos términos más, muy importantes, aunque el debate sobre ellos nos llevaría, probablemente, a admitir que forman parte de los tres anteriores.

▼ **Autenticidad**: los remitentes deben poder ser siempre verificados y los destinatarios no deben poder falsearse.

▼ **Autenticación**: debe poder comprobarse que las credenciales proporcionadas son de quien dicen ser.

▼ **Autorización**: los datos deben ser accesibles sólo para aquellos que estén autorizados a ello.

Así y como ejemplo, un sistema central puede realizar una solicitud a un dispositivo *IoT*, pidiéndole una actualización de estado. El primer paso que esta petición debería realizar sería autenticarse con unas credenciales del sistema válidas. Si se verifica su autenticidad, puede procederse a la autorización de su solicitud que, quizás, permita la lectura de un valor específico pero no la modificación del mismo o de cualquier otra acción en el entorno. Por lo tanto, estas acciones redundan en la Confidencialidad, puesto que se ha dado autorización legítima de acceso a los datos y en la Integridad, ya que se han preservado los privilegios establecidos por el sistema, permitiendo solamente la lectura de un valor.

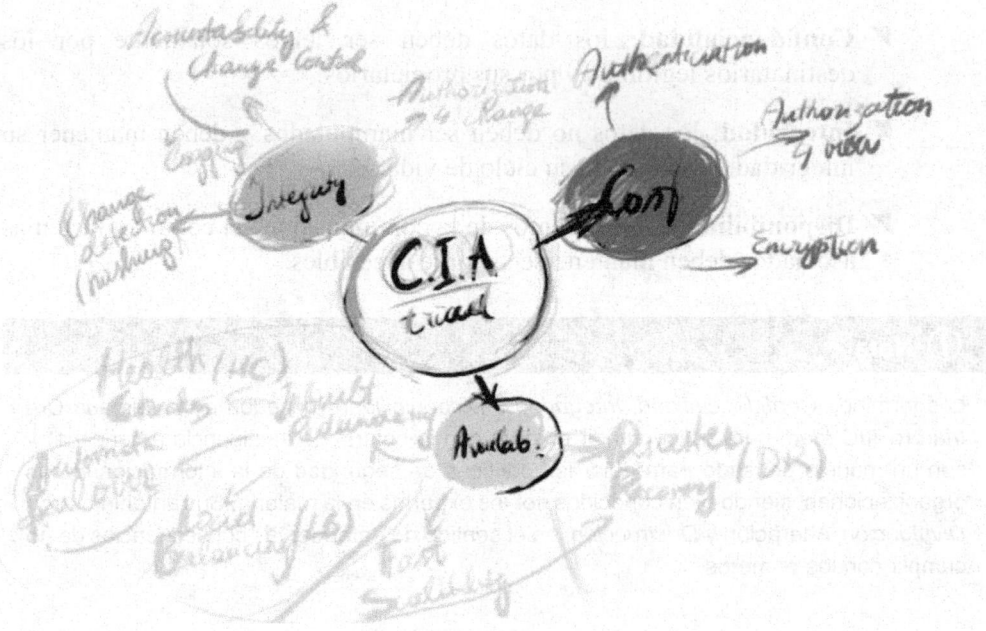

Figura 8.8. Dibujo del mapa mental de los conceptos que forman la CIA triad: Confidencialidad, Integridad y Disponibilidad.

Diversas son las técnicas aplicadas para conseguir cumplir con los requisitos básicos de seguridad expuestos en los párrafos anteriores. Algunas de ellas son las descritas a continuación:

Para la confidencialidad

▸ Encriptación (cifrado de datos) para asegurar la confidencialidad. Es decir, ocultar la información contenida en los mensajes a través del uso de claves.

▸ Uso de credenciales de acceso (nombre de usuario y contraseña). No solamente para personas, también para objetos y cualquier identidad identificable.

▸ Aplicación de la autenticación de doble factor, que se está imponiendo en muchos entornos y dispositivos. Se trata de conceder acceso solamente después de que el usuario haya confirmado por dos métodos que es quien dice ser. Por ejemplo, mediante el uso de las credenciales comentadas en el apartado anterior y un código enviado a un dispositivo móvil, aunque existen otros métodos.

▶ Uso de credenciales biométricas para los humanos (reconocimiento facial, huella digital, iris...)

▶ *Security Tokens* o testigos de seguridad. Se trata de pequeños aparatos al estilo de llaveros que el usuario puede llevar encima y que permiten su autenticación en los sistemas.

▶ Implementación de la técnica *Air gap* (separados por *aire*). El nivel de seguridad quizás más alto empleado en entornos críticos. Se trata de aislar físicamente una red de otra mediante el uso de ordenadores *sin ningún tipo de conexión* a redes inseguras como *Internet*.

Figura 8.9. Testigos de seguridad (Security tokens), en modalidad hardware. Existen sus versiones en software, que muchos bancos emplean para las transacciones financieras de sus clientes.

Para la integridad

▶ Técnicas *checksum*. Se trata de añadir a los datos cálculos matemáticos para comprobar que éstos no han sido modificados. En el origen, se añade el resultado de la operación y, en el destino, se realiza el mismo cálculo, debiendo obtener el mismo resultado para así verificar que los datos no han cambiado.

▶ Técnicas *checksum encriptadas*. Se trata del mismo proceso que en el caso anterior, pero usando técnicas de encriptación como las descritas en el primer apartado.

▶ Copias de seguridad, para la recuperación de los datos en caso de ataques, desastres naturales, o errores.

▶ Control de versiones de los documentos, y establecimiento de permisos de usuario para asegurar que los datos no puedan ser modificados si no se dispone del permiso correspondiente, aunque sí puedan ser leídos.

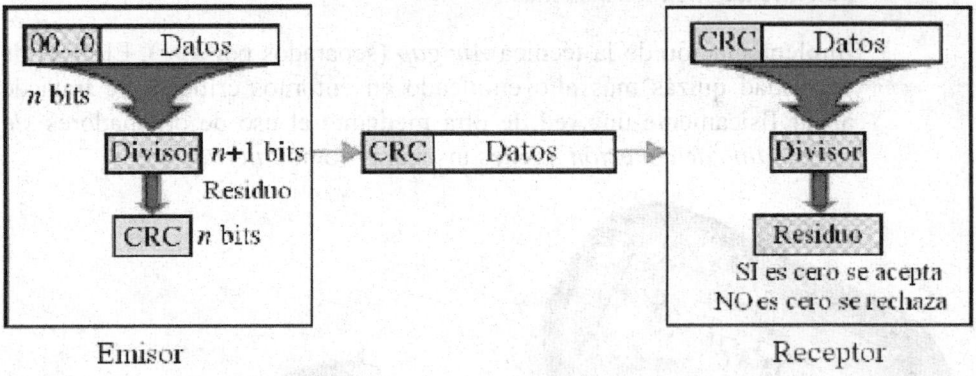

Figura 8.10. Ilustración del concepto checksum para la comprobación de integridad. A los datos se añade el resultado de un cálculo en el origen, que debe ser recalculado en el destino.

Para la disponibilidad

▶ Realizar un correcto mantenimiento de los sistemas *hardware*, monitorizando temperaturas, estados de los ventiladores, rendimiento de los sistemas…

▶ Instalar las últimas actualizaciones, tanto de *software* para los sistemas operativos y aplicaciones, como de *hardware* para todo tipo de dispositivos *IoT* y de red.

▶ Usar sistemas y protocolos de comunicación adecuados, omitiendo versiones obsoletas o poco *resilientes* (con bajas capacidades de recuperación ante incidentes).

▶ Evitar los *cuellos de botella* en los diseños de red, eliminando altas concentraciones de dispositivos en puntos de acceso únicos o usando dispositivos de red inteligentes.

▼ Instalar sistemas de redundancia, tanto de datos como de sistemas de alimentación ininterrumpida y comunicaciones.

▼ Disponer de una buena política de recuperación de desastres (*DSR, disaster recovery plans*).

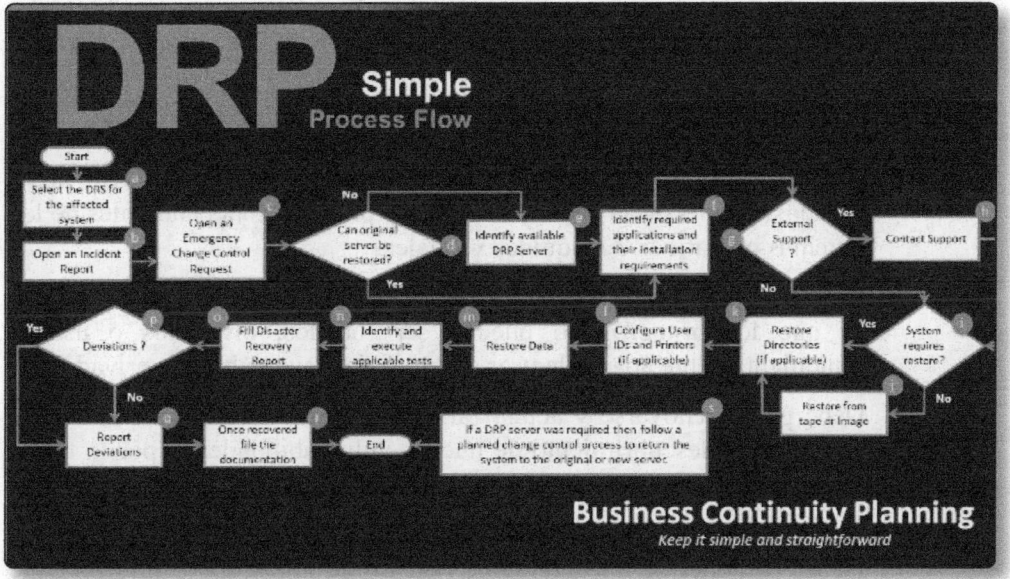

Figura 8.11. Ejemplo de un DSR (Disaster Recovery Plan).

Hasta ahora, hemos estado hablando de los requisitos de seguridad desde el punto de vista de los sistemas de información en general, aunque todo lo comentado es aplicable al concepto *IoT* en particular.

Centrémonos ahora en aspectos de los propios dispositivos *IoT*, para los cuales **Microsoft** tiene una visión muy clara, que opino que engloba todo lo relativo a la seguridad desde este punto de vista. Para ello, la empresa ha realizado un profundo trabajo de investigación con la finalidad de trasladar la deseada seguridad a los dispositivos *IoT* de bajo coste, a la vez que ha colaborado con una empresa fabricante de *chips* para desarrollar un prototipo de microcontrolador que ofrezca altos niveles de seguridad. Tal dispositivo ya se encuentra en el mercado, con resultados muy prometedores: el *MT3620* de la fabricante china **Mediatek**.

Veamos muy rápidamente como la multinacional enfoca su idea de alto nivel de seguridad para los dispositivos implicados en internet de las cosas, aunque debemos pensar en que la implementación de todos ellos eleva el coste económico a consecuencia de los esfuerzos derivados del conjunto:

▶ La confianza del dispositivo debe tener una base de *hardware*, ya que este tiene unas propiedades mucho mejores que el software para hacer frente a los ataques.

▶ El sistema *hardware* y *software* debe ser lo más pequeño posible, para reducir los vectores de ataque.

▶ El sistema de defensa debe ser amplio, no único, para abarcar todas las amenazas en sus posibles formas. Desde la capa física a la de aplicación.

▶ Los dispositivos deben disponer de *compartimentos*, para crear áreas aisladas. Son técnicas comunes el uso de procesos independientes de los sistemas operativos o máquinas virtuales.

▶ Debe usarse la seguridad basada en certificados en lugar de contraseñas, ya que los primeros no pueden ser robados, olvidados o usados fraudulentamente aparte de usar sistemas de clave pública y privada.

▶ Debe poder renovarse y actualizarse la seguridad del dispositivo, ante el constante descubrimiento de nuevas vulnerabilidades y, por lo tanto, amenazas. Además, el sistema de seguridad no debe poder regresar a una situación de actualización anterior.

▶ Deben disponer de un sistema de registro de fallos, *log* o informe, que pueda ser consultado y analizado.

ⓘ Nota

Además de estas recomendaciones de la empresa americana, otros expertos apuntan y recomiendan el uso de protocolos sobradamente conocidos y robustos como el *protocolo de Internet* (*IP protocol*), antes de usar otro tipo de sistemas y protocolos entre la heterogeneidad existente.

Figura 8.12. Las 7 propiedades que todo dispositivo IoT altamente seguro debería tener, según Microsoft.

Después de hablar de todas estas cuestiones, probablemente veamos el tema desde dos puntos de vista: el de los usuarios, a quienes ciertas cuestiones de seguridad y privacidad en realidad no les importan, y el de las empresas, que quieren y deben cuidar estos aspectos, para cumplir con sus clientes, pero también para asegurar la continuidad de su negocio.

Así, se dibujan en el horizonte dos tipos de dispositivos: los que tienen como destinatario a los primeros y utilizan pocos niveles de seguridad, procesadores internos de baja potencia, poca memoria y son, en general, débiles y poco robustos; lo único destacable es su precio: *muy bajo*.

Para los segundos, el mundo empresarial, se reservan otro tipo de prestaciones: procesadores más potentes, más memoria, mayor seguridad, mejores protocolos y más robustos. Su único inconveniente: *un precio mayor*.

Con lo descrito no estamos descubriendo nada nuevo, es lo de siempre. No existen *duros a cuatro pesetas* y quien lo crea se estará llevando *gato por liebre*. Uno de los factores clave para la seguridad es el uso de sistemas criptográficos avanzados, para los que se requiere potencia de proceso y que los dispositivos de bajo coste no pueden ofrecer.

ⓘ Nota

El cifrado de datos, criptografía o encriptación de datos se refiere al procedimiento que requiere el uso de una clave de codificación para transformar el mensaje en otro distinto, y que lo torna ilegible para quien no disponga de la clave de descodificación. Las técnicas más simples, a las que seguramente hemos jugado en nuestra edad escolar, convierten caracteres en números usando su posición en el alfabeto. Las más modernas incluyen complejas operaciones matemáticas y claves que usan un gran número de dígitos.

Solamente el uso de técnicas como las siguientes para garantizar los compromisos *CIA triad* pueden llevar al éxito en la aplicación de la seguridad en los sistemas *IoT*:

- ▼ AES (*Advanced Encryption Standard*):
- ▼ SHA2 (*Secure Hash Algorithm*)
- ▼ RSA (*un criptográfico de clave pública*)
- ▼ ECC (elliptic-curve cryptography)
- ▼ TLS (Transport Layer Security)
- ▼ SSL (Secure Sockets Layer)

Existen otras, aparte de las mencionadas, aunque su inclusión aquí es meramente informativa y su descripción técnica detallada sobrepasaría los objetivos del libro. Dejo la puerta abierta para la investigación del tema, si el interés del lector es profundizar en él.

9

PLATAFORMAS IOT

Ante el reto que nos plantea la revolución 4.0 y específicamente *Internet de las cosas*, podemos actuar de diversas formas, asumiendo roles distintos en función de nuestros intereses, aficiones, o perfil profesional. Así, podemos pensar en tres grupos de usuarios modelo que he intentado reflejar aquí:

▼ *Usuarios domésticos*: se trata de los usuarios "rasos" de todo este tipo de tecnologías. Si les interesa lo que les ofrecen, compran el producto y lo incorporan a su día a día, sin más. En raras ocasiones investigan alternativas o miran con profundidad las instrucciones y mucho menos temas relacionados con la seguridad. Prefieren productos enchufar y listo y pocas complicaciones en el momento de establecer su configuración. Si no son *wearables*, normalmente son dispositivos que van a quedar en un lugar y jamás volverán a tocarse, hasta que se estropeen.

▼ *Usuarios empresariales*: en esta categoría entran tanto los responsables de infraestructura tecnológica y de operaciones como los responsables de estrategia, de compras y de alta dirección, en función de a qué nivel se piensa implementar las soluciones *IoT*. Es evidente que si estas se orientan a *Transformación digital*, explicada en otro apartado de este libro, será necesaria la presencia de todo el mundo. En cambio, si la solución viene a proporcionar una mejora en mantenimiento predictivo, por ejemplo, los responsables serán aquellos que tengan que ver con este tema específico. En todo caso, normalmente no van a ser ellos quienes diseñen una solución *software* o *hardware*. Su trabajo consistirá en analizar entre diversas opciones del mercado, hasta encontrar la que más se ajuste a sus necesidades.

En algunos casos excepcionales, pueden llevarse a cabo pruebas de concepto internas con prototipos fabricados por la gente de sistemas, aunque esta no es la situación habitual.

▶ *Geeks y Makers*: aquí ubicaremos a los usuarios a quienes les apasiona la tecnología y la informática, llamados *Geeks*. Siempre están a la última y compran todo tipo de aparatos pasándose horas configurándolos y realizando pruebas. Normalmente pertenecen a la cultura *Maker*, practicante de la filosofía *DIY* (*Do It Yourself*, hazlo tú mismo) con el objetivo de ahorrar dinero, entretenerse y aprender a la vez.

Cuando se realizan búsquedas en *Internet* sobre dispositivos *IoT*, aparecen muchas referencias a placas electrónicas y componentes de todo tipo, en vez de a dispositivos finales. Este tipo de piezas son su objetivo, ya que gracias a ellas construyen todo tipo de prototipos para sus proyectos, aunque sean para el consumo propio.

ⓘ **Nota**

En el mundo *IoT* existen numerosas plataformas *hardware* que permite crear prototipos funcionales sin apenas conocimientos técnicos. Las más típicas son **Arduino** y **Raspberry Pi**, de las que hablaremos dentro de poco. Lo más interesante de ellas es que pueden aportar mucho en el ámbito educativo, colaborando en los centros docentes con la enseñanza *STEM* (*Science, Technology, Engineering* and *Maths*). Numerosos profesores han *subido a este carro* y ahora, sus aulas, parecen talleres de electrónica.

Figura 9.1. La educación STEM pretende cultivar interés por la ciencia, la tecnología, la ingeniería y las matemáticas con el fin de crear vocaciones entre los más pequeños.

Veamos a continuación qué puede encontrar en el mercado un usuario que quiera empezar un proyecto *IoT*, sea cual sea su perfil.

>  **Nota**
>
> De forma genérica, en este libro, he englobado en las plataformas *hardware* a todos aquellos productos que permiten la fabricación de sensores y actuadores, y en las de *software* los que facilitan su control.

9.1 PLATAFORMAS HARDWARE

Las plataformas *hardware* son productos orientados principalmente a usuarios *Geek* y permiten la fabricación de todo tipo de dispositivos a través del ensamblaje de piezas electrónicas y su programación posterior. Facilitan el *prototipaje* y las pruebas de concepto en aplicaciones empresariales a costes muy reducidos y son una herramienta imprescindible para el aprendizaje. Si bien existen muchos productos en el mercado, hablaremos a continuación de las dos más conocidas, apreciadas y extendidas a nivel mundial.

9.1.1 Arduino

Arduino es una plataforma *hardware* de código abierto para la creación de todo tipo de dispositivos electrónicos, incluyendo también un entorno de programación de *software*. El calificativo *código abierto* se refiere a que toda la información relativa a sus componentes, código de programación, planos técnicos, etcétera, es accesible para todo el mundo, con lo que incluso puede ser usada como base por empresas comerciales. Su distribución se realiza a través de diversas modalidades de *Licencia Pública*.

El elemento principal de todo montaje realizado con **Arduino** son sus placas base. El producto entra dentro de la categoría de las *SBC* (*Single Board Computer*, ordenadores de una sola placa) y entre sus componentes encontramos una unidad central de proceso (*CPU*), algo de memoria y algún chip para el almacenamiento de pequeñas aplicaciones o código de arranque además, como es lógico, de los correspondientes conectores para la toma de corriente.

Una de las características más destacable, que a la vez es la que la hace tan flexible y útil para miles de aplicaciones, es la posibilidad de conectar a ella innumerables placas de expansión de todo tipo, llamadas *shields* (escudos), en función del producto final que se desee obtener.

Imaginemos que estamos construyendo un prototipo de sensor *IoT* para medir la temperatura interior de nuestro hogar, y que deseamos que se nos envíe un mensaje cuando esta pase de ciertos umbrales. Además, aprovecharemos para que el sistema haga lo mismo si detecta un corte en la alimentación eléctrica principal.

La base de nuestro proyecto será una placa **Arduino**, a la que deberemos conectar algunas *shields* que añadirán las funcionalidades deseadas. Para el ejemplo que nos ocupa, necesitaremos conectividad y tendrá que ser móvil, puesto que si se corta el suministro eléctrico no dispondremos de *wifi*. Aparte, nos será imprescindible un sensor de temperatura y algo que permita el envío de mensajes (deberemos decidir si serán de correo, *SMS...*). También tendremos en cuenta si nuestro dispositivo *IoT* contará con alimentación eléctrica o funcionará exclusivamente con baterías.

Como podemos ver, antes de empezar deben tenerse claros los objetivos que quieren conseguirse, para dimensionar correctamente las necesidades y adquirir las piezas necesarias para la construcción final.

Figura 9.2. Un prototipo de vehículo con ultrasonidos, realizado con Arduino.

Si quieren hacerse las cosas de forma correcta, nuestro proyecto debería pasar por las fases siguientes:

▶ Diseño del prototipo
▶ Creación del prototipo
▶ Prueba de concepto
▶ Retoques, correcciones y mejoras
▶ Construcción final

El **diseño del prototipo** debería incluir una lista con todas las necesidades del proyecto, desde sus funciones a la alimentación eléctrica, posibilidades de comunicaciones así como cualquier idea que tengamos sobre funciones adicionales que puedan encargársele.

La **creación del prototipo** implica disponer de una placa base **Arduino** y los componentes necesarios derivados de la enumeración de necesidades de la fase anterior. Un elemento que no puede faltar en nuestra mesa es una *Breadboard* para el prototipo y una *Protoboard* para el proyecto terminado.

> ### ⓘ Nota
>
> Las placas *Breadboard* y *Protoboard* tienen la misma función: insertar en ellas componentes electrónicos. Aunque para muchos son lo mismo, la diferencia es que en las primeras <u>no</u> es necesaria la soldadura de sus componentes mientras que en las segundas sí.

Es importante, en esta fase, usar una *Breadboard*. Así, ante errores con los componentes o la necesidad de realizar ciertas pruebas, se facilita el trabajo al no existir soldadura física a la placa. En cambio, el proyecto final (si va a usarse en el mundo real), deberá incluir una *Protoboard* y las correspondientes soldaduras.

En esta fase se realizará, también, la programación del *software* necesaria para cumplir con las necesidades descritas en la primera. Para ello, será necesario el uso de un ordenador, con un entorno de programación. Para el caso que nos ocupa, **Arduino** dispone de su propio entorno integrado y este permite tanto la escritura de las aplicaciones como su transferencia a la placa.

La **Prueba de concepto** consistirá en, una vez visto que el funcionamiento básico es correcto, situar el dispositivo en un entorno real y realizar las pruebas necesarias que conduzcan a la comprobación de su utilidad.

A continuación se realizarán todos los <u>retoques, correcciones y mejoras</u> recopiladas en la fase anterior. Quizás se haya detectado alguna situación en la que nuestro programa de control envíe de forma continua mensajes, cosa que sería un error importante. Puede que la situación de la batería dentro del conjunto sea incorrecta porqué impide la visión directa de los indicadores *LED*. Y hablando de ellos, es posible que nos hayamos dado cuenta de que sería interesante contar con uno parpadeante de color rojo cuando no haya alimentación eléctrica. Para finalizar esta fase, se realizarán de nuevo tantas pruebas de concepto como sean necesarias hasta que el conjunto responda de la forma que hayamos previsto. Solamente entonces dispondremos del prototipo final, que podrá pasar a la fase de "fabricación".

La **Construcción final**, si deseamos un producto permanente y funcional, implicará el uso de la *Protoboard*, la soldadura de todos los componentes y la ubicación de todo ello dentro de una caja que le dé aspecto de producto profesional.

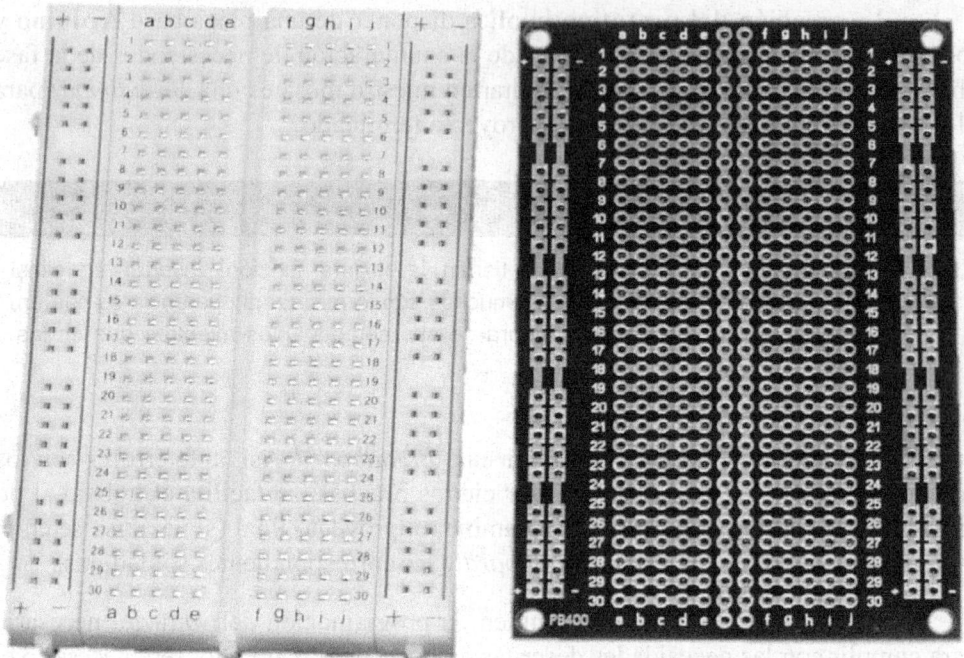

Figura 9.3. Una Breadboard y una Protoboard, a izquierda y derecha respectivamente. La primera no requiere soldadura, mientras que la segunda sí.

9.1.2 Raspberry Pi

Mucha gente piensa que **Arduino** y **Raspberry** son lo mismo, con dos nombres distintos. Si bien tienen similitudes (la principal es que en los dos casos se trata de *SBC*, ordenadores de una sola placa), tienen también diferencias importantes que deberán hacernos decantar por una u otra solución. La más importante es que, en realidad, **Raspberry** es un ordenador completo, a diferencia de **Arduino** que, aunque realiza funciones como tal, sus capacidades son muy reducidas y, por ejemplo, no puede soportar un sistema operativo.

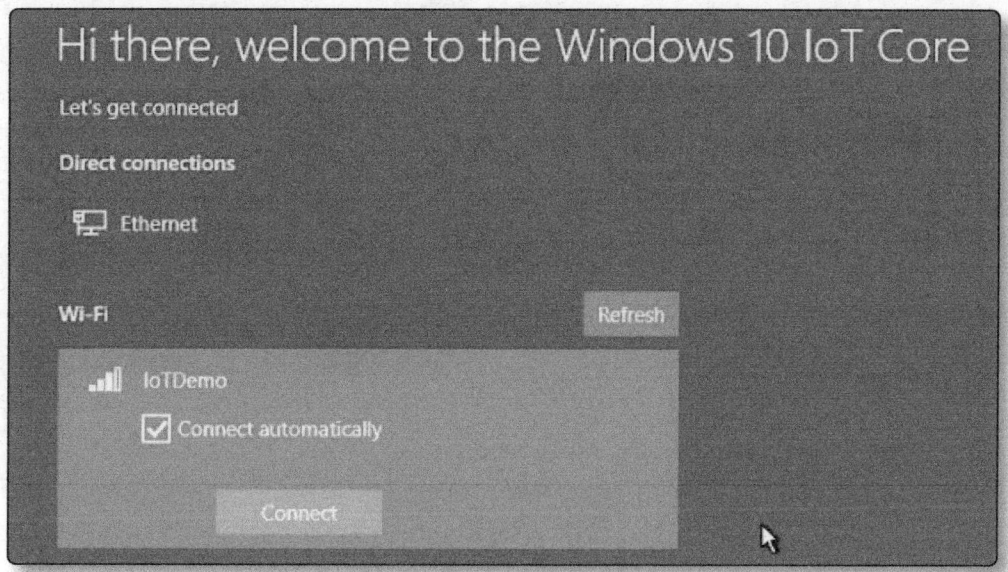

Figura 9.4. Aunque el sistema operativo para todas las placas Raspberry es el Raspbian, pueden instalarse muchos otros como por ejemplo Windows 10 IoT Core, pensado para ella.

Este hecho provoca que para interactuar con las placas **Arduinio** (a nivel de programar y cargar aplicaciones en ellas) sea imprescindible el uso de un ordenador, a diferencia de **Raspberry**, que permite conectar directamente pantalla, teclado y ratón para trabajar con ella. Visto jerárquicamente, **Raspberry** podría ser perfectamente el ordenador necesario para interactuar y cargar programas en **Arduino**.

Pensando en terminología *IoT*, **Arduino** podría ser un sensor o actuador y **Raspberry** un controlador; es decir, quien procesa y almacena los datos, los reenvía y toma las decisiones.

En función de las necesidades del prototipo a desarrollar, se seleccionará una u otra o, por qué no, ambas. A decidir nos ayudará la fase de diseño, puesto que en ella existirán evidencias de lo que se necesita a nivel de *hardware*. Si los requisitos son elevados y, por ejemplo, se pide mucha potencia de proceso, lo más normal será incluir una **Raspberry** en él.

Raspberry incluye unos *pins* o clavijas (parecidas a las incluidas en **Arduino** para la conexión de sus *shields*), llamadas *GPIO* (*Genera Purpose Input / Output*, puertos genéricos de entrada / salida), que permiten la conexión de todo tipo de componentes electrónicos, incluyendo placas **Arduino**.

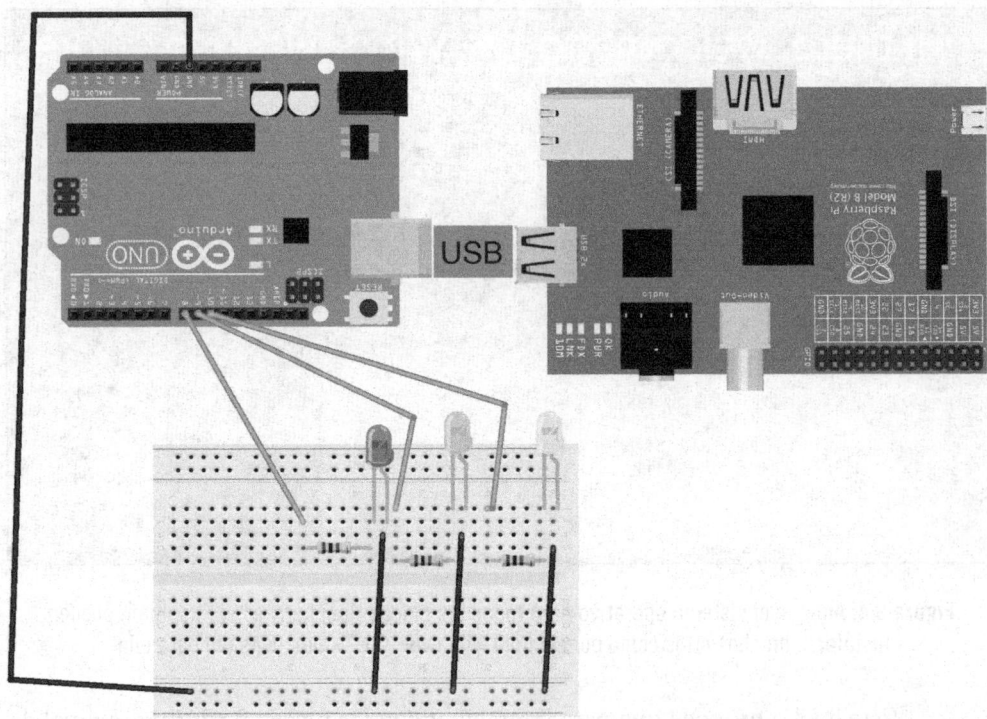

Figura 9.5. Prototipo de dispositivo donde intervienen una Raspberry Pi, una Arduino y una Breadboard.

> **ⓘ Nota**
>
> Lo interesante de ambas plataformas es su coste en relación a la altísima utilidad en el mundo de la educación, que permite aplicar el *learning by doing* (aprender haciendo) en un campo tan aparentemente complicado como puede ser la electrónica y la programación. **Raspberry Pi 3 B+** tiene un precio entorno a los **35€**, y **Arduino UNO** entorno a los **25€**.

9.2 PLATAFORMAS SOFTWARE

A diferencia del punto anterior, las plataformas *software* son denominador común para todo tipo de usuarios de soluciones *IoT* que deseen supervisar y controlar remotamente los sistemas conectados. A nivel conceptual, y de forma muy genérica, podemos divisar tres grandes grupos de soluciones que acompañan a cualquier proyecto:

▼ Plataformas genéricas
▼ Plataformas propietarias
▼ *Concentradores* domésticos y *Apps* dedicadas

En la categoría de **plataformas genéricas** se sitúan todas aquellas sobre las cuales el cliente puede crear y configurar soluciones *IoT* a su medida, ya sea a través de personal técnico propio o de terceros que las desarrollen. Normalmente son entornos web donde los usuarios controlan todos los aspectos de la instalación, desde la conexión de los dispositivos finales hasta la configuración de paneles de supervisión y control pasando por sistemas de análisis basados en inteligencia artificial o de negocio. Son totalmente configurables y escalables y muchas se basan en el sistema de pago por subscripción, cosa que permite modular los costes de inversión en relación al tamaño del sistema. Ejemplos de estos tipos de plataformas son *Azure Central* de **Microsoft** o *Kinetic IoT* de **Cisco Systems**.

Las **plataformas propietarias** son aquellas que las empresas creadoras de una solución *IoT* ofrecen como paquete llaves en mano al cliente; es decir, este adquiere el producto completo que incluye todos los elementos necesarios para su puesta en marcha inmediata, sin tenerse de preocupar por aspectos como la conectividad, la configuración o la programación del sistema: sensores, actuadores, sistemas de comunicación y plataforma de control central se incluyen en la oferta. En este caso, el cliente paga todo el producto y su instalación para, más tarde, abonar una cantidad periódica que le da derecho al uso del *software* de control central. Ejemplos de este tipo de soluciones los vemos en empresas como **Libelium** o **Envira**. Algunas ofrecen soluciones cerradas, diseñadas por sus técnicos y adaptadas a las necesidades particulares de cada escenario, y otras permiten la colaboración entre equipos del fabricante y la empresa cliente, en función de la envergadura y complejidad de cada proyecto. Un ejemplo de este tipo de servicios lo vemos en **Schneider Electric** o **Telefónica IoT**.

Los **Concentradores** (en inglés *hubs*) y las **Apps dedicadas** pertenecen al ámbito doméstico e incluyen todos los dispositivos *hardware* y software que permiten el control de los aparatos inteligentes conectados en el hogar. El usuario puede programar acciones concretas y configurarlos de forma remota, pudiendo añadir más dispositivos a medida que crezcan sus necesidades. En realidad, un concentrador es normalmente un producto *hardware*, pero está situado en esta categoría debido a que básicamente, contiene *software* de control para el conjunto de dispositivos *IoT*. Ejemplos serían **Google Home Hub** o **Amazon Echo Show**.

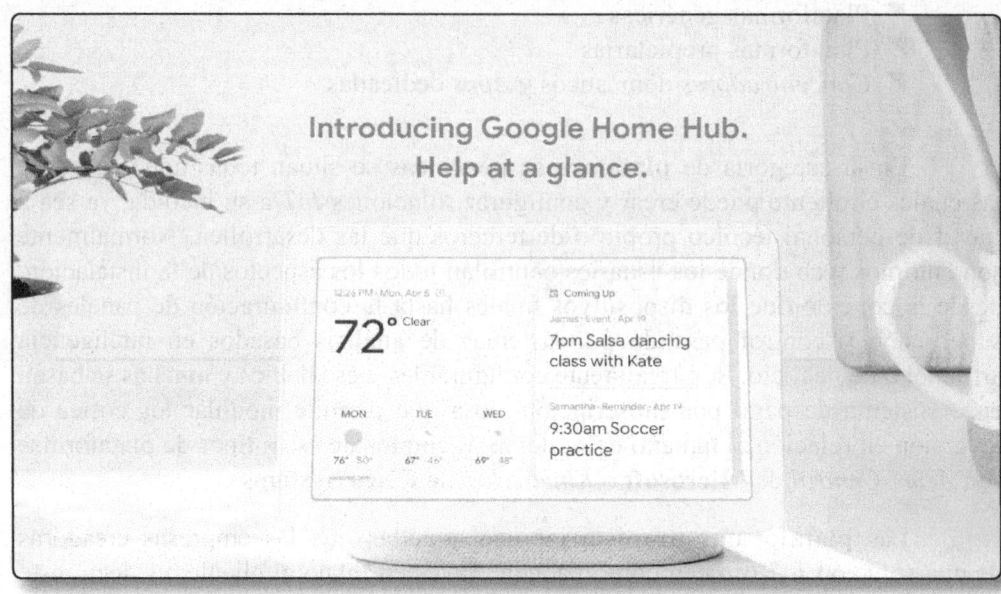

Figura 9.6. Google Home Hub, la propuesta de Google para el control del hogar inteligente.

> **ⓘ Nota**
>
> Al tratarse de un entorno tan cambiante, muchas empresas que ofrecen soluciones *IoT* están aún adaptando su *portfolio* de productos para el mercado, con lo cual debemos tomarnos la mención de ciertas compañías en los párrafos anteriores como ejemplos sujetos a cambio. En todo caso, pensaremos en dos modelos principales: las plataformas genéricas, donde el usuario diseña su producto y las plataformas propietarias, donde la solución viene diseñada "de fábrica".

Veamos a continuación algunos ejemplos de plataformas genéricas muy populares.

9.2.1 Microsoft Azure Central

Microsoft dispone de un gran catálogo de productos *IoT* enfocado a diversas tipologías de cliente, que incluyen *plataforma como servicio* (*PaaS*) y *software como servicio* (*SaaS*), cada una pensada para un tipo de requisitos distintos.

Microsoft Azure IoT Hub es la *plataforma* como servicio de la compañía. Es la base que permite la comunicación con los dispositivos *IoT*, además de proveer de un entorno de trabajo en la nube. Facilita la administración, control y conectividad de grandes volúmenes de dispositivos así como la captura de enormes cantidades de datos de forma segura.

Microsoft Azure IoT Central es la solución de *software* como servicio de la multinacional americana y usa como base *IoT Hub*. Se trata de un modelo pensado para crear aplicaciones empresariales sin disponer de experiencia de desarrollo previa.

Los *aceleradores de soluciones de IoT de Azure* son una colección de soluciones completas listas para instalar, que cubren un gran abanico de escenarios industriales y que facilitan, entre otros, el monitoreo remoto y el mantenimiento predictivo. Estas soluciones permiten la programación de dichos entornos a través del uso de lenguajes de programación como *Java* o el paquete de lenguajes incluidos en el entorno *.NET* de la marca. Igual que en el caso anterior, los aceleradores de soluciones usan *IoT Hub* como base del sistema.

Para aclarar un poco las funciones de cada uno de estos elementos, podemos pensar en *IoT Central* como un producto que permite desplegar soluciones sencillas, que no necesiten una gran personalización, de forma muy rápida. En contraste con ello, el uso de *aceleradores* se hace necesario en entornos que requieran una personalización y flexibilidad máximas.

En el ecosistema de soluciones *IoT* de **Microsoft** pueden encontrarse opciones que complementan las anteriores, como por ejemplo:

▼ *IoT Edge*, para la aplicación de proceso e *inteligencia* cerca del origen de los datos.

▼ *Azure Sphere*, para aplicar altos niveles de seguridad desde los propios dispositivos a la nube.

▼ *Azure Maps*, para proveer de contexto *geoespacial* a las soluciones *IoT*.

▼ *Azure Stream analytics*, para analizar datos y tomar decisiones a tiempo real.

En cuanto a los costes, la empresa dispone de planes flexibles de pago, incluyendo opciones gratuitas, según el volumen de dispositivos conectados. No voy a incluirlos aquí, puesto que las políticas de precios varían constantemente, pero son de dominio público y se encuentran en su sitio web corporativo.

Como curiosidad, existe un sitio web de la compañía que permite la configuración de entornos *IoT* simulados, donde experimentar desde soluciones de mantenimiento predictivo hasta las de fábrica conectada. Se trata de un servicio gratuito y puede accederse a él tecleando la dirección web *https://www.azureiotsolutions.com*.

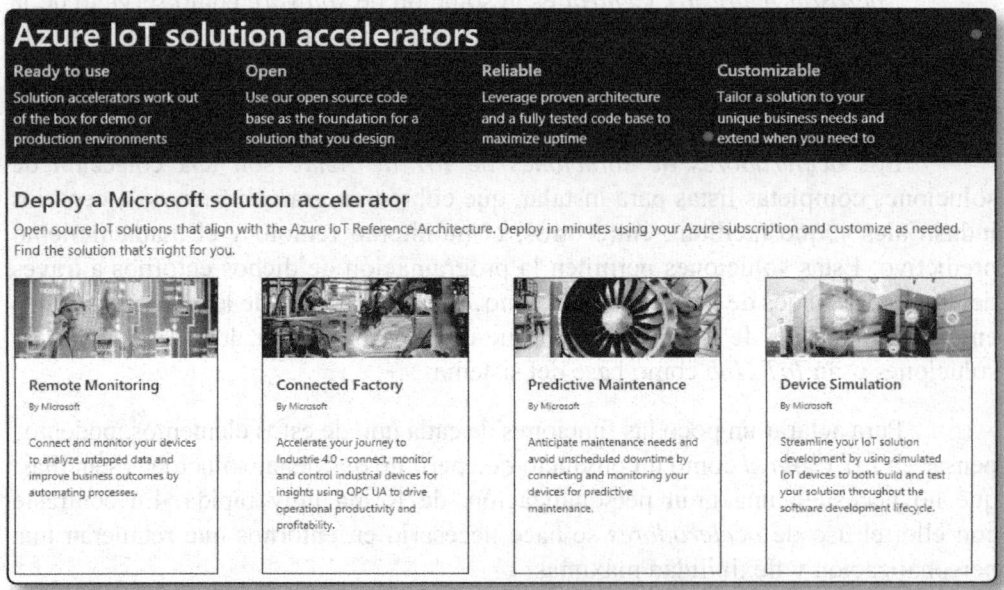

Figura 9.7. Sitio web de Microsoft donde crear una simulación funcional gratuita de distintos entornos IoT.

> (i) **Nota**
>
> También es muy interesante visitar el sitio web dedicado a formación sobre el mundo *IoT* y las soluciones particulares de **Microsoft**. Puede accederse a él desde *https://iotschool.microsoft.com* .

9.2.2 AWS IoT

AWS IoT es la solución *Internet de las cosas* incorporada en los servicios en la nube de **Amazon**: *Amazon Web Services*. Se integra con las demás aplicaciones del fabricante y permite el control y uso de los flujos de datos en todas ellas.

Igual que los demás fabricantes, ofrece un conjunto de soluciones que pretende cubrir todas las tipologías de clientes del mercado. Veamos el resumen de algunas de ellas:

▼ *AWS IoT Core*, el pilar del sistema, donde se conectan y configuran los dispositivos *IoT* y que sirve como base de las demás.

▼ *AWS IoT Device Management*, es la aplicación que permite la monitorización y administración remota de los dispositivos conectados.

▼ *AWS IoT Analytics*, permite el análisis de grandes flujos de datos provenientes de los dispositivos *IoT*.

▼ *AWS IoT SiteWise*, facilita la búsqueda y recopilación de datos de instalaciones industriales, reusables posteriormente para el análisis empresarial.

▼ *AWS IoT Device Defender*, que proporciona los mecanismos de seguridad necesarios al entorno.

La empresa destaca la característica *sombra de dispositivos* de su oferta, opción que permite que el entorno continúe trabajando con ellos, aunque estén apagados. Así, se guarda su último estado conocido y se permite establecer cuál debe ser su estado futuro para que, en el momento que vuelva a estar activo, la situación se compense.

Amazon establece su política de precios en base a distintos conceptos y, por lo tanto, la cuota final para el usuario puede variar de forma substancial en relación al uso de la solución final, además de la frecuencia de las comunicaciones. Así, en el apartado de precios que se encuentra disponible en su sitio web, pueden verse los costes detallados divididos en diversas categorías:

▼ Conectividad
▼ Mensajería
▼ Registro y sombra de dispositivos
▼ Motor de reglas

Para calcular el coste previsto mensual, debe estudiarse el escenario previsto teniendo en cuenta el número de dispositivos, las veces que éstos se conectarán, el volumen de los mensajes a enviar así como los mensajes de la utilidad *sombra de dispositivos* y, finalmente, el número de reglas (condiciones que provocarán una acción posterior).

Un ejemplo de cálculo de tarifa que use todos los servicios de *AWS IoT Core* y que puede encontrarse en su mismo sitio web seria: "*100 000 dispositivos mantienen una conexión constante a AWS IoT Core durante un período de 30 días. Diariamente, cada dispositivo intercambia 325 mensajes de un tamaño de 1 KB. De los 325 mensajes intercambiados, 100 disparan una actualización de sombra de dispositivo y 200 disparan una regla que ejecuta una acción.*"

Amazon ofrece algunas opciones gratuitas relacionadas con *IoT*, durante tiempos limitados, que permiten probar y practicar con las opciones de su plataforma. Para más información, debe consultarse el sitio web *https://aws.amazon.com/es/free/*.

Existe también una "versión reducida" de sus servicios llamada *AWS IoT 1-Clic* que permite que dispositivos simples puedan activar ciertas acciones fácilmente. Esta utilidad permite soluciones como por ejemplo: reposición de productos, trazabilidad de objetos, notificaciones para el servicio técnico o botones de satisfacción de clientes. Un ejemplo de ello es el propio *Dash button* de **Amazon**, comentado en otro punto de este libro, que permite la compra de productos con un solo clic.

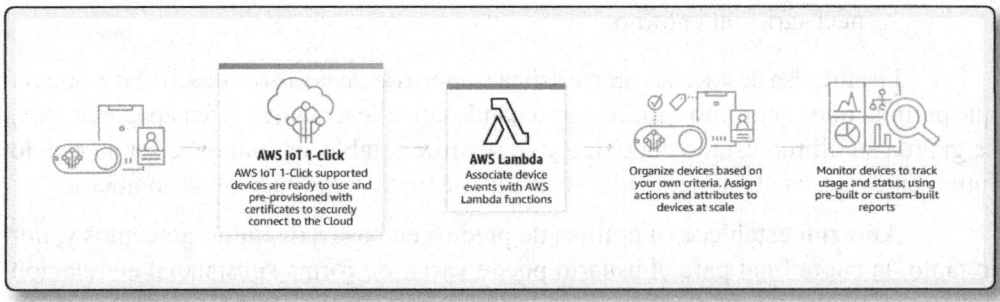

Figura 9.8. Esquema del funcionamiento dels servicio AWS IoT 1-Clic de Amazon.

9.2.3 Google Cloud IoT

Es la solución *Internet de las cosas* de **Google** que permite, como todas las demás, mantener conexión segura y administrada con todos los dispositivos inteligentes de la red, capturando, analizando y almacenando datos en combinación con otros servicios de la plataforma en la nube de la empresa.

En su sitio web se destacan varios productos relacionados:

▼ *Cloud IoT Core*, que permite la conexión y administración segura de dispositivos *IoT*.

▼ *Cloud Pub/Sub*, servicio que procesa los datos y eventos de los dispositivos y que provee de flujos analíticos de datos en tiempo real al sistema.

▼ *Cloud Machine Learning Engine*, que permite la construcción de modelos para el aprendizaje automático a partir de los datos recibidos desde los dispositivos.

▼ *Edge TPU*, basado en *hardware*, que propone para ejecutarse en el perímetro de las instalaciones *IoT* del cliente (véase el apartado dedicado a *Edge& Fog computing*, en el capítulo 10.

▼ *Cloud IoT Edge*, que proporciona capacidades de *inteligencia artificial*, igual que en el caso anterior, en el perímetro del origen de los datos.

En cuanto a precios, **Google** calcula sus tarifas en relación al tráfico mensual de datos, y las establece en distintos tramos según el volumen de información transmitida. Además, establece tarifas adicionales que se cobran en función de otros recursos que pueden usarse en combinación con los servicios puramente *IoT*. Un ejemplo es su servicio *Cloud Pub/Sub*, que permite el intercambio de mensajes entre aplicaciones independientes. Si la solución *IoT* lo usa, entonces aparecerán los cargos correspondientes en la factura final.

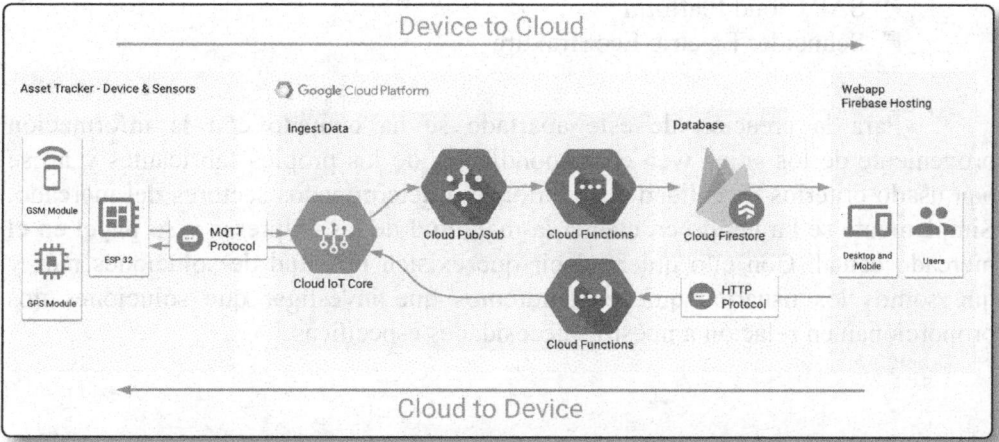

Figura 9.9. Esquema básico de los servicios Cloud IoT Core de Google.

Puede realizarse una prueba gratuita de su sistema accediendo al sitio web del producto: *https://cloud.google.com/iot-core/*.

ⓘ Nota

Algunos de los servicios mencionados en este apartado se encontraban en fase de desarrollo *Alpha* o *Beta* en el momento de escribir este libro, con lo que los usuarios interesados deberán consultar su disponibilidad y prestaciones. **Google** abrió esta plataforma a principios de 2018 y es posible, por lo tanto, que aumente considerablemente sus servicios *IoT* en un futuro.

9.2.4 Otras plataformas

Cada día aparecen nuevas plataformas y soluciones muy parecidas a las comentadas en los últimos apartados. Cada fabricante intenta proporcionar sus utilidades para quedarse con un *nicho* de mercado aún en expansión. Así, la mayoría se enfoca a su mercado natural, construyendo sus ofertas en torno a éste.

La siguiente lista nombra otras soluciones disponibles:

▶ Autodesk Fusion Connect
▶ Cisco Kinetic IoT
▶ Ericsson IoT Platform
▶ General Electric GE Predix
▶ IBM Watson IoT
▶ Oracle IoT
▶ Salesforce IoT
▶ SAP Cloud Platform
▶ Schneider Electric EcoStruxure

Para la creación de este apartado se ha contado con la información proveniente de los sitios web correspondientes de los propios fabricantes y no se han usado criterios de calidad o de enfoque a determinados sectores del mercado. Simplemente se ha tenido en cuenta la magnitud de las empresas y su papel en el mercado actual. Con ello quiero decir que existen multitud de soluciones más y que somos los usuarios quienes tendremos que investigar qué soluciones nos proporcionan en relación a nuestras necesidades específicas.

10

ECOSISTEMA DE TECNOLOGÍAS 4.0

Como ya se ha apuntado en diversos puntos de este libro, la *Industria 4.0* no es el resultado de aplicar ninguna nueva técnica revolucionaria. Es el efecto resultante de aplicar diversas tecnologías, algunas de ellas muy incipientes, en los procesos productivos de nuestras industrias, sea cual sea su dimensión y el sector productivo de estas.

En los apartados que siguen he intentado incluir las más obvias, bajo mi punto de vista, que ya están teniendo y van a tener un papel muy relevante en el impulso de esta nueva revolución. Debo remarcar que algunas de ellas se encuentran aún en desarrollo y se prevé su despliegue definitivo entre los años 2020 y 2025. Aun así, es importante tenerlas ya en cuenta, puesto que proporcionarán mejoras sustanciales en muchos ámbitos de la industria. Tal es el caso de *5G*, la quinta generación de comunicaciones móviles, que aunque ya ha empezado a andar, no ofrecerá sus máximos potenciales para la sociedad conectada hasta la primera mitad de los años 20 de nuestro siglo.

Veamos, pues, algunos de los actores de nuestra industria del futuro, aunque la lista es mucho más larga que la presentada aquí.

10.1 IOT Y ROBÓTICA COLABORATIVA

La robótica no es nada nuevo. De hecho, debemos remontarnos a los años 60 para ver los primeros robots trabajando en las cadenas de producción de nuestras industrias. Maquinaria enorme trabajando incansablemente y realizando las tareas más duras y repetitivas de todo tipo de procesos industriales.

Soldar, prensar, apilar… fueron las primeras tareas encomendadas a los robots en la industria pesada. Un buen ejemplo de ello lo encontramos en las cadenas de producción del sector automoción. Cuando alguien habla de robótica industrial, muy probablemente nos viene a la cabeza la típica imagen de una fila de robots trabajando sobre una cadena de chasis de vehículos sin pintar. De hecho, la industria del automóvil es la que dispone del parque más amplio de robots instalados a nivel mundial.

Estos robots han realizado un arduo trabajo, con éxito, desde su nacimiento e implementación. Aunque no todo son alabanzas. Existen numerosos procesos industriales en los que es imposible introducir un robot de este tipo, por diversas razones. A veces, muchas, el coste del robot no justifica la tarea que se le va a encomendar. Otras, la tarea es tan delicada o subjetiva que se hace imprescindible su realización por parte de un humano.

La robótica colaborativa viene a ayudar en este punto. De hecho, y contrariamente a lo que mucha gente piensa, los robots colaborativos (también llamados *cobots*) no vienen a sustituir a los robots clásicos, si no que vienen a complementarlos, realizando ciertos procesos que los primeros no pueden llevar a cabo, pero que tampoco pueden realizar de forma totalmente autónoma. De ahí que necesiten colaborar con las personas.

Además sería impensable, por seguridad, que un robot clásico de varias toneladas de peso y miles de kilos de potencia por centímetro cuadrado trabajara, codo con codo, con el personal de una planta productora. Por ello, normalmente, vemos que las cadenas de robots industriales clásicos trabajan en espacios físicos separados de los reservados a los humanos.

Por lo tanto, por definición, un robot colaborativo es aquel que trabaja en cooperación con un ser humano, en un lugar específico, para realizar tareas de forma simultánea.

Las cosas han cambiado mucho. Antes, el acceso a la robótica clásica estaba reservado a la gran industria y no era accesible, en ningún sentido, a las pequeñas y medianas empresas (*PYMES*) que, de hecho, representan un 95 por ciento de las empresas a nivel mundial. Los robots eran enormes, complicados de mantener, inamovibles, caros y difíciles de programar.

Ahora, los *cobots* ofrecen una gran oportunidad a las PYMES. Son pequeños (hay robots de 10 kilos de peso), muy fáciles de programar por personal no cualificado y ofrecen la seguridad necesaria que les permite, si se desea, trabajar sin barreras de seguridad al lado de los humanos.

Todo ello permite que los robots colaborativos puedan instalarse en espacios mucho más reducidos, pudiéndose montar y desmontar rápidamente, adaptándolos a otras tareas si es necesario. Estos factores son críticos si pensamos, por ejemplo, en el mundo de las PYMES. Además, su retorno de inversión (*ROI*) es mucho menor que en el caso de sus hermanos mayores, llegando al plazo de amortización medio de un año.

Al igual que *IoT*, los *cobots* son una pieza tecnológica más de la Industria 4.0.

Pero… ¿Cómo conectan los *cobots* con *IoT*?

Pues gracias a su "sensibilidad". Los robots colaborativos incorporan un montón de sensores que no solamente se dedican a la tarea encomendada, si no que permiten obtener todo tipo de información del entorno, y de ellos mismos. Por un lado garantizan la seguridad de los empleados con quien colaboran mediante el uso de sensores de fuerza y presión, entre otros, permitiendo detectar colisiones involuntarias con personas u objetos. Por otro, disponen de sensores en sus brazos, motores, engranajes, etcétera, gracias a los cuales pueden enviar datos (sobre ellos y del entorno) a sistemas centrales que analizan sus acciones y estado en todo momento.

Todo ello facilita una monitorización continua de la producción y el entorno así como, también, permite generar alertas de mantenimiento predictivo, del que hemos hablado ya con anterioridad.

Los robots clásicos permiten añadirles herramientas de todo tipo para realizar su trabajo. Por ejemplo, puntas de soldadura o garras mecánicas. En el caso de los *cobots* también es así. Existen interminables accesorios que les añaden habilidades extra, como por ejemplo cámaras de visión artificial para el control de calidad, aspiradores, pinzas neumáticas adaptativas con sensores de presión, ventosas de vacío…

Una de las ventajas que siempre han tenido los robots es que son máquinas programables. De hecho, existe la discusión sobre si deben o no llamarse así: máquinas. Por definición, una máquina tiene encargada una tarea muy específica para conseguir un fin concreto. En cambio, un robot debe programarse para ello. Cuando uno adquiere un robot de cualquier tipo, dispone de accesorios y herramientas de programación que, al final, serán quienes definan qué tarea va a realizar.

Igual que un ordenador o un teléfono inteligente, que a priori no hacen nada si no disponen de aplicaciones y sistemas operativos instalados, los robots no conocen sus tareas hasta que se les complementa y programa.

Esto, en el mundo de la robótica clásica, siempre fue una tarea compleja, lenta, y necesitada de personal cualificado. Los *cobots* incorporan nuevos lenguajes y nuevos entornos, más usables y amigables, que permiten (incluso) que sean programados por niños.

De hecho, la idea que tienen los fabricantes de robots colaborativos (como **Univesal Robots**) es la misma que tuvo **Apple** en su momento. Fabricar el robot y facilitar que sea la comunidad quien cree aplicaciones y accesorios para éste. Así, existe un enorme ecosistema de empresas orbitando alrededor de los fabricantes que son las que, en realidad, proporcionan la potencia y habilidades a sus productos.

¿Quién mejor que una industria y su equipo de ingeniería para desarrollar una solución específica que luego pueda replicarse, e incluso comercializarse, en todo un sector vertical? Esa es la filosofía, que en un momento determinado fue la que permitió el boom de los *smartphones*.

Además, otro factor muy importante de los *cobots* relacionado con su peso y facilidad de programación es la posibilidad de cambiarlos de ubicación física y reprogramarlos para ejecutar otras tareas totalmente distintas, como apuntábamos antes. Esto es realmente crítico en un mundo industrial donde, cada vez más, se realizan producciones cortas y las cadenas deben reajustarse constantemente para satisfacer todo tipo de pedidos.

En términos productivos, existen estudios que demuestran que el uso de *cobots* en procesos industriales arroja un 85% más de productividad que si solamente se usan robots, o humanos, por separado.

Figura 10.1. Una operadora en la planta de producción de maletas Shad de Mollet del Vallès (Barcelona) colaborando con un cobot de Universal Robots.

Según **Universal Robots**, el siguiente paso en la evolución de la robótica será la **Robótica industrial móvil**, donde los *cobots* puedan circular libremente sobre vehículos autónomos (*AGV*, vehículo autónomo guiado) para realizar todo tipo de tareas. Esto, que parece un objetivo sencillo, ofrece un montón de retos de ingeniería que aún no se han superado. El equilibrio de fuerzas entre *cobot* y vehículo autónomo para evitar que este se deslice cuando el primero trabaja o el almacenamiento y ahorro de energía derivado de la autonomía deseada, son dos ejemplos de los problemas que los equipos de ingeniería de los fabricantes están intentando resolver.

Los *cobots*, y más si pensamos en el contexto *IoT*, deben estar conectados de forma permanente a las redes corporativas para permitir que su flujo de datos circule y llegue, de forma rápida y fiable, a sus compañeros de trabajo (humanos o no) y a los sistemas de datos centrales, donde se realizará con ellos todo tipo de análisis para la toma de decisiones.

Lo que implica el párrafo anterior se ve comprometido muy seriamente por dos de los retos que amenazan por igual a *cobots* y a la tecnología *IoT*:

▶ La conectividad informática autónoma, referida a los medios de conexión entre dispositivos

▶ La seguridad en las comunicaciones, referida a los protocolos de comunicación y los paquetes de datos

En el momento en que cualquier dispositivo se conecta a una red informática, entran en juego multitud de sistemas intermedios y de protocolos de comunicación. Si bien los sistemas cableados son, actualmente, los más testeados y fiables por su largo tiempo de uso en la historia, la tecnología móvil tiene otras necesidades mucho más recientes que la hacen más vulnerable a todo tipo de ataques.

Muchos son los retos que deben solucionarse. A nivel de conectividad, sin tener en cuenta la seguridad, los dispositivos deben asegurar un bajo consumo eléctrico y una máxima propagación de señal.

En cuanto a seguridad, los protocolos deben ser seguros y las comunicaciones encriptadas, para evitar ciberataques que comprometan no solamente al propio *cobot*, si no a las personas que están a su alrededor y a la producción en general.

Varias pruebas realizadas en el ámbito de la seguridad, en un entorno controlado, demostraron que se trata de un tema crucial para las industrias. Diversos especialistas lograron piratear los sistemas de los robots, consiguiendo modificar las normas de seguridad, cosa que hubiera permitido realizar un ataque directo a los seres humanos. Además, en los mismos ataques se anularon los sistemas manuales de desactivado, con lo que los operadores no hubiesen podido parar la acción de los *cobots*.

Este experimento demostró solamente una de las consecuencias de un ataque informático, aunque ésta no es la única. Un ataque dirigido sería capaz de, por ejemplo, ayudar a una empresa a obtener secretos industriales usando los propios sistemas de producción de su competencia.

Por suerte, comités de expertos en seguridad están trabajando en el tema y aportando soluciones constantes para estas hipotéticas situaciones. Cada día más, los *cobots* y las soluciones *IoT* ofrecen mayor seguridad y más confianza a sus usuarios y propietarios.

Para terminar, existen diversos prejuicios con los robots en general que me gustaría enumerar aquí para ver que, simplemente, se trata de mitos que muchas veces se instalan en el imaginario colectivo gracias a películas de ficción o creencias infundadas:

- ▶ **La automatización solamente es viable para la gran industria**: falso, existen innumerables procesos industriales, con independencia del volumen de producción, en los que los cobots pueden ayudar: procesos repetitivos, manuales, peligrosos y agotadores para los trabajadores son algunos ejemplos de ellos.

- ▶ **Su instalación y mantenimiento tiene costes elevados**: falso, existen *cobots* que pesan 10 kilos y se pueden reubicar fácilmente. Los entornos de programación son muy sencillos y amigables facilitando su uso a personal no cualificado. Además, con las posibilidades de *IoT*, se pueden encontrar soluciones de mantenimiento predictivo con todo lo que ello implica.

- ▶ **Son caros**: falso. Requieren espacios mínimos ya que pueden trabajar al lado de los humanos. Sus dimensiones no condicionan el tamaño de la instalación industrial. Además, pueden trasladarse y reprogramarse para otras tareas en las cadenas de producción. Trabajan las 24 horas, todos los días, y su media de retorno de inversión (**ROI**) se sitúa en un año.

- ▶ **Eliminan puestos de trabajo**: falso. Mejoran y convierten en más seguros los puestos de trabajo existentes y permiten recolocar a los trabajadores en puestos que aporten más valor. Se prevé que hasta 2020 los robots creen 2.000.000 de empleos en el mundo. También debe tenerse en cuenta que según diversos estudios solamente el 10% de los empleos son totalmente automatizables. Aunque lo primero que uno pregunta al ver que se instalan robots en su empresa es si ello va a reducir la plantilla, la verdad es que la tónica es la contraria y que cuanta más cantidad de robots hay, menos desempleo se registra, porque las empresas ganan en eficiencia, productividad y competitividad. Así lo afirman diversos líderes sindicales con los datos sobre la mesa. Aunque esto es así, siempre existirá el interminable debate sobre el equilibrio creación / destrucción de empleo que las nuevas tecnologías conllevan.

Así pues, los *cobots* se están introduciendo en el mundo productivo de pequeñas y medianas empresas, de todos los sectores, aportando mejoras significativas de productividad y eficiencia, que redundan en la calidad de sus productos y el bienestar de sus empleados.

Figura 10.2. Los cobots son útiles en cualquier industria. En la imagen, personal de la Cooperativa Ganadera del Valle de los Pedroches (Covap), en Pozoblanco, Córdoba, posando ante un UR10.

Figura 10.3. La planta de producción de Continental Automotive en Rubí (Barcelona), redujo en un 50% el tiempo de cambio de tarea en su línea de producción gracias a la introducción de cobots.

10.2 IOT Y 5G

Como hemos comentado en la introducción de este capítulo, la tecnología de comunicación móvil *5G* no ofrecerá sus máximos potenciales para la industria conectada hasta, como mínimo, la primera mitad de la próxima década (2020 – 2025). Esa es la previsión. Y es que apenas se aprobó, a mediados de 2018, el estándar definitivo *5G* gracias al cual, ahora, todas las empresas fabricantes y desarrolladoras tendrán una guía única para crear sus productos.

Este estándar fue diseñando y aprobado por la **3GPP**, entidad nacida de la colaboración de grupos de asociaciones de telecomunicaciones, autoridad que rige los estándares de comunicación móvil.

Mucha ha sido la publicidad y expectativa creada en torno a 5G, con anterioridad a la aparición de dicho estándar. La verdad es que todo usuario de un teléfono móvil ha oído hablar de ella. Para la inmensa mayoría, si se les pregunta, la irrupción de esta nueva generación aportará, simplemente, mayor ancho de banda y mayor velocidad. Es decir, en muchos casos se entiende como una evolución natural de su antecesora, *4G*, omnipresente ahora en todos nuestros sistemas.

Pero la realidad es otra. Si bien en un primer momento esto sea cierto, ya que se aumenta (y en mucho) el ancho de banda y su velocidad, la realidad es que con su despliegue completo se van a conseguir dos cosas más, ambas imprescindibles para permitir que *IoT* y la Indústria 4.0 evolucionen:

▸ La fiabilidad
▸ La latencia

La primera, *fiabilidad*, mide el tiempo en que son capaces de mantenerse en funcionamiento los sistemas sin que se produzcan fallos en ellos.

La segunda, *latencia*, indica el tiempo de demora de los paquetes enviados a una red debidos a los retrasos producidos por los dispositivos y medios que encuentran a su paso.

Conseguir, con *5G*, una fiabilidad y latencia equiparable a sistemas de cableado físico es un reto ya conseguido y que se desplegará por completo en los próximos años. Si bien para algunas industrias ambos conceptos no sean críticos, existen un sinfín de aplicaciones que dependen totalmente de ellos, como veremos en algunos ejemplos.

Antes de ello, comentemos aun otra ventaja que nos aportaran las redes basadas en *5G*:

La conexión masiva

Hoy en día, se evidencian los cuellos de botella en las telecomunicaciones en muchos lugares: grandes manifestaciones, desastres naturales, conciertos multitudinarios… son sitios en los que difícilmente puede conseguirse acceso a la red. Esta situación no es el resultado de ninguna conspiración política ni policial, se debe a la capacidad máxima de conexión de usuarios por nodo de los sistemas de comunicación actuales.

Probablemente todos hayamos vivido alguna situación en la que nos es imposible conectar con nuestros seres queridos para, simplemente y como ejemplo, felicitarles el año nuevo. La saturación de las redes móviles se hace evidente en estos casos.

Es muy fácil entonces preguntarse qué pasaría si, además de todas las personas que requieren conectividad, entrásemos en competición con miles de objetos que intentaran lo mismo. ¿Qué pasaría con las redes basadas en tecnologías anteriores a 5G? La respuesta es: saturación y denegación de servicio.

Situaciones no críticas, como podría ser felicitar a nuestros familiares por fin de año, no generan problemas. Ahora bien, si lo que acontece tiene que ver con un desastre natural como un terremoto o un huracán, donde tanto los ciudadanos afectados como los servicios de emergencia pugnan por el uso de la red, se plantea un grave problema: el no acceso a las comunicaciones puede significar, en el segundo caso, la pérdida de vidas humanas.

Si pensamos ahora en un futuro cercano y en la implementación de *IoT*, donde miles de objetos intentan conectarse, veremos que la tecnología actual es insuficiente y, en ciertos escenarios, puede representar un gran inconveniente tecnológico que, de no solucionarlo, imposibilitaría su propio desarrollo y evolución.

Por otro lado, veamos ahora la necesidad de latencia y fiabilidad para los dispositivos *IoT*.

Si bien, como hemos visto en los párrafos anteriores, algunas aplicaciones no considerarían crítica la velocidad, ancho de banda y conexión masiva, a otras se les haría imprescindible y, por ese motivo, no han sido implementadas aún.

Existen diversos ejemplos para ilustrar estos casos. Por ejemplo, en el sector salud se habla mucho de las posibilidades que ofrecerían técnicas de operación remota, donde un doctor operaría a un paciente en la distancia, manejando brazos robóticos y cámaras. En tal situación, que exista un retraso entre las imágenes y las acciones del médico es fatal y puede derivar en un desenlace trágico.

De igual forma, la conducción autónoma o ciertos sistemas de tráfico inteligente en *smartcities*, donde las señales de tráfico se comunican con vehículos, y estos entre ellos, requieren que los retrasos en las comunicaciones sean prácticamente nulos.

En ambas situaciones, la fiabilidad también es crítica. Un solo fallo en la transmisión de paquetes o en los dispositivos puede ser fatal.

ⓘ Nota

En muchos casos, velocidad de transmisión de datos y ancho de banda no son críticos para *Internet de las cosas*, debido a que muchos sensores se limitan a enviar de forma puntual muy poca cantidad de datos. Pensemos, por ejemplo, en un sensor de temperatura. Quizás se programe para que envíe una actualización cada 10 minutos. Con este ritmo y una sola información a enviar, sus requisitos son insignificantes. Ahora bien, para este mismo sensor quizás sea más crítico disponer de conexión en el momento que se requiere, por lo que es importante que ello no dependa del número de dispositivos que ya están conectados a un nodo.

5G viene a solucionar todos estos problemas y permitirá el despliegue de aplicaciones impensables hasta ahora por las dificultades técnicas descritas.

Así pues, podemos clasificar en tres los servicios sobre los que se sustentan las futuras comunicaciones *5G*:

▸ *eMBB* (*Enhaced Mobile Broadband*): ancho de banda móvil mejorado. Es el primero que se desplegará, ofreciendo velocidades de descarga de 100 Mbps desde el punto de vista del usuario. Permitirá aplicaciones con altos requerimientos de velocidad y ancho de banda, como el envío o recepción de imágenes de alta definición en entornos masificados. Por ejemplo, un reportero de televisión en la retransmisión de un importante evento deportivo.

▸ *mMTC* (*Massive Machine Type Communications*): comunicaciones masivas de terminales. Va a permitir densidades de dispositivos de alrededor de 1.000.000 de conexiones por kilómetro cuadrado. Ello permitirá la coexistencia de la demanda de conexión de dispositivos y de personas, cosa que habilitará utilidades como el seguimiento de herramientas en grandes construcciones, por ejemplo.

▸ *uRLLC* (Ultra-Reliable and Low Latency Communications): comunicaciones ultra-fiables y de baja latencia. Las probabilidades de éxito en el envío de un paquete dentro de un milisegundo aumentan muy significativamente y su tiempo de retraso, cuando la tecnología esté completamente desplegada, será de un milisegundo. Esto va a permitir el despliegue de soluciones *IoT* muy especializadas, de sectores que no pueden permitirse la existencia de fallos y retrasos, como serían las operaciones o la asistencia quirúrgica remotas en medicina o el vehículo autónomo o con conducción remota.

Con los dos últimos servicios, *IoT* puede despegar de forma definitiva en estos próximos años.

De hecho, se han proyectado ya diversos pilotos para testear estos nuevos sistemas. En medicina, por ejemplo, existe una prueba piloto de uso de *5G* prevista para inicios de 2019 en el **Hospital Clínic** de **Barcelona**. En esta prueba se va a realizar una tele-asistencia remota en una operación quirúrgica real, que se llevará a cabo en el *Optimus*, el quirófano más avanzado del mundo.

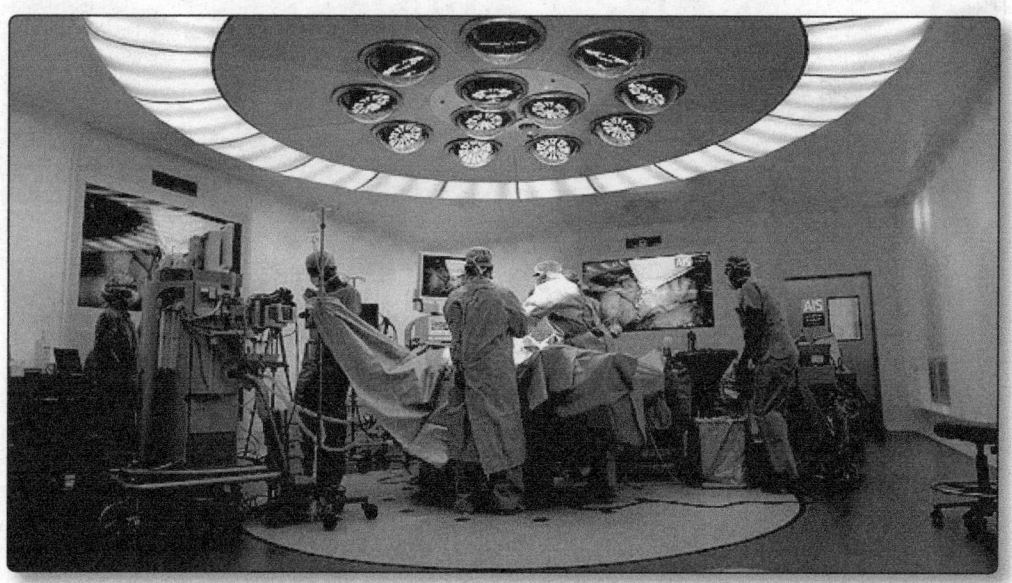

Figura 10.4. El súper-quirófano Optimus, ubicado en el Hospital Clínic de Barcelona.

El campo de la formación en el ámbito de la medicina también espera los beneficios que aporta la tecnología *5G* en su máximo potencial. La posibilidad que experimentados médicos realicen operaciones o simulaciones ante un equipo de profesionales en prácticas permitirá el acceso a la formación más puntera y de alta calidad en cualquier lugar.

Un ejemplo de ello es el **4D Health**, el primer hospital simulado de Europa, donde pueden realizarse simulaciones médicas de todo tipo con el objetivo de entrenar a futuros profesionales del mundo de la medicina. El centro permite también, testear la funcionalidad de dispositivos como dispensadores de medicamentos o la usabilidad de aparatos de nueva aparición en situaciones de emergencia en quirófano, puesto que todo es real, excepto los pacientes.

5G garantizará, en este caso, la fiabilidad del sistema y permitirá la monitorización remota de lo que en él acontece desde cualquier parte del mundo, por parte de otros equipos médicos o de multinacionales que evalúen resultados en las pruebas piloto de sus productos.

Figura 10.5. Fachada del 4D Health, el primer hospital simulado de Europa, ubicado en la ciudad de Igualada (Barcelona).

Ya en otro ámbito, la conducción autónoma (vehículo autónomo) y la remota no son lo mismo y necesitan soluciones distintas. Mientras la primera requiere la aplicación de inteligencia artificial y geo-posicionamiento, la segunda demanda como críticos los servicios de fiabilidad y baja latencia. Un conductor remoto puede guiar a uno indispuesto a su hogar desde una cabina ubicada en cualquier lugar del planeta.

Figura 10.6. Demostración de conducción remota llevada a cabo en el Mobile World Congress de Barcelona, en 2017.

Veamos, antes de terminar esta sección, otro concepto relacionado con la expansión de *5G* y sus posibilidades.

MEC (*Multi-Access Edge Computing*, antes *Mobile Edge Computing*), es un concepto de red que tiene que ver con la informática *perimetral*, es decir, con la forma de optimizar los sistemas trasladando parte de estos al punto más cercano a los usuarios (a su perímetro) para, así, reducir la latencia y aumentar el ancho de banda. Este término no debe confundirse con el término *Fog computing*, (informática en la niebla, del que hablaremos más adelante) porque, aunque sus objetivos son muy similares, *MEC* se centra en la optimización de *5G* y *Fog* lo hace en el avance de *Internet de las cosas*.

En *5G*, *MEC* implica que los recursos informáticos se encuentren cerca de las estaciones de radiofrecuencia para ofrecer conectividad de ultra-baja latencia en situaciones en las que se requiera, como por ejemplo la detección de colisiones en vehículos conectados o el control de señales de tráfico en entornos de *smartcities*. La infraestructura para ello suele situarse en armarios de cableado en las calles o en torres de antenas en las azoteas.

Podríamos pensar, a modo de ejemplo, en la retransmisión de un partido de fútbol en el que los jugadores dispongan de una cámara de video en sus camisetas y retransmitan el partido desde el punto de vista de cada uno de ellos. Es más, tal sistema podría incluir cámaras de visión 360° para, de esta forma, ofrecer una experiencia inmersiva a los usuarios. Este servicio usaría un servidor local, cerca del origen de datos, en el *borde* de la red móvil, para así asegurar una mínima latencia en origen para su retransmisión en tiempo real a los usuarios suscritos.

Figura 10.7. Publicidad de la empresa Firsvision Technologies, fabricante de wearables para el mundo del deporte, ubicada en Hospitalet de Llobregat (Barcelona).

10.3 IOT Y CLOUD, FOG & EDGE COMPUTING. DE LAS NUBES A LA NIEBLA, HASTA LLEGAR AL BORDE

La computación en la nube (*cloud computing*), conocida también como *Informática en la nube*, *Procesamiento en la nube*, *Servicios en la nube* o, simplemente, *nube*, no es nada exclusivo de *Internet de las cosas*. Es un cambio de paradigma en el mundo de la informática, que permite deslocalizar los sistemas y aportarles más seguridad y robustez de las que aportan los sistemas clásicos dentro de las empresas, pero también para el público en general.

Para resumir e ilustrar su función, se regresa al antiguo modelo basado en un sistema central al que acceden diversos terminales diseminados geográficamente. Esto, que puede parecer un retroceso o una pérdida de control por parte del usuario, se está invisibilizando para este, cosa que significa que lo está absorbiendo como parte de la normalidad tecnológica. Una acción tan simple como consultar un correo de *Hotmail* o colocar un archivo en *Google Drive*, de la que ya no somos conscientes, muestra como interactuamos con la nube con toda normalidad.

Como descripción genérica, *Cloud computing* es una tecnología que permite acceder de forma remota a recursos de todo tipo, normalmente a través de *Internet*, en vez de usarlos en sistemas personales o servidores locales. No hace falta decir que este avance se ha producido gracias a la enorme evolución experimentada en el campo de las telecomunicaciones. Sin las altas velocidades de conexión actual, sería muy difícil pensar en escenarios como los que existen en la actualidad.

A fecha de hoy, empresas de desarrollo de software de todo tipo y de todas las envergaduras han migrado hacia la nube, lo están haciendo o está en sus planes estratégicos a corto plazo. Además de todas las ventajas técnicas que ello supone, el cambio de modelo facilita la transformación digital y, además, abre la puerta al *pago por uso* en vez de la *compra de licencias*.

Detrás de estas compañías, que han sido las primeras en ver y disfrutar de sus ventajas, vienen todas las demás, que están comprendiendo el inmenso número de beneficios que supone confiar en la nube, en lugar de mantener los sistemas bajo su único control. Entre sus ventajas más destacadas podríamos mencionar:

▼ **Seguridad**: las empresas que ofrecen servicios *cloud* solamente se dedican a ello, centrando sus esfuerzos en las infraestructuras, así como en garantizar la seguridad y privacidad tanto física como virtual de las instalaciones. Su *core* de negocio es este, alojar soluciones para que otros las usen de forma remota. Ello aporta un grado de seguridad extra, mucho mayor que el que las propias empresas cliente, de forma individual, pueden garantizar para sus sistemas. Además, los grandes proveedores de este ámbito disponen de todo tipo de certificaciones que acreditan su solvencia en muchos aspectos, desde el cumplimiento del *RGPD* (Reglamento General de Protección de Datos), hasta el de la *ISO 14001*, normativa medioambiental internacional, pasando por la *ISO 27001*, relacionada con la seguridad en los sistemas de información.

▼ **Disponibilidad**: la mayor parte de proveedores de servicios *cloud* garantizan por escrito una disponibilidad de acceso 24x7, esto es, 24 horas al día por 7 días a la semana, de forma ininterrumpida. La inmensa mayoría de servicios en la nube de **Microsoft**, por ejemplo, garantizan en su *SLA* (*Service Level Agreement*, contrato o acuerdo de nivel de servicio en español) un mínimo de un 99,9% de disponibilidad de los sistemas. Así es en su servicio *cloud IoT Central*, que tiene que ver con el tema que nos ocupa. Este nivel de servicio es mucho más elevado que el que cualquier organización, de forma privada, puede obtener.

▼ **Disminución de costes de equipo**: con el uso de ciertas modalidades de contratación de servicios en la nube, de los que hablaremos más adelante, se consiguen disminuir de forma significativa las inversiones en equipamiento informático. Los equipos son propiedad de la empresa proveedora y están completamente a su cargo. Las actualizaciones de *hardware* y sustituciones de piezas dañadas van, normalmente, a cargo de la empresa que ofrece el servicio.

▸ **Disminución de costes de personal y mantenimiento**: relacionado con el punto anterior, al desplazar la infraestructura física y crítica para la empresa hacia la nube, esta puede liberarse de los mantenimientos técnicos y de disponer, en plantilla, de personal especializado que, además, requiere de una constante actualización de conocimientos para mantener los sistemas en marcha y en un funcionamiento óptimo. La responsabilidad en la instalación de *parches de software*, análisis de rendimiento y detección de vulnerabilidades pasa a los técnicos de la empresa contratada.

▸ **Personalización**: las empresas que ofrecen servicios en la nube pueden personalizar, al máximo, la solución para sus clientes. Desaparecen los costes asociados a los desplazamientos de personal, sincronización de necesidades técnicas de los sistemas en la empresa cliente y demás aspectos asociados a la creación de soluciones a medida en casa del contratante.

▸ **Velocidad de implementación**: las velocidades de implementación de soluciones son mucho mayores, y están asociadas a motivos descritos en el punto anterior, como los desplazamientos de equipos humanos.

▸ **Escalabilidad**: los sistemas pueden crecer en relación a las necesidades de la empresa que los contrata. Pueden hacerlo de forma controlada a través de pactos de ampliación de servicios, o bien de forma automática cuando ocurren *picos* de demanda. En este último caso, los sistemas se redimensionan de forma automática para dar cabida a todas las peticiones de servicio existentes.

▸ **Movilidad**: la empresa cliente puede acceder a las soluciones contratadas desde cualquier punto que disponga de conexión a la red, ya sea desde un terminal de sobremesa, una tableta, un televisor inteligente o un teléfono móvil.

ⓘ **Nota**

Como es evidente, no todo son ventajas. Para una empresa, pasar todos los sistemas a la nube implica depender del proveedor de servicios y confiar en la preservación de la privacidad de los datos, así como en sus sistemas de seguridad. Además, debe confiar también en el proveedor de comunicaciones. Un fallo en la conectividad puede ser catastrófico, hasta el punto de dejar toda la organización sin capacidad de maniobra.

El término *nube* despista a mucha gente. Su intención es dar a entender que hay algo, que está allí, aunque no se sabe muy bien dónde. Al ser sinónimo de algo volátil e incorpóreo, hace que no se sepa muy bien donde se están ubicando las cosas. La idea con la que debemos quedarnos es que no importa donde estén los recursos, sino que funcionen.

Los grandes proveedores de servicios en la nube disponen de centros físicos llamados *Data Centers* (centros de datos), distribuidos de forma estratégica alrededor del globo. Se trata de grandes edificios, o conjuntos de ellos, que alojan granjas de potentes servidores y todo tipo de dispositivos de red, además de sistemas de comunicaciones de gran capacidad. A todo ello deben añadirse estrictas medidas de seguridad, tanto física como cibernética, para prevenir cualquier tipo de ataque posible, así como sistemas redundantes de energía para que, en caso de fallo en el suministro, se ofrezca una continuidad ininterrumpida a todos los clientes.

Por si esto fuera poco, muchos ofrecen también el servicio de redundancia geográfica, esto es, la existencia de sitios espejo en otras ubicaciones para garantizar, así, que en el caso de una hipotética destrucción completa de un centro de datos físico, sus funciones y servicios sean substituidos de inmediato por los de otro, de forma transparente para la compañía contratante.

Figura 10.8. Centros de datos de Microsoft en el mundo: 140 países en 50 regiones. Fuente: Microsoft, abril de 2018.

Figura 10.9. Centro de datos de Google en Phoenix Park, Dublín.

Al poner como un ejemplo de *cloud computing* servicios como *Hotmail* o *Google Drive* corremos el peligro de quedarnos con la idea de que todo lo que la nube nos ofrece tiene que ver con el hecho de alojar algún tipo de software en ella. Si bien esto es verdad, la filosofía *cloud computing* ofrece otras modalidades de servicio que debemos tener en cuenta. Aquí están las principales:

Infrastructure as a Service (*IaaS*), conocida a veces como *Hardware as a Service* (*HaaS*): se trata de poner a disposición del cliente infraestructuras de *hardware* y, normalmente, su mantenimiento, supervisión y actualización. Los servicios pueden ser de muy distinta índole, desde potencia de cálculo en forma de proceso paralelo hasta servicios que incluyen espacio en disco, copias de seguridad o máquinas virtuales. En estos entornos, el proveedor *cloud* ofrece el uso de la plataforma y es el cliente quien instala y mantiene sus sistemas software, responsabilizándose de ellos. Un ejemplo de este tipo de servicios es *Amazon Web Services EC2*.

Platform as a Service (PaaS): más que una plataforma de *hardware*, en este tipo de servicio se ofrece a los clientes el alquiler de una plataforma (en el sentido de entorno o ambiente) y todo un conjunto de herramientas *software*, orientada normalmente a servicios horizontales. Los ejemplos más típicos tienen que ver con empresas de desarrollo de software, las cuales utilizan entornos de programación desde donde desarrollan sus productos en distintos lenguajes. Otros ejemplos podrían ser plataformas de correo electrónico corporativo o de colaboración empresarial como *Microsoft Exchange* o *Microsoft SharePoint*, respectivamente, aunque podríamos discutir sobre si entran en esta categoría dependiendo del uso que cada empresa cliente haga de ellas. Como norma, diremos que si se desarrolla caen en la calificación de plataforma, mientras que si no se hace, pueden situarse en la descrita en el próximo apartado.

Software as a Service (SaaS): quizás se trate de la categoría más contratada, ya que sustituye las clásicas aplicaciones instaladas en los equipos locales de las empresas por los mismos productos, situados en la nube. Este simple cambio permite que las empresas se beneficien de las ventajas descritas para el *cloud computing*, a cambio de un pago por uso. Aunque el cambio también supone un peligro. Todos estaremos de acuerdo en que no es difícil confiar en grandes compañías como las mencionadas en párrafos anteriores. Ahora bien, cuando la solución en la nube la proporcionan pequeñas compañías de software local con recursos limitados y expuestas a los peligros del mercado, la cosa cambia y debe analizarse muy bien tal decisión. Podrían ocurrir mil y una situaciones que comprometerían los datos y la infraestructura de los clientes, haciendo peligrar incluso el futuro de sus negocios. Ejemplos de soluciones dentro de esta categoría serían aplicaciones de gestión de la relación con los clientes (*CRM, Customer Relationship Managment*), sistemas de planificación de recursos empresariales *ERP* (*Enterprise Resources Planning*), donde encontraríamos como parte de ellos las clásicas aplicaciones de contabilidad, facturación, nóminas, etcétera. El mundo del *software* estándar o de propósito general tampoco se libra de esta tendencia: **Microsoft** ofrece la solución *Office 365* como servicio en la nube, que incluye las más que populares aplicaciones *Word* y *Excel*. El mismo camino sigue **Adobe**, con una *suite* que incluye *Photoshop* en su versión *cloud*.

Los productos líderes a nivel internacional en servicios *cloud* son **Microsoft Azure, Amazon Web Services** y **Google Cloud**. Existen cientos de miles de proveedores más, de menor envergadura, que ofrecen todo tipo de servicios especializados. Desde alojamiento de servidores web o de correo electrónico hasta programas de gestión comercial o contable.

ⓘ Nota

Podemos encontrar otros términos relacionados con la nube y sus servicios, pero se escapan del objetivo de este libro. Algunos por su especialización, otros porque caen en denominaciones derivadas del afán de etiquetar las cosas como servicios (*AaaS, All as a Service*, todo como servicio), cuando probablemente se trata de derivados de uno de los principales, anteriormente comentados.

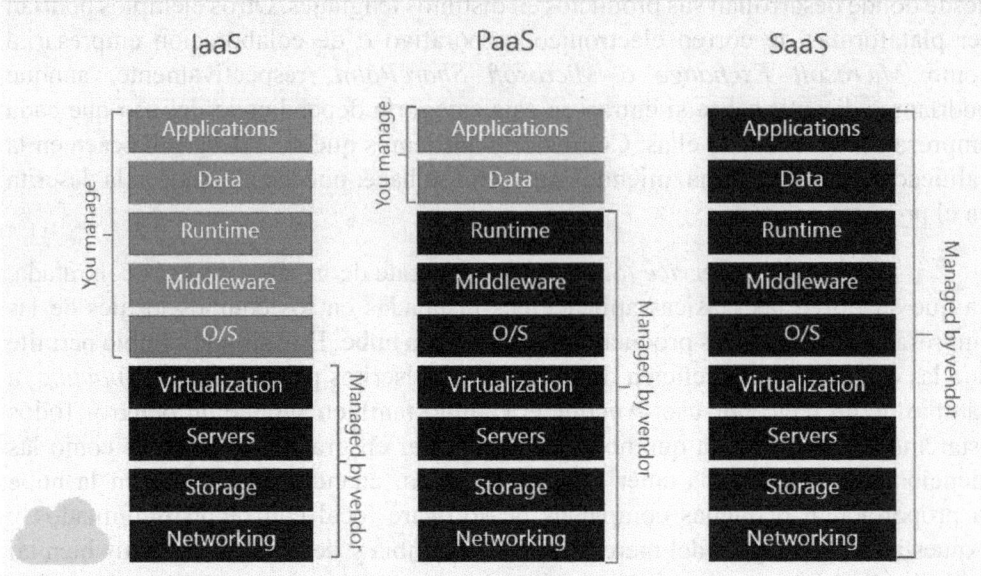

Figura 10.10. La división cloud computing desde el punto de vista del ¿quién se encarga de qué? Puede apreciarse que, en el caso de SaaS, es el vendedor quien se encarga de todo.

> **ⓘ Nota**
>
> A mediados de 2017, el entonces presidente de Estados Unidos, **Donald Trump**, firmó una orden ejecutiva sobre seguridad informática en la que se aborda la seguridad de las redes federales, infraestructura crítica y ciberseguridad de la Nación en su conjunto: "*Tenemos que pasar a la nube y protegernos*", afirmó su asesor de seguridad.

Quizás, a estas alturas, nos preguntemos qué tiene que ver la nube con *Internet de las cosas*, puesto que por el momento solamente hemos hablado de sistemas que alojan máquinas, plataformas y servicios.

La respuesta es: mucho. De hecho, la tendencia actual es alojarlo todo en la nube y, como no podía ser de otra forma, los servicios *IoT* también. Es evidente que no me estoy refiriendo a dispositivos *IoT*, sino a las soluciones software que permiten administrarlos, y a todas aquellas aplicaciones necesarias para el análisis de datos posterior y la consecuente toma de decisiones.

Así, en soluciones de todo tipo (industriales, empresariales y también domésticas) vemos como una de sus partes reside en la nube. Si pensamos detenidamente en su estructura básica, nos daremos cuenta de que están formadas por tres elementos principales:

-  Sensores y actuadores
- Dispositivos de red
- Ordenadores centrales con software de control

Para el tercero, tenemos la nube como solución de alojamiento. Así, los datos se crean de forma local desde sensores y actuadores y circulan por los dispositivos de red para alcanzar los sistemas centrales. Esta es la típica estructura de una solución para *Internet de las cosas*.

Ahora bien, el tema se complica (y mucho) cuando en el sistema entran en juego miles de sensores, volúmenes significativos de tráfico de datos y sistemas centrales alejados del lugar donde se generan. Para estos casos, se hacen necesarias las prestaciones ofrecidas por dispositivos *Fog* y *Edge*.

Niebla y borde, estas serían las traducciones al español de ambos términos, que vienen a ilustrar conceptos asociados a la proximidad al origen, en comparación a la lejanía de la nube. Pensemos si no en la niebla verdadera. Está mucho más cerca de nosotros que cualquier nube. Ésa es la idea.

La realidad es que existe mucha confusión entre ambos términos, y con razón. Las diferencias claras suelen emerger cuanto más grande es el escenario que se examina. Probablemente veríamos más claros los matices si estudiamos la infraestructura *IoT* de una ciudad inteligente, en lugar de fijarnos en una pequeña planta de producción con pocos dispositivos. En todo caso, las dos tecnologías buscan un solo objetivo: filtrar, analizar, y reducir la cantidad de información a enviar a la nube para mejorar la eficiencia del sistema en global, intentando evitar cuellos de botella en el tráfico hacia esta. Ello se consigue aportando potencia de proceso e inteligencia más cerca del origen de los datos, en lugar de hacerlo en la nube.

La diferencia entre *Fog* y *Edge* reside en el lugar donde se aporta dicha potencia de proceso e inteligencia. Si más cerca de los dispositivos o más cerca de la nube, como norma general.

ⓘ **Nota**

En algunos puntos del libro se ha hablado de la necesidad de reducir la latencia (retardo de las comunicaciones en el proceso de ida y vuelta), mantener la fiabilidad de los datos y aumentar la resiliencia (capacidad de recuperación ante posibles desastres). *Fog* y *Edge computing* están ahí para eso.

El término *Edge* se refiere al aporte de potencia e inteligencia en el borde de la red, del lado de los dispositivos *IoT*. Como norma general, requieren poca capacidad de proceso e inteligencia y, por consiguiente, menos consumo de energía. Por ello, pueden encontrarse encastados en los propios dispositivos con capacidades *Edge* o en *switches* o *routers* de la red. Su tarea, menos pesada que la de los dispositivos *Fog*, es reducir el volumen de los datos a enviar.

El término *Fog*, creado para muchos por **Cisco Systems**, se refiere al aporte de potencia e inteligencia (y también almacenamiento de datos) en el borde de la red, del lado de la nube. Normalmente se trata de servidores con altas capacidades de proceso y conectividad. Se dedican a recopilar datos que provienen de dispositivos *IoT* o de otros con capacidades *Edge* (dependiendo del tamaño de la solución) y, en vez de reenviarlos a la nube, los convierte, filtra y agrega si es necesario. Una vez realizado el proceso, los datos pueden enviarse a la nube o pueden tomarse decisiones de forma local.

En una estructura jerárquica (por capas), el nivel superior lo ocuparía la nube, y a medida que descendemos nos encontraríamos con la niebla para, descendiendo un nivel más, encontrarnos con el borde. Dicha estructura puede verse en la figura siguiente, aunque en ella vemos un centro de datos situado en las instalaciones locales, en lugar de situarse en la nube, escenario también posible:

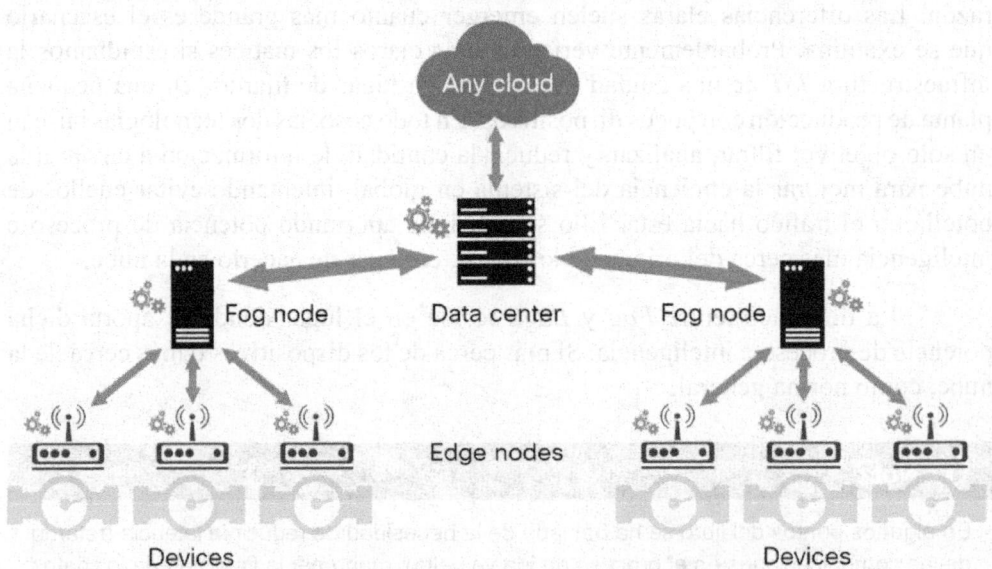

Figura 10.11. Distribución conceptual de Cloud, Fog y Edge computing.

Estas tecnologías, igual que muchas de las relacionadas con *Internet de las cosas* y comentadas en este libro, están en constante desarrollo y evolución. Por ello es importante relativizar, porque dispositivos que ahora realizan una función u otra, es más que probable que en un futuro, sino ya en la actualidad, puedan desempeñar ambos papeles. La frontera es muy débil. Además, el entorno aquí descrito pertenece a implementaciones de soluciones industriales con enormes volúmenes de datos, donde se hace necesaria la aportación de todas estas soluciones. En entornos menores, los conceptos *Fog* y *Edge* se diluyen y, muchas veces, desaparecen. Es entonces cuando los datos se envían directamente desde los dispositivos a las puertas de enlace de la red hacia *Internet*, sin ningún tipo de proceso ni filtrado de datos adicional.

Para que veamos las diferencias de las que estamos hablando, a nivel un poco más técnico, usaremos a continuación el ejemplo de los requisitos mínimos recomendados por **Cisco Systems** para implementaciones *Fog&Edge* usando su solución *Cisco Kinetic Edge&Fog Module*, vigente a finales de 2019.

Para el borde (*Edge*), donde se requieren menores capacidades, los requisitos mínimos hablan de equipos con un solo procesador y una memoria de *256 MB* (*megabytes*), ejecutando sistemas operativos como *Linux* (*Red Hat, Ubuntu o CentOS*) o *Windows 10* instalado en dispositivos como sus *switches industriales Ethernet IE 4000*.

Para la niebla (*Fog*), donde las necesidades son mucho mayores, los requisitos hablan de servidores con 6 procesadores simultáneos de *2 GB* (*Gigabytes*) de memoria para cada uno y un almacenamiento mínimo en disco de *100 GB*, ejecutando sistemas operativos como *Linux* (*Red Hat, Ubuntu o CentOS*) o *Windows 10* instalado en dispositivos como sus *servidores apilables Cisco UCS de la serie C*.

Como podemos apreciar, las necesidades para uno y otro caso son muy distintas. En los dos apreciamos infraestructuras muy dimensionadas que hacen pensar, como ya hemos anunciado, en grandes soluciones para grandes entornos.

A nivel más terrenal, debemos pensar que la propia evolución de *IoT* hará, y ya está haciendo, que cualquier fabricante se plantee incrustar un chip en sus productos para "darles" vida en el mundo digital. Así, cientos de miles de objetos están entrando en el mercado con estas nuevas capacidades. Todos ellos tienen en común una cosa: disponen de algún componente electrónico gracias al cual son capaces de hacer lo que hacen. Este componente, llamado microcontrolador (*MCU* o *Microcontroller Unit* en inglés), es un circuito integrado programable con la capacidad de ejecutar instrucciones guardadas en su memoria.

A medida que *IoT* avanza, los microcontroladores encastados en los dispositivos también lo hacen e incorporan, cada vez más, todo tipo de utilidades para darles más seguridad, robustez y fiabilidad, además de capacidades de proceso.

En este tipo de chips también pueden encontrarse funciones relacionadas con *Edge* y *Fog computing*.

A mediados de 2018, **Microsoft** hizo un anuncio inédito en la historia de su compañía: presentó un nuevo sistema operativo, basado en *Linux*. Esta noticia, que alcanzó revuelo internacional al tratarse casi de una paradoja, tiene una muy clara explicación que proviene de la propia empresa: *Windows* no es un sistema operativo adecuado para *Internet de las cosas*, si pensamos en el universo de dispositivos *hardware*. Así, desveló *Azure Sphere*, producto diseñado específicamente para la seguridad en soluciones *IoT*. Dicha solución involucra tres elementos: *hardware*, en forma de microcontrolador que incorpora partes del sistema operativo, el sistema operativo y servicios dedicados en la nube. Todo ello para garantizar la *seguridad en el borde*, como afirma la multinacional americana.

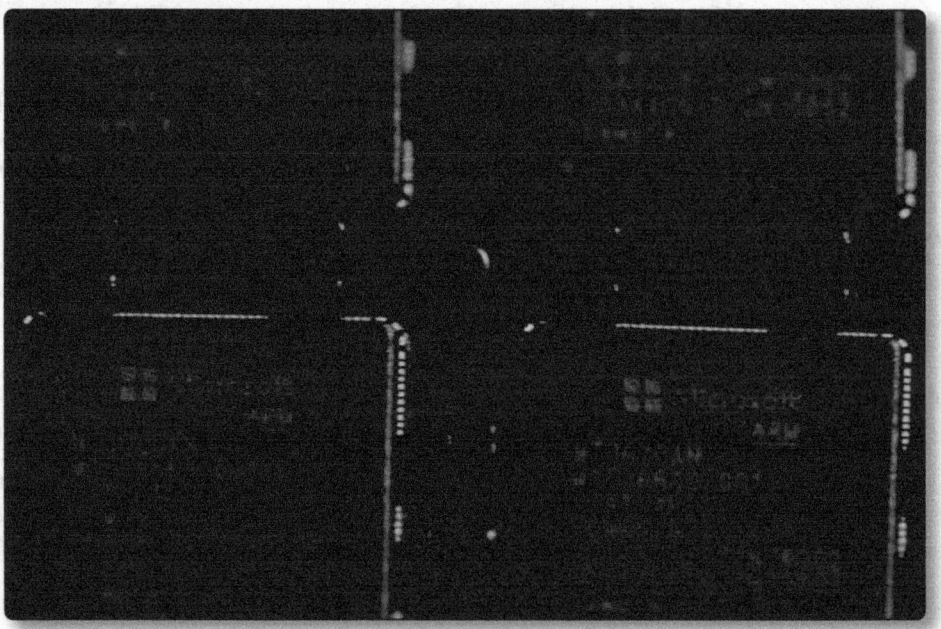

Figura 10.12. Los chips MT3620 de la china Mediatek, los primeros certificados por Microsoft que usan tecnología Azure Sphere.

Existen multitud de escenarios donde se hace necesaria la implementación de *inteligencia* y *potencia de proceso* cerca del origen de datos. En primer lugar para asegurarse la mínima latencia posible en el sistema, pero también para la rápida toma de decisiones en el lugar donde sea necesario. Los entornos más críticos (servicios médicos, transporte de pasajeros y tráfico en las ciudades por ejemplo) son los más beneficiados por las soluciones descritas en esta sección y, en muchos de ellos, son un elemento fundamental. Por ello, cada vez más, los fabricantes tecnológicos los incluyen en su oferta de soluciones *IoT*.

10.4 IOT Y BLOCKCHAIN

En los últimos tiempos, el término *blockchain* ha saltado a la palestra tecnológica y está en boca de todos. En la curva de tendencias de la consultora **Gartner** de 2018 se situaba, incluso, por delante de *Internet de las cosas*. No como tecnología más aventajada, sino más avanzada en cuanto a su cuaje en el mercado empresarial.

Blockchain se asocia prácticamente con todo, y *IoT* no podía ser una excepción. Si bien es cierto que nació y se ha desarrollado gracias al *boom* de las *criptomonedas* (monedas electrónicas) de las cuales es su tecnología base, su expansión está afectando a áreas que van mucho más allá de ellas; seguridad, finanzas en general, logística, seguros, abogacía…

Como concepto, debemos intentar pensar en *blockchain* como en un gran libro de registro donde se anotan todas y cada una de las transacciones ocurridas desde el inicio de su implementación, con la ventaja de que estas no pueden ser manipuladas ni falsificadas, en ningún modo, por nadie.

Sin extendernos en conceptos técnicos, se trata de un sistema de datos distribuido donde la información se agrupa en bloques y, a cada uno de ellos, se le añade información obtenida usando técnicas matemáticas complejas que consiguen blindarla. No por la dificultad de estas, sino porque están encadenadas de tal forma que para modificar un solo bloque de datos, debería modificarse de forma retrospectiva cada uno de los bloques que forma la cadena, habiendo de contar con la autorización de la mayoría de participantes en su custodia. Este hecho da a la tecnología un nivel de seguridad y confianza *irrebatible*.

> **ⓘ Nota**
>
> La inviolabilidad de los datos contenidos en los bloques de *blockchain* viene garantizada por diversas técnicas. Una de ellas es la distribución geográfica dispersa, donde todos disponen de copias de la base de datos. Otra, muy importante, es que la realización de los cálculos matemáticos para blindar cada bloque se realiza de forma competitiva; cualquier nodo puede ganar la competición y, si lo hace, recibe recompensas en forma de criptomoneda. A la acción de realizar cálculos intensivamente con el objetivo de obtener los resultados ganadores en una competición como la descrita, se la llama *minado* de datos (*data mining*).

Ello permite que se piense en *blockchain* como solución a situaciones donde se requieran altísimos niveles de confiabilidad y autenticidad de los datos. No solamente debemos pensar en situaciones del ámbito digital. En muchos casos del mundo real vemos la figura de terceras partes que deben autentificar datos y documentos de todo tipo: notarios, fedatarios, funcionarios, peritos, agentes de seguros o directores de banca son quienes certifican que los que decimos o hacemos es auténtico y verdadero.

Pero… ¿qué pasaría si se consigue una tecnología que permita prescindir de todas estas partes y habilite un sistema que garantice lo mismo, digitalmente? Pues que muchos modelos sociales cambiarían, para ser adaptados a esta nueva realidad. Y, ahora, es lo que está ocurriendo porque precisamente eso es lo que *blockchain* propone.

> ### ⓘ Nota
>
> Un ejemplo de aplicación de *blockchain* se encuentra en los *Smart contracts* (contratos inteligentes) que, con valor legal y vinculante, prescinden de la presencia de un fedatario público.

Aunque hace unos años la aparición de esta tecnología se tomó como una anécdota, la verdad es que ahora entes tan importantes como los regulatorios del mercado monetario o los bancos más potentes están tomando cartas en el asunto y, aunque al principio la rechazaban frontalmente, en la actualidad la están incorporando en su día a día tecnológico.

Como ya se expuso en un capítulo anterior, uno de los más importantes retos de *IoT* es la garantizar la integridad de los datos; es decir, su autenticidad y veracidad. En el punto donde esto pueda certificarse, *internet de las cosas* tendrá su despegue definitivo.

Numerosos fabricantes de tecnologías *IoT* tienen su vista puesta en *blockchain* e, incluso, ya existen soluciones en el mercado que la incluyen. Se trata de certificar la autenticidad de extremo a extremo. Desde los datos capturados por los sensores y los flujos de información que atraviesan los dispositivos de red, hasta las aplicaciones de análisis *Big Data* y de *Inteligencia artificial*, los sistemas están expuestos a la potencial y malintencionada manipulación por parte de terceros. No es de extrañar, pues, las inversiones que se están haciendo en este ámbito para conseguir obtener entornos robustos y fiables.

Figura 10.13. Bitcoin, la moneda electrónica que usa blockchain como base tecnológica.

ⓘ Nota

IoT colabora activamente en la "fabricación" de *bitcoins*, aunque de una forma no muy limpia. Muchos h*ackers* han conseguido crear redes de dispositivos *IoT zombis* que trabajan para ellos, en forma de mineros de moneda electrónica y sin estropear la función principal del dispositivo atacado, con lo que nadie se da cuenta de su trabajo oculto.

10.5 IOT Y REALIDAD VIRTUAL, AUMENTADA Y MIXTA

En un momento donde en el mundo empresarial todos hablan de nuevas tecnologías, nuevos métodos, nuevas propuestas y nuevos retos, es fácil que uno se pierda en un mar de acrónimos, siglas y nombres peligrosamente parecidos como para retener los sutiles matices que los diferencian.

A menudo, en conferencias e incluso libros o artículos que hablan acerca de la filosofía 4.0, observo el uso de ciertos términos de formas no muy adecuadas.

Unos autores los emplean correctamente, pero otros lo hacen de una forma vaga, ambigua e imprecisa o, simplemente, esquivan el tema porque lo desconocen.

A muchos les interesa conocer los detalles de ciertas tecnologías para ver de qué forma pueden ayudarlos en sus empresas. Desde *blockchain* hasta la *robótica colaborativa*, pasando por la *inteligencia artificial* y muchas otras disciplinas habilitadoras de la revolución 4.0, existe un enorme potencial que está ahí para impulsar la revolución que tiene que cambiarlo todo. Pero deben conocerse. La *realidad* en todas sus vertientes es una de ellas y, aunque muchos la relacionan con el mundo de los videojuegos y demás actividades lúdicas, la verdad es que tiene mucho que decir en entornos empresariales. Maticemos las distintas realidades existentes:

La **realidad virtual** pretende crear mundos totalmente artificiales donde sumergirnos con el objetivo de vivir aventuras o, sencillamente, hacer cosas que no podrían conseguirse en el mundo real, como nadar en el interior de una célula o saltar entre los electrones de un átomo. En esta categoría suelen situarse también los videos de 360 grados que permiten visitar apartamentos antes de alquilarlos, ver monumentos nacionales de cualquier lugar, estar presentes en multitud de fiestas alrededor del planeta o visitar la estación espacial internacional sin necesidad de movernos de la comodidad de nuestro hogar. Estas posibilidades ofrecen una gran oportunidad, también, al mundo educativo. Multitud de docentes publican las experiencias vividas con sus alumnos y animan a otros a imitarlos.

Esto es posible gracias a la proyección independiente de imágenes en nuestros ojos. Es decir, simulando la visión tridimensional mediante esta técnica, sean o no reales las imágenes visionadas. Para ello, se hace imprescindible el uso de unas gafas que, a modo de caso, el usuario debe colocarse antes de poder realizar tales actividades.

La **realidad aumentada** es una cosa distinta y, aunque existen gafas específicas para ella (como las en su momento exitosas *Google Glasses*), suelen usarse aplicaciones en dispositivos móviles como tabletas o teléfonos inteligentes y gafas de realidad virtual equipadas con cámaras para captar imágenes del mundo real. Y es que precisamente lo que ofrece la realidad aumentada es superponer elementos virtuales sobre las imágenes capturadas, creando una realidad distinta en el momento que se mezclan ambos elementos. Un ejemplo muy ilustrativo de ello es el juego *Pokémon Go*, donde sus usuarios corrían como locos a la caza de bichos en cualquier parte del mundo. En sus pantallas veían la realidad, y junto a ella aparecían todo tipo de personajes y objetos, desafiándolos a que los capturasen.

Esta técnica se ha usado mucho en el ámbito del marketing y la simulación y permite ver, por ejemplo, cómo quedaría un mueble nuevo en nuestro salón antes de desplazarnos a la tienda o comprarlo.

La **realidad mixta** es quizás la más desconocida, aunque por lo que parece es la que crea más expectativa en entornos empresariales. Se trata de mezclar lo mejor de ambas realidades (virtual y aumentada) para obtener un resultado más versátil y útil para los usuarios.

Para su aplicación es necesario el uso de gafas o dispositivos móviles, igual que en el caso descrito en el punto anterior, aunque con la diferencia de que los objetos virtuales situados en las escenas van a verse afectados por el entorno real; es decir, si nos remitimos al mueble usado como ejemplo para la realidad aumentada, este se vería correctamente hasta el momento en que alguien pasara por la habitación. Entonces, el elemento se mostraría en la pantalla del dispositivo y la persona quedaría, siempre, detrás de él. Una situación poco creíble. Además, si se modificara la luz ambiente para hacerla más tenue, por ejemplo, el color del elemento no variaría en relación a la incidencia de esta, con lo que también se perdería el efecto realístico pretendido.

En la realidad mixta, ambas situaciones son distintas. La persona que pasaría por la habitación quedaría por delante del mueble y la modificación de la iluminación lo afectaría de la misma forma en que lo haría si existiera de verdad.

Para el mundo empresarial en general, y el industrial en particular, esta ventaja ya tiene aplicaciones concretas, muy valiosas para los expertos y que, realmente, convierten muchos procesos complejos en operaciones más sencillas y mucho más eficientes. Un ejemplo de ello es el mantenimiento industrial en instalaciones de complejidad considerable, que además conecta con la vertiente *IoT* del mantenimiento predictivo.

Históricamente, los expertos han tenido que desplazarse alrededor del mundo para solucionar todo tipo de incidentes relacionados con la maquinaria que mantienen, debido a la falta de profesionales del producto en la zona donde está instalado. Con herramientas como la *realidad mixta* se dirigen las operaciones de mantenimiento y reparación de forma remota. El personal local, sin necesidad de experiencia en la materia, puede colocarse unas gafas que van a facilitarle las operaciones gracias a todo tipo de diagramas e instrucciones superpuestas a la realidad, además de contar con las instrucciones del personal técnico remoto. Incluso, y en función de la complejidad de la tarea, puede prescindirse del personal a distancia guiándose, exclusivamente por las imágenes e instrucciones que aparecen encima de los componentes que se están manipulando. Algunas soluciones del mercado proponen el uso de la *realidad mixta* con sistemas de *inteligencia artificial* para conseguir este último objetivo.

No hace falta describir las ventajas que ofrecen a nivel empresarial estas posibilidades, simplemente me gustaría añadir que en el ámbito de la formación técnica suponen una herramienta de altísimo valor pedagógico en la instrucción de nuevos técnicos para la industria.

Figura 10.14. Una usuaria de las Microsoft Hololens, viendo cómo funcionará una silla automática en la escalera de su casa.

10.6 IOT Y LOS GEMELOS DIGITALES

Los *gemelos digitales* son una técnica relativamente nueva que se centra en la creación de una versión virtual de un producto, sea cual sea su naturaleza, para emparejarlo con su hermano del mundo real.

En realidad, no se trata de un concepto nuevo, aunque las nuevas tecnologías le aportan infinitas posibilidades que hacen entrever que esta técnica influirá, y mucho, en el panorama empresarial actual, sobretodo en su vertiente de producción industrial. La idea se basa en el uso de *dobles* con distintas finalidades.

En muchas películas de ciencia ficción (y no tanta) ocurridas en el espacio sideral, vemos personal de la **Nasa** correteando arriba y abajo para solucionar problemas de naves que se encuentran, literalmente, a millones de kilómetros de distancia. En tales circunstancias, donde los sistemas no son accesibles, es de gran utilidad el uso de artefactos *gemelos* a los que están en el espacio. De esta forma los técnicos en la tierra pueden ayudar a los astronautas a solucionar todo tipo de incidentes. Un ejemplo de ello puede verse en la película *The Martian*, del director **Ridley Scott** y protagonizada por el actor **Matt Damon**, donde se usa la réplica de una lanzadera espacial a escala real para intentar rescatar al hombre de marte.

De vuelta en la tierra, y en el ámbito tecnológico, las ventajas que aporta la creación de un gemelo digital son muchas y muy importantes. De entrada, y empresarialmente hablando, debe pensarse en ellos como en entes que operan en el mundo virtual pero que están físicamente conectados con los reales usando entornos *IoT*, *Cloud*, *Big Data* e *Inteligencia artificial*, entre otros. De esta forma, los gemelos digitales muestran cómo están funcionando a lo largo de todo su ciclo de vida, facilitando enormemente tareas de simulación, mantenimiento y experimentación sobre ellos.

Al principio de esta sección se ha dicho que un gemelo digital es el *doble* de un producto de cualquier naturaleza. Así es. No solamente debe pensarse en máquinas o motores, pueden crearse gemelos digitales de personas, animales, edificios, lugares y procesos.

Pongamos por ejemplo que se dispone del gemelo digital de un edificio de oficinas inteligente (por lo tanto, completamente sensorizado). El flujo de datos proveniente de todos los dispositivos *IoT* puede, cual marioneta, dar vida al gemelo digital para mostrar el estado actual del conjunto. Estado de los sistemas de iluminación, ocupación de las salas, sistemas de calefacción y flujos de ventilación, ubicación y funcionamiento de los ascensores, ocupación de las plazas de parking…

En este punto, podemos comprender que lo que vamos a ver es una versión completamente digitalizada de la realidad, sin ningún valor inventado, puesto que todos los datos provienen de los sensores instalados en el equipamiento.

A partir de ahí, puede usarse el gemelo digital para realizar todo tipo de pruebas y simulaciones. El modelo puede responder a preguntas como por ejemplo: ¿Cómo cambiaría el flujo de personas si se inutiliza un ascensor? O ¿Cómo influiría la modificación de los flujos de corriente de aire en la temperatura global del edificio?

Como vemos, la simulación y la posibilidad de realizar pruebas en escenarios virtuales reduce, enormemente, las inversiones tanto económicas como de movilización de recursos para escenarios como el del ejemplo.

Si cambiamos de entorno, y pensamos por ejemplo en una planta industrial, el proveedor de maquinaria podría enviar una versión virtual del gemelo del producto a instalar, para que la empresa cliente vea cómo debe hacerlo, dónde y, además, pueda realizar simulaciones sobre su comportamiento una vez integrada en la línea de producción.

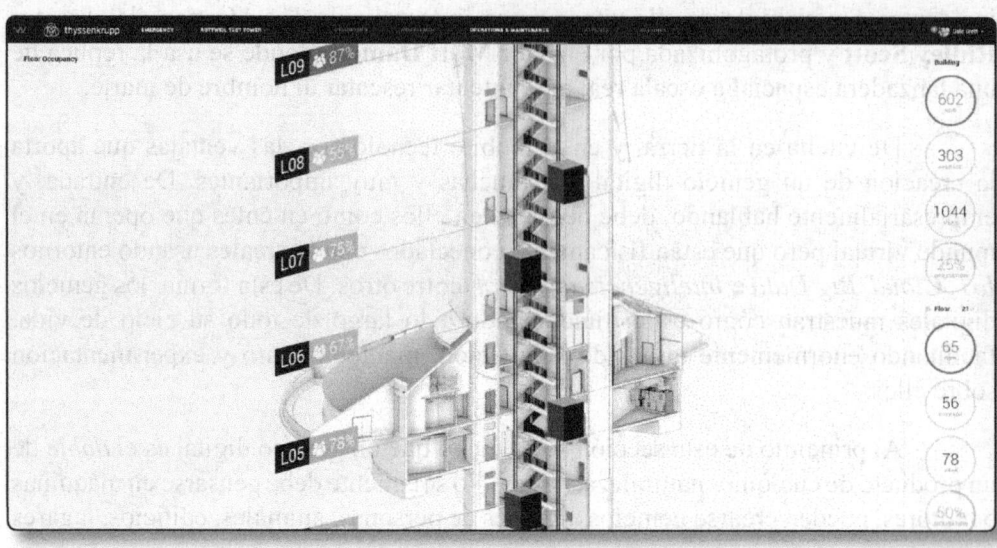

Figura 10.15. Detalle de la imagen del gemelo digital de un edificio, donde se muestra el sistema de ascensores. Proyecto de Microsoft, junto con Willow y Thyssenkrupp.

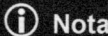 **Nota**

Puede experimentarse con este tema en el sitio web de Microsoft dedicado a su producto *Azure Digital Twins*: *https://azure.microsoft.com/es-es/services/digital-twins/*.

10.7 IOT E INTELIGENCIA ARTIFICIAL (MACHINE LEARNING)

La *Inteligencia artificial* es otra de las tecnologías impulsoras de *Internet de las cosas*. Si bien esta disciplina es muy amplia y cubre muchos campos, su aplicación en las soluciones *IoT* mejora, aún más, su eficiencia. El tema es tan amplio que difícilmente podría cubrirse con varios libros como este, puesto que no solamente tiene que ver con el mundo tecnológico, sino que intersecta también con la filosofía y la ética, por ejemplo.

Como definición de *Wikipedia*, la inteligencia artificial es la inteligencia exhibida por las máquinas y, en el mundo de las tecnologías de la información, una máquina inteligente es aquella capaz de percibir su entorno y ejecutar acciones con la finalidad de cumplir con una tarea específica.

Si observamos con detenimiento lo escrito en el párrafo anterior, existe un elemento clave a destacar: "capaz de percibir su entorno". Dicha capacidad, como seguramente hemos deducido, se desprende de la conectividad a sistemas que explotan los potenciales *IoT*, permitiendo ello acciones tan diversas como calibrar presiones, detectar pesos, controlar velocidades y visualizar todo tipo de objetos a los que tengan acceso. Como reacción a tal percepción, estos sistemas son capaces de tomar decisiones de forma automática, gracias a diversos *patrones* que previamente han aprendido. Este proceso es lo que, más o menos, describe el término *Machine Learning* tan de moda en nuestros días y tan asociado a *Internet de las cosas*. Su traducción al español puede ser algo como el *aprendizaje de las máquinas* o *aprendizaje automático*.

Machine Learning es, pues, un área más de la *Inteligencia artificial* y, para el tema que nos ocupa, es quizás la más importante. Su objetivo principal es llegar a sustituir al ser humano para llevar a cabo tareas que impliquen algún tipo de función cognitiva, como sería el caso de diferenciar un tipo de piezas de otras, dentro de un contenedor en una cadena de producción. Esto, que a simple vista puede parecer trivial, presenta grandes retos de ingeniería que, cada vez más, van perfeccionándose incrementando, de esta forma, la base de conocimiento de las máquinas.

De hecho, si observamos con detalle el nombre de esta sub-disciplina de la *Inteligencia artificial*, nos daremos cuenta de que en realidad se describe algo muy claro: la forma en que las máquinas aprenden. El concepto aprender, referido a los seres humanos, tiene connotaciones distintas al usado en relación a las máquinas. Para estas últimas, solo se conserva la parte del conocimiento que implica la repetición según un ejemplo. Es decir, y en resumen, esta técnica permite que las máquinas aprendan a base de ver ejemplos una y otra vez e intentar emularlos.

Como ejemplo, podríamos pensar en un sistema de visión artificial al que "educaríamos" para seleccionar zapatos, exclusivamente, de una enorme caja que contenga todo tipo de objetos. Para entrenarlo, se usarían miles y miles de fotografías de zapatos. De esta forma, dispondría de una amplia base de datos donde comparar y poder decidir, de forma autónoma, si se encuentra ante un zapato o un jarrón. Así, la máquina aprendería de forma automática en base a los datos proporcionados. A partir de ahí, el sistema podría programarse para que, gracias a un brazo robótico por ejemplo, se separasen los zapatos del resto de contenido disponible.

Lo bueno del tema es que si el sistema se equivoca, y no reconoce un modelo de zapato por no disponer de un patrón parecido en su base de datos, simplemente debe añadirse en ella para que, así, se mejore su efectividad la próxima vez. Observemos que el sistema aprende, constantemente, de patrones. Ello puede ser extrapolado a otras áreas, como por ejemplo al comportamiento como usuarios ante los sistemas electrónicos, si pensamos en entornos laborales, o si preferimos entornos calurosos en invierno y fríos en verano, si lo hacemos en el del hogar. Los sistemas inteligentes, para estas situaciones, serían capaces de aprender observando nuestro comportamiento e intentando actuar como nosotros. Así, llegando a casa, el sistema detectaría quienes somos y lo configuraría todo a nuestro gusto.

Sentada esta base, enumeremos de qué forma puede *Machine Learning* colaborar estrechamente con *IoT*:

▶ Ayudando en la calibración automática de sensores y actuadores.

▶ En los sistemas de mantenimiento industrial, basándose en históricos para poder predecir cuándo un sistema fallará.

▶ En sistemas de seguridad, analizando situaciones peligrosas pasadas para ver si pueden reproducirse de nuevo.

▶ En servicios basados en el contexto, como la regulación de la temperatura en relación al personal de una oficina.

▶ En el control de acceso de los usuarios a sistemas delicados, en relación a sus conocimientos o habilidades previas.

▶ En la reorganización de una cadena de producción interrumpida por factores externos como la rotura de componentes o la caída parcial de los sistemas eléctricos.

▶ En la separación de datos incorrectos o no relevantes dentro de grandes flujos y volúmenes de información.

▶ En la supervisión de la ejecución de todo tipo de procesos en la búsqueda de patrones similares y patrones anómalos.

▶ En la clasificación o extracción de productos en cadenas de producción.

▶ En reaccionar con empatía ante seres humanos, en relación al análisis de sus rasgos a través del reconocimiento facial.

▶ En diagnosis médica

Muchas empresas de base tecnológica incorporan ya en su catálogo soluciones de *Inteligencia Artificial* que permiten, por ejemplo, la creación de asistentes virtuales (llamados *chatbots*) que atienden a los visitantes web o responden en los *call centers* a las llamadas de los clientes.

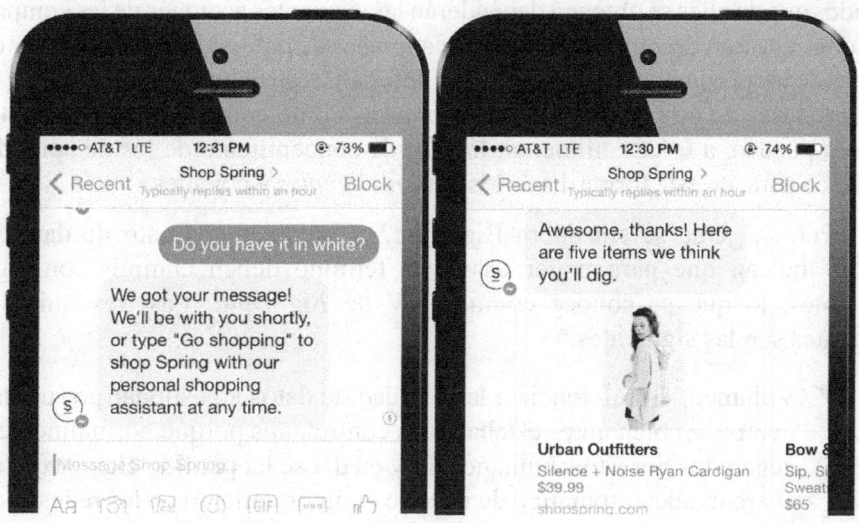

Figura 10.16. Un chatbot atendiendo la petición de una cliente en una tienda de moda.

10.8 IOT Y BIG DATA

La relación de *IoT* con *Big Data* es muy clara y estrecha. De hecho, se intuye su uso en prácticamente todas las situaciones descritas en este libro. Uno de los objetivos finales de los sistemas *Internet de las cosas* es, precisamente, la recopilación masiva de datos de todo tipo para su análisis posterior. Y ahí es donde entra en acción esta disciplina. Su nombre debería hacernos pensar en algo parecido a "grandes datos" y hace referencia a la capacidad de manejar enormes volúmenes de datos que no tienen por qué seguir lógica ni ordenación alguna. Por decirlo de alguna forma, *IoT* alimenta *Big Data* y esta se encarga de visualizar, manipular, convertir y analizar los datos para arrojar resultados y/o tomar decisiones, que pueden ser autónomas o con intervención humana. La aplicación de inteligencia artificial a este binomio abre un abanico enorme de posibilidades a toda la sociedad en general, no solamente a entornos empresariales.

Cuando hablamos en su momento de volúmenes de datos y previsiones de futuro, vimos que día a día aumentan vertiginosamente, y más lo harán con el crecimiento exponencial de *cosas* conectadas a la red.

El uso de aplicaciones para la gestión de ingentes cantidades de datos se hace imprescindible en cualquier entorno. En el empresarial, que normalmente piensa en términos económicos, es básico para la rentabilidad de las empresas, puesto que los resultados que de ellas se obtenga dependerán las siguientes acciones de las compañías. Decisiones que irán desde el diseño de las campañas de publicidad hasta el color de las etiquetas de los productos pueden depender del análisis de enormes cantidades de datos que se produzca en un centro de datos en la nube. Como podemos intuir, los sistemas *Big Data* pueden, a la vez, alimentar la base de conocimiento de los de aprendizaje automático para, de esta forma, hacerlos más *inteligentes* y potentes.

Pero… ¿Qué se considera Big Data? ¿Cualquier conjunto de datos? Los expertos indican que para poder usar este término deben cumplir con algunas condiciones, lo que se conoce como las **V** de *Big Data*. Las tres quizás más importantes son las siguientes:

▶ Volumen, en referencia a la cantidad de datos a gestionar por unidad de tiempo. Si bien antes estaban más controlados porque normalmente eran generados por seres humanos, hoy en día se ha perdido el control debido al archivado automático de nuestro comportamiento en las redes sociales o a la creación masiva de estos por parte de las máquinas (el caso *IoT*). Así pues, ahora pueden preocupar aspectos distintos como su integridad o veracidad, en vez de su tamaño.

▶ Variedad, que se refiere a que la fuente de datos no es única y, además, estos pueden recibirse en forma estructurada, como archivos de base de datos por ejemplo, o no estructurada. Los datos no estructurados son más problemáticos que los primeros porque pueden ser vídeos de cámaras de seguridad, fotografías, archivos de audio, archivos de telemetría de sensores, etcétera.

▶ Velocidad, que describe el ritmo al que se reciben los datos y que, normalmente, es en tiempo real y en forma de flujo continuo. Estos *datos en movimiento* son los que en algunas situaciones, como las referidas al mantenimiento predictivo en entornos industriales, proveen el máximo valor a las compañías, ya que les permiten reaccionar a tiempo ante situaciones críticas o imprevistas.

Las aplicaciones, pues, deben tener en cuenta todas estas características y responder ante ellas, brindando a las empresas las capacidades de análisis, gestión y respuesta rápida y flexible requerida en la competitiva sociedad actual.

Entre las soluciones del mercado, destaca *Apache Hadoop*, un sistema de código abierto usado para procesar, analizar y almacenar enormes cantidades de datos, estructurados o no. Entre las comerciales podemos mencionar la de la empresa californiana **Cloudera**: *CDH* (*Cloudera Distribution Hadoop*), basada en la anterior, o paquetes como *SQL Server* o *Azure SQL Data Warehouse*, de **Microsoft**.

Figura 10.17. El Cuadrante mágico de la consultora Gartner para soluciones de almacenamiento y gestión de datos, donde pueden verse los actores principales de estas tecnologías.

ⓘ **Nota**

Todo el mundo es víctima del *Big Data*. De forma inconsciente, dejamos nuestro rastro electrónico en multitud de plataformas digitales, desde las redes sociales hasta los sistemas *GPS* instalados en nuestros vehículos y teléfonos móviles. En el otro lado, estos sistemas toman nota de nuestro comportamiento, gustos, aficiones, desplazamientos y un sinfín de actividades más con el objetivo de participar en grandes análisis de datos para, una vez procesados, ofrecernos productos y servicios a nuestra medida. No es de extrañar, pues, que muchos expertos afirmen de forma rotunda que estos sistemas saben más acerca de nuestra vida que nosotros mismos.

BIBLIOGRAFÍA

- 100 Resilient cities – *www.100resilientcities.org*

- 20minutos.es 2018 – Amazon y su ejército de 15000 robots preparan la navidad *https://clipset.20minutos.es/amazon-y-su-ejercito-de-15-000-robots-preparan-a-navidad/*

- 3GPP – Study on enhancement of Ultra-Reliable Low-Latency Communication (URLLC) support in the 5G Core network (5GC)

- Accenture Academy – Spotlight on the Industrial Internet of Things 2016 – *https://www.youtube.com/watch?v=YjSOcvDWbD0*

- Accenture Academy (Spotlight on the Industrial Internet of Things (IIoT) – Youtube)

- Acció – Generalitat de Catalunya – L'empresa catalana ENGIDI crea un casc inteligent per minimitzar els riscos laborals *http://www.accio.gencat.cat/ca/accio/premsa-comunicacio/cercador-premsa-actualitat/article/20180429_Engidi*

- Ajuntament de Barcelona, servei de prensa 2018

- Aruba Networks – The Internet of Things: Today and Tomorrow – *https://www.arubanetworks.com/es/soluciones/el-internet-de-las-cosas/*

- Barómetro digital 2018 ISDI – Instituto superior para el desarrollo de Internet – *www.isdi.education*

- Barómetro sobre madurez digital en España 2018 – Divisadero (a Merkle Company) – *https://www.divisadero.es/*

- Barrett Lyon / The Opte Project

▰ BBC – Iberian Lynx returns to Spain from verge of extinction – *https://www.bbc. com/news/world-europe-33648602*

▰ BCG (Boston Consulting Group) – *https://www.bcg.com/*

▰ Being digital, Nicholas Negroponte 1995

▰ Bluetooth specifications – *https://www.bluetooth.com/specifications*

▰ Bluetooth technology – *https://www.bluetooth.com/bluetooth-technology*

▰ Business Insider "How the 'Internet of Things' will affect the world", 2016

▰ Cinco Días – Fortuna – Gestión – Cómo Harley-Davidson saca partido al Internet de las cosas *https://cincodias.elpais.com/cincodias/2017/10/05/ fortunas/1507229087_712256.html*

▰ Cinco Días – Telefónica tendrá cobertura total de fibra en España en 2022 – *https:// cincodias.elpais.com/cincodias/2018/06/04/companias/1528138045_745221. html*

▰ Cinco   Días   (*https://cincodias.elpais.com/cincodias/2014/10/23/ empresas/1414091109_942273.html*)

▰ Cisco IBSG, (Internet Business Solutions Group), Internet de las cosas – Cómo la próxima evolución de Internet lo cambia todo, Dave Evans, Abril de 2011

▰ Cisco Systems

▰ Cisco Systems – Power Saving Mode (PSM) in User Equipments – *https:// www.cisco.com/c/en/us/td/docs/wireless/asr_5000/21/MME/b_21_MME_ Admin/b_21_MME_Admin_chapter_0111010.pdf*

▰ CNBC – The amount of retail space closing in 2018 is on pace to break a record – *https://www.cnbc.com/2018/04/18/the-amount-of-retail-space-closing-in-2018- is-on-pace-to-break-record.html*

▰ CNN – Money – FDA confirms that St. Jude's cardiac devices can be hacked *https://money.cnn.com/2017/01/09/technology/fda-st-jude-cardiac-hack/*

▰ CO Revolution – *https://www.co2revolution.es/*

▰ COBOTS: 5 falsos mitos. Flyer Universal Robots 2018.

▰ Comisión Europea – Propuesta de reglamento del Parlamento Europeo y del Consejo sobre el respeto de la vida privada y la protección de los datos personales en el sector de las comunicaciones electrónicas – *https://eur-lex.europa.eu/legal- content/ES/TXT/PDF/?uri=CELEX:52017PC0010&from=ES*

▸ Conduent – Estudio Keeping our cities moving – *https://www.google.com/url? sa=t&rct=j&q=&esrc=s&source=web&cd=2&cad=rja&uact=8&ved=2ahU KEwia8uD8_pbeAhVQW8AKHdMkAAYQFjABegQICBAC&url=https%3A%2 F%2Fdownloads.conduent.com%2Fcontent%2Fusa%2Fen%2Febook%2Feu ropean-urban-transportation-survey.pdf&usg=AOvVaw3MtpcdbUhhltuHeW-9MV3D*

▸ Congress.gov – S. 1691 – A bill to provide minimal cybersecurity operational standards for Internet-connected devices purchased by Federal agencies, and for other purposes – *https://www.congress.gov/115/bills/s1691/BILLS-115s1691is. pdf*

▸ Consorci Sigma – Pla de resilipencia de la Garrotxa – *http://www.consorcisigma. org/wp-content/uploads/2018/06/Pla-de-Resilencia-de-la-Garrotxa.pdf*

▸ CTN – Centro Tecnológico Naval y del Mar – Informe de Vigilancia Tecnológica Blue Growth: IoT en el sector marino – *http://www.ctninnova.com/wp-content/ uploads/2018/02/Informe-VT-Blue-Growth-IoT-4.pdf*

▸ DASH7 Alliance – DASH7 Alliance Protocol – *http://www.dash7-alliance.org/ dash7-alliance-protocol/*

▸ Dataconomy.com – What are beacons, and how are they used in IoT projects? – *https://dataconomy.com/2018/03/what-are-beacons-and-how-are-they-used-in-iot-projects/*

▸ Deloitte – Technology and people: The great job-creating machine – *https:// www2.deloitte.com/uk/en/pages/finance/articles/technology-and-people.html*

▸ Derek Muller, Veritasium

▸ DGT – Distintivo ambiental – *http://www.dgt.es/es/seguridad-vial/distintivo-ambiental/index.shtml*

▸ Diari Ara (L'Ajuntament vol prendre el control de les dades de Barcelona i posar-les a disposició dels ciutadans) – 2018

▸ Diccionario de la lengua española (RAE, Real Academia Española)

▸ Digital AV Magazine – Torre Europa se convierte en un edificio inteligente con el sistema de iluminación PoE de Phillips – *https://www.digitalavmagazine. com/2016/11/18/torre-europa-se-convierte-en-un-edificio-inteligente-con-el-sistema-de-iluminacion-poe-de-philips/*

▸ Dirección General de tráfico – DGT – Tablas estadísticas de accidentes de tráfico con víctimas – *http://www.dgt.es/es/seguridad-vial/estadisticas-e-indicadores/ accidentes-30dias/tablas-estadisticas/*

▼ Dosdoce.com

▼ Dr. José Antonio Díaz Rojo- CSIC (Consejo Superior de Investigaciones Científicas) – Privacidad: ¿neologismo o barbarismo? – *http://webs.ucm.es/info/especulo/numero21/privaci.html*

▼ Drone Industry Insights – *https://www.droneii.com/*

▼ Edge computing versus Fog computing: Definitions an Enterprise uses – *https://www.cisco.com/c/en/us/solutions/enterprise-networks/edge-computing.html*

▼ El Mundo – Motor – Audi jubila la producción en cadena*http://www.elmundo.es/motor/2016/11/22/5834159ae5fdeab66c8b459e.html*

▼ El País – Enero de 2018 – Zara abre en Londres una tienda física solo para comprar 'online'

▼ El Periódico – El hospital clínic podrá operar a distancia gracias al 5G – *https://www.elperiodico.com/es/economia/20180228/el-hospital-clinic-podra-operar-a-distancia-gracias-al-5g-6657056*

▼ ENISA (European Union Agency for Network and Information Security) – Good Practices for Security of Internet of Things in the context of Smart Manufacturing – *https://www.enisa.europa.eu/publications/good-practices-for-security-of-iot*

▼ Envira – Nenoenvi MET – *https://enviraiot.es/nanoenvi-met/*

▼ EPA – United States Environmental Protection Agency – How IoT Tech is Saving Honey Bees *https://iotsources.com/applications/how-iot-tech-is-saving-honey-bees/*

▼ Euronews Suecia

▼ Europa Press – La tecnología española al rescate del visón europeo, el más amenazado del continente – *https://www.europapress.es/sociedad/medio-ambiente-00647/noticia-tecnologia-espanola-rescate-vison-europeo-mas-amenazado-continente-20151125172959.html*

▼ Europapress.es – España, líder en fibra óptica hasta el hogar – *https://www.europapress.es/economia/noticia-espana-lider-fibra-optica-hogar-europa-sumar-16-millones-suscriptores-ano-20180218113834.html*

▼ Expansión – Nueva Bureba, la fábrica de Campofrío que resurgió de sus cenizas – *http://www.expansion.com/empresas/industria/2018/08/28/5b83edb2e2704ef5628b462a.html*

▼ Expansión 2016 – Torre Europa, el primer edificio inteligente *http://www.expansion.com/economia-digital/ideas-digitales/2016/11/14/5829d369ca4741e2028b45a2.html*

▰ Expansión 2018 – Logística, la clave del éxito de Amazon *http://www.expansion. com/economia-digital/companias/2016/05/30/574c66eeca4741d63d8b464b. html*

▰ FAO – Pérdida y desperdicio de alimentos – *http://www.fao.org/food-loss-and-food-waste/es/*

▰ Forbes – ¿Como está ayudando la tecnología *IoT* al medio ambiente? – *http:// forbes.es/business/44043/como-esta-ayudando-la-tecnologia-iot-al-medio-ambiente/*

▰ Forbes – Smart mobile Robots are Everywere – *https://www.forbes.com/sites/ stevebanker/2018/06/01/smart-mobile-robots-are-everywhere/#2f214268aaba*

▰ Forbes 2018 – *www.forbes.com*

▰ Fundación Aquae – Consumo de aguda por sectores de actividad en España – *https://www.fundacionaquae.org/wiki-aquae/el-agua-en-espana/consumo-de-agua-por-sectores-de-actividad-en-espana/*

▰ Gartner 2018 – *www.gartner.com/smarterwithgartner*

▰ Generalitat de Catalunya – Govern.cat – Juliol de 2018 – Ángels Chacón. *http://www.govern.cat/pres_gov/AppJava/govern/grans-reptes/aixecar-catalunya/307123/chacon-portar-transformacio-digital-ambits-empresarials-facilitar-universitat-proveeixi-transfereixi-coneixement.html*

▰ Google Patents – Smart contact lenses for augmented reality and methods of manufacturing and operating the same – *https://patents.google.com/patent/ US20160091737A1/en*

▰ Human Rigths Watch – HRW – Erradicating ideological viruses – *https://www. hrw.org/report/2018/09/09/eradicating-ideological-viruses/chinas-campaign-repression-against-xinjiangs*

▰ iAgua Conocimiento, SL – De transformación a realidad digital: El agua se 'smartiza' – *https://www.iagua.es/noticias/agueda-garcia-durango/ transformacion-realidad-digital-agua-se-smartiza*

▰ IDC (International Data Corporation) *https://www.idc.com/*

▰ IEEE – 802.15.4 – 2006 – *http://standards.ieee.org/getieee802/ download/802.15.4-2006.pdf*

▰ IEEE – 802.15.4 – 2007 – *http://standards.ieee.org/getieee802/ download/802.15.4a-2007.pdf*

▰ IEEE – An IoT service-oriented system for agricultura monitoring – *https:// ieeexplore.ieee.org/document/7996640*

- IEEE – Institute of Electrical and Electronics Engineers – *https://iot.ieee.org*
- IESE – El 70% de los pacientes dispuestos a usar la telemedicina – *https://www.iese.edu/es/conoce-iese/prensa-noticias/noticias/2013/octubre/el-70-pacientes-dispuestos-usar-telemedicina*
- IFISC (Institute for Cross-Disciplinary Physics and Complex Systems) –Coupled Animal and Artificial Sensing for Sustainable Ecosystems: The Red Sea as a CAASE Study *https://ifisc.uib-csic.es/media/researchline/projectdocument/bH1FoBwuSIiazvlHiEkjMw.pdf*
- Industrial Internet Consortium – *https://www.iiconsortium.org/index.htm*
- Insituto nacional de ciberseguridad de España – Iniciativas y mejores prácticas de seguridad para el *IoT – https://www.incibe-cert.es/blog/iniciativas-y-mejores-practicas-seguridad-el-iot*
- Intel 40yrs – *http://download.intel.com/newsroom/kits/40thanniversary/pdfs/Intel_40th_infographic_sm.pdf*
- Intel Corporation
- International Federation of Robotics – Positive Impact of Industrial Robots on Employment (*https://robohub.org/wp-content/uploads/2013/04/Metra_Martech_Study_on_robots_2013.pdf*)
- International Organization for Standarization – Standards catalogue – Open Systems Interconnection – *https://www.iso.org/ics/35.100/x/*
- Internet Live Stats (*http://www.internetlivestats.com/*)
- Internet Live Stats, a part of the Real Time Statistics Project
- Internet of bees – IoBee *http://io-bee.eu/*
- Internet of things World Forum – The Internet of things reference model – *https://www.iotwf.com/resources/71*
- Internet of Things: Evolutions and Innovations (Oct 2017, Wiley-ISTE)
- Internet4things.it – Barilla, Cisco, Penelope, NTT Data: parte dall'IoT la connected food supply chain – *https://www.internet4things.it/smart-agrifood/barilla-cisco-penelope-ntt-data-parte-dalliot-la-connected-food-supply-chain/*
- Invat.tur Generalitat Valenciana – Impulso a los destinos turísticos inteligentes – *http://invattur.gva.es/noticia/impulso-a-los-destinos-turisticos-inteligentes-de-la-comunitat-valenciana-desde-gandia/*

- ITU – Harnessing the Internet of Things for Global Development – *https://www.itu.int/en/action/broadband/Documents/Harnessing-IoT-Global-Development.pdf*
- ITU – International Telecommunications Union (*www.itu.int*)
- ITU – The state of broadband 2018: Broadband Catalyzing Sustainable Development – *https://www.broadbandcommission.org/publications/Pages/SOB-2018.aspx*
- ITU –Internet of Things could be the low-cost 'connectivity key' that transforms lives in developing countries – *https://www.itu.int/net/pressoffice/press_releases/2016/02.aspx*
- Juniper Research – The Internet of things for security providers – *https://www.juniperresearch.com/researchstore/iot-m2m/internet-of-things-for-security-providers/subscription/opportunities-strategies-forecasts-(1)?utm_campaign=ioтforsecurityproviders18pr1&utm_source=businesswire&utm_medium=email*
- La Vanguardia – Conducción remota – *https://www.lavanguardia.com/local/barcelona/20170301/42395189813/conduccion-remota.html*
- La Vanguardia – El 5G alcanzará 1500 millones de suscriptores en 2024 – *https://www.lavanguardia.com/vida/20181127/453205942163/el-5g-alcanzara-1500-millones-de-suscriptores-en-2024-segun-el-ericsson-mobility-report.html*
- Loon Project – Balloon powered Internet – *https://loon.co*
- Lux Research – Connecting the dots – *https://members.luxresearchinc.com/research/report/22493*
- MDPI – Open Access Journals – Energy modeling of IoT Mobile terminal son wifi – *https://www.mdpi.com/*
- mercadoindustrial.es – Universal Robots en la vanguardia de la Industria 4.0 – *https://mercadoindustrial.mbzpress.com/2017/03/08/universal-robots-la-vanguardia-la-industria-4-0/*
- Metges de Catalunya – Informe "Posicionament de Metges de Catalunya respecte la telemedicina i les visites no presencials
- Microsof Research NExT Operating Systems Technologies Group – The Seven Properties of Highly Secure Devices – *https://www.microsoft.com/en-us/research/wp-content/uploads/2017/03/SevenPropertiesofHighlySecureDevices.pdf*
- Microsoft Azure Sphere – *https://azure.microsoft.com/es-es/services/azure-sphere/*

▰ Microsoft IoT 2018 – Rolls-Royce y Microsoft *https://customers.microsoft.com/ en-us/story/rollsroycestory*

▰ MIT News – Graphene – *http://news.mit.edu/topic/graphene*

▰ MIT Technology review – Bicis compartidas, el nuevo gran cerebro de las ciudades inteligentes – *https://www.technologyreview.es/s/10571/bicis-compartidas-el-nuevo-gran-cerebro-de-las-ciudades-inteligentes*

▰ MIT Technology Review – Cemento termocrómico y hormigón autoreparable – *https://www.technologyreview.es/s/6665/cemento-termocromico-y-hormigon-autorreparable-asi-es-el-futuro-de-los-materiales-de*

▰ MIT Technology Review – Una cápsula inteligente espía al paciente para ver si sigue su tratamiento *https://www.technologyreview.es/s/9853/una-capsula-inteligente-espia-al-paciente-para-ver-si-sigue-su-tratamiento*

▰ MSN – Dinero – La estrategia 'online' de Inditex acelera el cierre de tiendas físicas – *https://www.msn.com/es-es/dinero/empresa/la-estrategia-'online'-de-inditex-acelera-el-cierre-de-tiendas-físicas/ar-BBMYNV0?ocid=spartanntp*

▰ NACDS – The cost of medication *https://www.nacds.org/news/the-cost-of-medication-non-adherence/*

▰ NASA – Eyes on the Earth – *http://climate.nasa.gov*

▰ NASA – How NASA and John Deere Helped Tractors Drive Themselves – *https:// www.nasa.gov/feature/directorates/spacetech/spinoff/john_deere*

▰ NFC Forum – NFC and the Internet of Things – *https://nfc-forum.org/nfc-and-the-internet-of-things/*

▰ Nir Kshetri – Can Blockchain Strengthen the Internet of Things? – *http://libres. uncg.edu/ir/uncg/f/N_Kshetri_Can_2017.pdf*

▰ Omron – Flow sensors – *https://industrial.omron.eu/en/products/e8fc-flow-sensors*

▰ Open Connectivity Fundation – *https://openconnectivity.org/*

▰ Parlamento Europeo – Normas de derecho civil sobre robótica – *http://www. europarl.europa.eu/sides/getDoc.do?type=TA&reference=P8-TA-2017-0051&language=ES&ring=A8-2017-0005*

▰ PCTEL – Antenas integrales – *https://www.pctel.com/es/embedded-antennas/#*

▰ Phillips Lighting – How do you make a city Smart? – *http://www.lighting.philips.com/ main/inspiration/smart-cities/smart-city-trends/smart-cities-world?origin=10_ global_en_smartcities_pressrelease___scwnreport_70124000000WUcs*

▼ PROMUSICAE, Productores de Música de España,

▼ Revista Vanity Fair, febrero de 2017 (Andy Warhol)

▼ Roberto de la Mora (Cisco), How will the IoT Help Your bussines?

▼ Ruslan Enikeev, autor de Internet-map.net

▼ Saarland University – Human Computer Interaction – SkinMarks – *https://hci. cs.uni-saarland.de/research/skinmarks/*

▼ Schneider Electric – La vida en un mundo de datos – *www.schneider-electric.com*

▼ Semtech Corporation – What is LoRa? *https://www.semtech.com/lora/what-is-lora*

▼ Silicon Week – Este es el beneficio de tener cobots (*https://www.siliconweek. com/e-enterprise/este-es-el-beneficios-de-tener-cobots-97183*)

▼ SLSC Australia – Model Public Lighting Controls Specification – *http://www.slsc. org.au/HigherLogic/System/DownloadDocumentFile.ashx?DocumentFileKey= c79b4210-845f-a8e2-3b43-3f33a5d4e84f&forceDialog=0*

▼ SmartDust – Autonomous sensing and communication in a cubic milimeter – Berkeley University – *https://people.eecs.berkeley.edu/~pister/SmartDust/*

▼ Statista – The Statistics Portal – *https://www.statista.com/statistics/865413/most-popular-us-mapping-apps-ranked-by-audience/*

▼ Strength training for the digital age – *https://egym.com*

▼ Teléfonica

▼ Teléfonica IoT 2018 – *https://iot.telefonica.com*

▼ TeleGeography – Submarine cable map

▼ Tesla 2018 – *www.tesla.com*

▼ The George Washington University – Self-Repairing and Self-Sustaining Autonomous Machines (*http://technologies.research.gwu.edu/technologies/11-025-hsu_self-repairing-and-self-sustaining-autonomous-machines*)

▼ The LoRa Alliance – *https://lora-alliance.org/about-lorawan*

▼ The White House – Presidential Executive Order on Strengthening the Cybersecurity of Federal Networks and Critical Infrastructure – *https://www. whitehouse.gov/presidential-actions/presidential-executive-order-strengthening-cybersecurity-federal-networks-critical-infrastructure/*

▼ The Zigbee Alliance – *https://www.zigbee.org*

▼ The Z-Wave Alliance – *https://z-wavealliance.org*

▼ Tim Kannegieter . Energy Harvesting – *https://iot.engineersaustralia.org.au/wiki-index/energy-harvesting-r47/*

▼ Tony Anscombe – Protección completa para un hogar inteligente – *https://www.welivesecurity.com/wp-content/uploads/2018/05/Seguridad-dispositivos-IoT-hogares-inteligentes.pdf*

▼ Transports Metropolitans de Barcelona

▼ Weather modification association – *http://weathermod.org/*

▼ Weightless   Specification   –   *http://www.weightless.org/about/weightless-specification*

▼ Wikipedia

▼ Windows Central – Microsoft Data Centers – *https://www.windowscentral.com/map-details-spread-azure-data-centers-across-world*

▼ World Economic Forum – The Future of Jobs Report – *http://www3.weforum.org/docs/WEF_Future_of_Jobs_2018.pdf*

▼ ZME Science – Passive wifi uses 10000 less energy and can power devices – *https://www.zmescience.com/research/technology/passive-wi-fi/*

SÍGUENOS EN INSTAGRAM Y ACCEDE GRATIS A NUESTRA BIBLIOTECA DIGITAL DURANTE 30 DÍAS.

@grupoeditorialrama

¡ENVIANOS TU MAIL POR PRIVADO!

Grupo Editorial
ra-ma

40 ANIVERSARIO